Luís Costa Pinto

Trapaça

SAGA POLÍTICA NO UNIVERSO PARALELO BRASILEIRO

Vol. 2 | Itamar e FHC

GERAÇÃO

Copyright © by Luís Costa Pinto
1ª edição – Maio de 2020

Grafia atualizada segundo o Acordo Ortográfico da Língua Portuguesa
de 1990, que entrou em vigor no Brasil em 2009.

Editor e Publisher
Luiz Fernando Emediato

Diretora Editorial
Fernanda Emediato

Estagiário
Luis Gustavo

Capa
Raul Fernandes

Diagramação
Alan Maia

Preparação de Texto
Cassia Janeiro

Revisão
Josias A. de Andrade

Dados Internacionais de Catalogação na Publicação (CIP) de acordo com ISBD

P659t   Pinto, Luís Costa
Trapaça Volume 2 – Fernando Henrique Cardoso – Itamar Franco:
saga política no universo paralelo brasileiro /
Luís Costa Pinto. – São Paulo : Geração Editorial, 2020.
392 p. ;15,6cm x 23cm.

ISBN: 978-65-5647-004-7

1. Jornalismo político. 2. Política brasileira. 3. História do Brasil.
4. Fernando Henrique Cardoso. 5. Itamar Franco. I. Título.

CDD 070.44932
2020-887
CDU 070(81)

Elaborado por Vagner Rodolfo da Silva – CRB-8/9410

Índices para catálogo sistemático
1. Jornalismo político 070.44932
2. Jornalismo político 070(81)

GERAÇÃO EDITORIAL

Rua João Pereira, 81 – Lapa
CEP: 05074-070 – São Paulo – SP
Telefone: +55 11 3256-4444
E-mail: geracaoeditorial@geracaoeditorial.com.br
www.geracaoeditorial.com.br

Impresso no Brasil
Printed in Brazil

A João Pedro e Leo, porque o lugar deles nessas histórias surgirá mais à frente, como protagonistas.

A Rodolfo, Bárbara e Júlia, por tudo o que vivemos juntos. E pelo que virá.

A Patrícia, pelo tanto que já fizemos, e para sempre. Infinitamente.

A Cristina, pela transformação, compreensão e amizade.

SUMÁRIO

Prefácio..9
Ricardo Kotscho

Prólogo..13

Capítulo 1

O PRESIDENTE IMPROVÁVEL............................19

Capítulo 2

O PROCESSO IMPLACÁVEL 79

Capítulo 3

O PLANO INIMAGINÁVEL 121

Capítulo 4

"A UTOPIA DO POSSÍVEL"................................165

Capítulo 5

"O ASSASSINO INVISÍVEL"...............................*209*

Capítulo 6

PODER, UM CORRUPTOR INCORRIGÍVEL...*247*

Capítulo 7

A SOLIDÃO IMPENSÁVEL................................*279*

Capítulo 8

O FIM: IMPREVISÍVEL?....................................*307*

Posfácio *369*
Juliana Fratini

Índice onomástico *385*

Prefácio

UM PAPO NA VARANDA

Por Ricardo Kotscho*

Dizem os mal-humorados que prefácio só serve para atrasar o início da leitura do livro.

Que, se o livro é bom, não precisa. E, se for ruim, não adianta.

Por isso, raramente atendo aos honrosos convites recebidos de escritores amigos para cumprir essa tarefa.

Pois, no caso deste segundo volume de "Trapaça", agradeço muito a Luís Costa Pinto, o Lula, por ter me enviado os originais da sua nova obra durante a quarentena da pandemia do coronavírus. Me diverti bastante.

A leitura prazerosa dessa novela da vida real da política brasileira me ajudou não só a atravessar com bom humor estes dias de isolamento forçado, mas a pensar sobre o que fizemos da nossa profissão e do nosso país nestes últimos anos.

Já chamaram esse repórter de 504º deputado *(a primeira Legislatura brasileira com 513 deputados foi a iniciada em 1995. O apelido, posto no autor pelo ex-presidente da Câmara, Luís Eduardo Magalhães, remonta aos anos de 1992 a 1994)*, tamanha a sua desenvoltura para circular pelos plenários e gabinetes do Congresso e, principalmente, pelos bons restaurantes da Capital Federal, a principal fonte de pauta para as suas reportagens e as saborosas e muitas vezes dramáticas histórias contadas neste livro, que por vezes lembra um bom *thriller* com pitadas de romance.

"Trapaça-2" começa com dois jornalistas sentados na varanda da casa do autor, em Brasília, modestamente chamada de "Melhor

Bar da Cidade", com suas cervejas especiais e petiscos garimpados nas melhores origens, relembrando passagens marcantes das suas carreiras.

E assim prossegue por mais de 300 páginas, como se fosse um papo entre dois amigos, o autor e o leitor, uma prosa muito franca em que as vidas profissional e familiar se embaralham, sem censura, para revelar as tramas urdidas nos bastidores da política e da concorrência feroz entre os veículos e dentro das redações. Acho que nenhuma outra profissão é tão competitiva como essa.

Jovem repórter da sucursal da "Veja" no Recife, muito cedo promovido ao primeiro time da imprensa nacional, após a histórica entrevista com Pedro Collor, que detonou o governo do irmão Fernando, Lula desembarcou em Brasília disposto a não ser apenas mais um no expediente da revista.

Determinado e espaçoso, até pelo porte físico robusto, esse não era repórter de esperar pelas entrevistas coletivas para cumprir a sua pauta. Queria sempre sair na frente dos concorrentes, mesmo que fosse a própria mulher, a repórter Patrícia Andrade, como ele conta no livro. Revelar fatos inéditos, cavar uma capa de revista ou uma manchete de jornal era seu desafio cotidiano.

Na relação muitas vezes promíscua entre repórteres e fontes, numa cidade que respira poder, Lula soube separar as coisas. Podia ser íntimo dos políticos, mas nunca cúmplice.

Ao tratar, neste segundo volume, do mandato tampão de Itamar Franco e do primeiro período de Fernando Henrique Cardoso, dois presidentes improváveis e tão diferentes, o autor retrata com precisão as mudanças registradas no fazer jornalístico.

Avesso a adjetivos e circunlóquios e, por vezes, rude na defesa dos seus princípios, Lula não se vexa de deixar mal na fita, dando nomes aos bois, alguns caciques da imprensa, hoje decadentes, mas que ainda tinham muito poder naquela época. Escreve ele:

> *Ter o protagonismo inédito na derrubada constitucional e legítima de um presidente da República eleito democraticamente e testemunhar uma transição pacífica entre grupos*

de poder era experiência inédita até ali para a imprensa brasileira. As redações impetuosas daquele período foram impactadas positivamente pelo episódio. Nos anos seguintes, entretanto, a minha geração profissional assistiu a uma lenta e contínua degradação de formação, de atitudes, de postura e da necessária independência por parte dos jornalistas.

Por esse motivo, certamente, Lula foi aos poucos se desiludindo com o ofício de batalhar por informações em primeira mão, exclusivas, ainda que isso o afastasse por longas jornadas do convívio familiar.

Para isso, não se limitava a descrever os fatos como eles aconteceram, mas a buscar as causas e prever as possíveis consequências das decisões tomadas pelos donos do poder.

Repórter é como goleiro, costumo brincar. Não basta ser bom no que faz, tem que ter sorte. Estar no lugar certo, na hora certa, com as pessoas certas. Tem que rodar muito e gastar sola de sapato para conquistar e acumular o mais importante nesta nossa profissão: credibilidade.

Claro que um bom texto sempre ajuda. Já ensinava o velho Shakespeare que escrever ou é fácil ou é impossível.

Nas revistas e jornais por onde passou, e agora nos livros, parece que a escrita de Lula tem vida própria. As palavras se encadeiam naturalmente, uma puxa a outra sem fazer força, como se sempre tivessem estado lá. Nenhuma palavra a mais, nem a menos, na medida certa.

Sorte de goleiro Lula também teve ao se afastar na hora certa do dia a dia das redações e dos centros de poder nestes tempos tenebrosos que estamos vivendo, mas ele não cospe no prato onde comeu. Luís Costa Pinto sabe que não existe política sem políticos e partidos que, para o bem ou para o mal, representam a sociedade.

Uma democracia não sobrevive sem eles, como estamos vendo agora, após um longo processo de criminalização da política pela Operação Lava-Jato, que acabou dando nesta aberração chamada Jair Bolsonaro, o primeiro presidente sem partido.

Certa vez, ao fazer uma reportagem com Chitãozinho e Xororó, no início da carreira deles, perguntei por que não atendiam aos pedidos de bis da plateia.

"Sabe, moço, é para deixar um gostinho de quero mais e que eles voltem no nosso próximo show...", ensinou Chitãozinho.

É exatamente o que sinto agora ao ter terminado de ler este livro — um gosto de quero mais. Que venha logo o terceiro volume de "Trapaça".

(*) Jornalista.
Abril de 2020, no 30º dia de quarentena.

PRÓLOGO

Ele me ligou para falar do primeiro volume de *Trapaça — Saga Política no Universo Paralelo Brasileiro*, que eu acabara de lançar. Como assumira havia pouco tempo a direção do *Jornal de Brasília* e imprimira um caráter mais dinâmico e analítico ao jornal impresso, que praticamente fora extinto para dar lugar a uma versão virtual mais ágil e com maior liberdade de opinião, a intenção era resenhar meu livro e bater um papo sobre as águas turvas da política em dias de governo Bolsonaro. Obviamente, também incluiríamos na conversa tópicos sobre o sofrível estado da arte do jornalismo. Sentei-o na cadeira da varanda do terraço de minha casa, de onde é possível contemplar todo o quintal gramado e arborizado de uma residência padrão do Lago Sul de Brasília. Era uma tarde úmida de uma quarta-feira de novembro, o sol já se punha, escutávamos cricrilares de grilos, cantos de sabiás e trinados estridentes de maracanãs emoldurando o fundo de nosso agradável diálogo.

— Cara, adoro a trilha sonora das tardes brasilienses nesses meses de outubro a março.

— Eu também, Rudolfo. É bucólico. Nem parece que a gente está numa cidade que é capital de República, a menos de oito quilômetros da Praça dos Três Poderes, do Palácio do Planalto, do Congresso, do Supremo Tribunal Federal.

— Brasília é fantástica...

— ... Sim, tanto que a gente vive coisas que nem parecem verdadeiras. Às vezes, eu sinto que somos protagonistas de histórias de doido. A propósito, camarada, vou abrir o volume dois de **Trapaça** com uma história em que você é personagem, ok?

— Eu?! Como é que é?

Rudolfo Lago, um dos mais experientes repórteres políticos em atividade na capital da República, pouco mais velho do que eu, ajeitou as pernas curtas e os pequenos braços na poltrona, franziu a testa e aguçou o olhar em minha direção. Quase pude ver as orelhas dele se alongando e vindo ao encontro do que ouviriam. Esperou minha resposta.

— Rudolfo, você se recorda do assassinato do PC Farias? Era um domingo, nós recebemos a notícia de manhã e quase todos os jornais, revistas, TVs, mandaram equipes para Maceió no mesmo dia, à tarde. Lembra?

— Lembro, claro. Fomos num voo com uns 40 jornalistas, fotógrafos, cinegrafistas, todos os veículos de comunicação estavam lá. Uma zona total.

— Sim. Pousamos e fomos direto para o velório. O corpo dele foi velado na Tratoral, a revendedora de tratores que era a origem das empresas de PC e ficava naquela avenida emendada à BR-101, uma continuação da rodovia, logo na entrada de Maceió, no caminho do aeroporto.

— Claro que lembro. Chegamos lá e estavam todos os irmãos Farias, carequinhas, velando o PC. Os filhos também. Foi uma correria, tínhamos de transmitir os textos até umas oito da noite. Naquele tempo era tudo impresso mesmo, era fundamental cumprir o prazo de fechamento, a comunicação era precária.

— Isso. E houve um momento em que a maioria dos jornalistas foi para os hotéis. Da imprensa, praticamente, só ficamos eu e você. Você estava lá pelo jornal *Zero Hora*, do Rio Grande do Sul, e eu estava por *O Globo*, do Rio.

— Claro.

— Aí o seu celular tocou no meio do velório. Um toque alto. Era um *Startac*, daqueles tijolões cinza, com uma lingueta que abria para o microfone, lembra? Um aparelho enorme, quase do seu tamanho.

Ele riu, um pouco sem graça. Baixinho, Rudolfo não curte muito as brincadeiras com sua compleição física. Eu segui.

— Os irmãos do PC ficaram te olhando, e você ia andando em círculos e respondendo: "É o PC Farias, Marcelo. Tenho certeza. Claro que é careca como o PC, Marcelo. Porque é o PC. Sim, Marcelo, tem os bigodes do *PC*"... Do outro lado da linha, o Marcelo Rech, que na época era editor-executivo do *Zero Hora*, pôs você no pau de arara para confirmar que era o PC mesmo. Tu não escondias estar possesso com ele.

— Rapaz, é verdade, lembro sim. Que loucura, foi mesmo. Tinha apagado isso de minha memória, mas agora relembro perfeitamente.

Rudolfo assumiu o ar de quem começava a lembrar de histórias remotas das quais ele mesmo fora protagonista. Prossegui o relato.

— Lembra que você dizia *"Não, Marcelo, não é um boneco do PC. Marcelo, você acha que somos um bando de trouxas e estamos aqui sendo enrolados pelos irmãos Farias?"* E, nessa hora, o Rogério, o Luiz Romero e o Gilberto Farias te encararam. Você estava caminhando para o caixão onde estava o corpo de PC e seguia: *"Marcelo, ok, estou aqui. Já toquei nele. É o PC. Não é um boneco. O bigode é de verdade, Marcelo. Não, Marcelo, não vou mais discutir com você. Não sou um idiota, Marcelo, não estamos sendo enganados pelo PC e por seus irmãos numa farsa. O PC morreu, sim, Marcelo, e vai ser enterrado amanhã. Até logo, Marcelo!"*

— Porra, Lula, como é verdade! Foi um diálogo inusitado. Como você se lembra disso tudo? Eu tinha esquecido.

— Ora, Rudolfo, porque aquele diálogo só podia ter acontecido num país sul-americano, nessas paragens que deram lugar a Jorge Luís Borges, Gabriel García Márquez, Jorge Amado..., onde as coisas são reais e fantásticas ao mesmo tempo. Jamais esqueceria.

— Sim, foi realismo fantástico o assassinato do PC, naquelas condições, toda a nossa cobertura, as versões que rolaram na época.

— E o crime terminou impune. Não houve julgamento até hoje. O sujeito foi o centro de um dos maiores escândalos políticos da história do país, foi o responsável pelo *impeachment* de um presidente da República, do qual havia sido o tesoureiro de campanhas, morreu num quarto em que estava com a namorada celebrando a noite de São João e o penúltimo dia de prisão. PC ia curtir um regime de prisão domiciliar e ia se reinventar.

— Exato. Foi assassinado com o alvará de soltura em mãos; e o meu chefe na época, Marcelo Rech, não acreditava que todo aquele roteiro rocambolesco era verdade.

— Nem ele, nem nós, Rudolfo. E estávamos ali, diante do defunto, tocando no cadáver de PC Farias, uma criatura que poucos anos antes era a eminência parda de um governo brasileiro. Aqui está o volume um — dei-lhe, então, o livro no qual descrevia memórias dos cinco meses que levaram ao *impeachment* de Fernando Collor, em 1992. — Por causa desse caráter de eterna Macondo que Brasília e o Brasil parecem ser, logo no início desse segundo volume de **Trapaça** faço a advertência:

"No Brasil, realidade e ficção muitas vezes se confundem.

Vivemos num país onde, não raro,

a mentira é mais verossímil que a verdade.

E onde a verdade, quase sempre, tem de se esforçar para ser crível.

Nossos dramas políticos sugerem narrativas ficcionais.

Aqui nem tudo é verdade,

mas tudo pode ter sido verdade."

O diretor de redação do *Jornal de Brasília* sorriu largo, fez um gesto afirmativo com a cabeça, guardou o exemplar que eu lhe ofertava e entabulamos, a partir dali, uma conversa de horas.

* * *

Deixei as redações em 2002 para fazer uma campanha eleitoral presidencial. Desde então, dou consultorias de comunicação, faço análise de cenários políticos, produzo auditorias de campanhas eleitorais.

Decidi contar o que vi e o que vivi da forma como os relatos voltaram à minha memória. Desenvolvi aqui um estilo que creio ser singular: a autobiografia psicografada baseada em fatos. Em novembro de 2019, lancei, pela Geração Editorial, o volume 1 de Trapaça — Saga Política no Universo Paralelo Brasileiro. Nele, procurei ser memorialístico.

Neste volume, cujo intervalo temporal se inicia na madrugada em que o livro anterior termina e se estende até o início atrapalhado e eivado de escândalos do segundo mandato de Fernando Henrique Cardoso em janeiro de 1999, decidi contar as histórias do jornalismo e da política que protagonizei ou que, de alguma forma, testemunhei, em oito novelas curtas.

Novelas: é como classifico o que ora lhes entrego.

CAPÍTULO 1

O PRESIDENTE IMPROVÁVEL

O calendário do ano de 1992 guardaria para a manhã de 2 de outubro, uma sexta-feira, os adjetivos "gloriosa" e "histórica", destinados à República brasileira. Era a data reservada para o senador catarinense Dirceu Carneiro notificar o presidente Fernando Collor de Mello do início do processo de *impeachment*, aprovado na Câmara, e o consequente afastamento do titular do cargo, dando assim lugar a um governo interino do vice, Itamar Franco. A interinidade poderia se tornar definitiva em caso de cassação de Collor no Senado, depois do julgamento do processo, ou na hipótese de o presidente afastado renunciar. Contudo, entre a pretensão sobre o calendário ser consumada e o fato em si, havia doses cavalares de vida real.

Passava um pouco da meia-noite de quinta-feira, quando o telefone de meu ramal na sucursal brasiliense de *Veja* tocou. Era uma ligação direta para a minha mesa de trabalho, a chamada não passara pelas secretárias da revista. Logo, ou se tratava de uma fonte com razoável proximidade e alto grau de confiança, ou era algum familiar. Havia ainda a possibilidade de ser uma grande amiga do jornal *Zero Hora*, que costumava ligar nas madrugadas insones.

— Costa Pinto, meu querido. Tudo bem?

A voz grossa que desafinava no fim, sempre colorida e sorridente como as vozes daqueles que nasceram para avôs vocacionais, não permitiu que fosse criado qualquer mistério sobre quem estava do outro lado da linha.

— Maurício Correa, meu senador brizolista predileto!

Ele riu do outro lado, soltou um *ráá!*, encerrando o rasgar de seda mútuo, e não perdeu tempo para dizer do que se tratava.

— Você conhece o Krause, Gustavo Krause, lá do seu Recife?

— Claro que sim. Gosto muito dele. Pensamos diferente, mas nos respeitamos profundamente. E olha que a nossa relação de amizade começou com ele pedindo que eu me retratasse de um erro que tinha publicado, logo que entrei na *Veja*. Escrevi uma bobagem, ele pediu para o José Paulo Cavalcanti Filho, advogado...

O senador me interrompeu, quase impaciente.

— Conheço o José Paulo, figuraça. Adorável. Mas esquece ele. Krause: ele será o ministro da Fazenda. E isso é *off* total. Corra atrás dele. Ninguém sabe ainda. Fechou agora. Toma posse amanhã, junto com o Itamar.

Ponderei, do auge de minha arrogância de jovem jornalista *(jovens, sobretudo quando são jornalistas, parecem ver o mundo sob o prisma de suas infinitas certezas. Ao longo do tempo a vida nos ensina a ter dúvidas. Quando aprendemos a duvidar de nossas certezas antes de proferir qualquer opinião, estamos prontos)*:

— Mas Krause é um desconhecido no resto do país. Não seria melhor o José Serra, como estava combinado? Ou um empresário paulista?

— O Quércia vetou o Serra. Essa parte depois eu te conto. Mas corra atrás do Gustavo Krause. Ele saiu da casa do Itamar agora. Estava assustado. Driblou o resto da imprensa. Não sei em que hotel está.

— Eu sei. Falei com ele hoje.

O relógio acabara de marcar 1 hora da madrugada quando consegui passar pela recepção do Hotel Naoum, fingindo ser hóspede. Havia morado ali por quase dois meses, durante minha transferência do Recife para Brasília, e conhecia os porteiros e as recepcionistas. Um deles checara o apartamento onde estavam os secretários da Fazenda e o do Planejamento do Estado de Pernambuco, respectivamente Gustavo Krause e Luiz Otávio Cavalcanti. Tinham ido à capital federal para prestigiar a posse do vice, a pedido do governador Joaquim Francisco, que, por sua vez, tentava emplacar Krause no Ministério do Interior.

Ao entrar no elevador, segurei a porta para uma ruiva bem vestida e perfumada — ok, o vestido era dois números aquém do manequim dela e o perfume, uma oitava mais doce que o recomendável. A gaúcha vivia pelo *lobby* do Naoum desde os tempos em que morei por lá. Sacava a sua constante troca de companhias e algumas vezes ela puxou papo comigo. O sotaque cantado do Rio Grande do Sul denunciou-lhe a origem e embalou uma de nossas conversas. Balançando o dedo indicador em sinal de negativo logo depois de apertar o botão do quinto andar, indiquei que não seria um cliente em potencial. Sorrindo, entre o sarcasmo e a decepção, ela apertou o botão do segundo andar. Retornaria pela escada em busca de companhia para atravessar o resto da noite.

Já não lembro mais se estavam no 508 ou no 510. Bati à porta. As portas do Naoum Plaza eram de madeira maciça. As maçanetas, douradas e pesadas. Ninguém atendeu. Toquei a campainha duas vezes. Não atendeu. Eles permaneciam no hotel. A chave não estava na recepção. Os chaveiros do Naoum eram feitos com bolas maciças de aço escovado, pesadas, planejadas para serem assim justamente para que ninguém as levasse no bolso.

Decidi, então, inaugurar um caminho original que, a partir dali, usei com razoável sucesso e depois passei a chamar de jornalismo epistolar. Saquei o bloco de notas do bolso interno esquerdo do paletó e redigi um bilhete.

> *Meu amigo Krause, sei que logo mais você virará ministro da Fazenda. Sei também que está nesse quarto. Imagino que esteja dormindo. Será um dia longo. Preciso saber, em nome de nossa amizade, os detalhes dessa indicação que surpreenderá a todos. Você está pronto para o furacão que sua vida vai se tornar? Tem algum plano na cabeça? Aliás: teremos feriado bancário na segunda--feira, congelamento?*

> *Certo de privar de sua amizade e admiração, mesmo você sendo alvirrubro doente e eu, Santa Cruz (um tricolor jamais espera nada do Náutico, né?), estarei esperando essa porta se abrir a qualquer momento. Ficarei sentado diante dela. Serei sua primeira conversa antes da posse no Ministério. Antes mesmo do garçom que lhe trará o café da manhã.*
> *Abração,*
> *Lula Costa Pinto.*

Era pretensioso, mas eu procurava ser engraçado. A minha esperança se resumia à fonte não dar relevância à pretensão e achar o bilhete ao menos simpático. A isca da blague futebolística revelar-se-ia poderosa. Tratando-se de quem se tratava, torcedor fanático do time dos Aflitos, bairro bucólico do Recife, seria infalível. Passei-o pela fresta entre a porta e o carpete grosso, cinza e vermelho.

Nos primeiros vinte minutos subsequentes, mantive-me aceso e alerta a qualquer movimento que viesse do quarto silencioso. Nada. Sentei-me no corredor e encostei na parede contrária. Forcei uma posição de lótus, com as pernas cruzadas, porque, se alguém passasse no corredor, acharia que eu era ou um bêbado insone ou um maluco meditativo. Por volta das 2 e meia não consegui permanecer nem atento, nem naquela posição de Buda. As costas adormeciam, junto com as nádegas. Uma leve coceira tomou conta da região pélvica. Relaxei, mais em posição de bêbado do que em postura zen, e cochilei do jeito que estava. Às vezes adormecia assim, de madrugada, na sucursal da revista, sem me importar com quem estivesse na redação. Eduardo Oinegue, o chefe do escritório de *Veja* em Brasília, dizia que nessas horas eu entrava em catatonia. Depois de 15 ou 20 minutos despertava e seguia escrevendo, apurando, debatendo ou pesquisando qualquer tema. A intervalos inconstantes, abri um ou outro olho para verificar se havia resposta à minha missiva ou movimento vindo do quarto dos secretários pernambucanos. Nada. Por volta das 5 e meia escutei uma batida do outro lado da porta fechada. Despertei com um bilhete vindo em sentido contrário.

Meu caro amigo Lula, não sei quem é sua fonte, mas preserve-a: é boa. Você ainda está aí? Acabei de acordar. Sim, acho que esse humilde alvirrubro aqui vai virar técnico dos outros times – inclusive do Santa. Se estiver aí, vamos conversar?
Um abraço,
K.

Bingo! Respondi no verso:

Meu ministro da Fazenda, estou sim. Vamos, é só abrir a porta
LCP.

A tática epistolar dera certo. Em cinco minutos, Luiz Otávio abria a porta sorridente, cabelos molhados, camisa ainda desabotoada até a altura do peito, calçando apenas meias. Quase gargalhando ao me ver desgrenhado pela noite no corredor e com um gesto amplo, convidou-me para entrar. Sentou na ponta de uma das camas.

— O ministro está saindo do banho.

— Aceitou mesmo?

— Ô Lula, e isso lá é cargo para se recusar?

— E vocês dois, hein? Espartanos! Dividindo quarto? Os secretários da Fazenda e do Planejamento? Lá na *Veja* a gente não faz assim não. Cada jornalista ou fotógrafo, um quarto diferente. "A firma é rica", dizemos.

— No nosso caso, o Estado é pobre. A gente não ia nem dormir aqui. O Joaquim foi quem pediu para ficarmos. Se o Gustavo fosse assumir o Ministério do Interior, isso só aconteceria na próxima semana. Nem gravata ele tem. E eu só trouxe uma, que vou usar agora na posse dele e na do presidente Itamar.

A porta do banheiro abriu e o quase-ministro da Fazenda adentrou o quarto falante.

— O Iberê vai me emprestar uma gravata. Esse é o menor dos problemas que terei daqui para frente.

Falava de Carlo Iberê, jornalista a quem convidara para assessorá-lo no Ministério do Interior, e que só saberia da mudança de endereço e de peso na Esplanada quando fosse entregar a gravata ao chefe, dali a algumas horas. Os dois se conheciam desde os tempos em que Iberê chefiava a sucursal Nordeste da *Gazeta Mercantil*, que ficava baseada no Recife.

— Como foi esse convite para a Fazenda?

— Coisa de Itamar.

— Vocês já tinham sido apresentados?

— Não. Eu o conheci ontem à noite. Fui sondado pelo Joaquim Francisco. Disse a ele: "governador, você é meu chefe e dá o comando. O que acha?" Ele respondeu que em Brasília tudo é transitório, mas que, às vezes, o transitório é irrecusável, até porque dura pouco e abre novos caminhos. Estou pronto para ver até onde vai essa aventura.

— E aí? O que você fez depois de aceitar o convite?

— Eu? Meu amigo, saí da casa dele e fiz a melhor coisa que um sujeito pode fazer nessas horas: tomei dois *lexotans (um ansiolítico relaxante que acalma e induz o sono)*, duas doses de uísque e adormeci. Apaguei. Você bateu à porta?

— Bati e toquei a campainha. Vocês não ouviram?

Olhei para Luiz Otávio, que voltou à conversa:

— Eu tomei um *Lexotan* e um uísque. Meu sono é mais pesado do que o dele, naturalmente. Mas fui eu quem acordou antes e recolheu seu bilhete, viu?

Rimos. Krause prosseguiu, narrando a primeira conversa com o homem que viraria presidente da República dentro de poucas horas.

— Disse ao Itamar que não farei nem congelamentos de preços nem confiscos de contas correntes, poupanças ou ativos reais. Informei a ele que sou um liberal clássico — ou seja, que acredito na iniciativa privada e acho que temos de ter uma agenda de privatizações.

— E o que ele lhe disse?

— Que eu estava certo, mas que ele gostaria de ser informado de tudo, porque as privatizações do Collor tinham uma certa marcação com Minas Gerais. Com as estatais de Minas. É claro que ele é contra confisco.

— Por que o ministro não será o Serra, o ministro, ou o Paulo Cunha *(empresário e presidente do Conselho de Administração do Grupo Ultra)*?

— Houve vetos.

— De quem?

— Sobretudo do Quércia. E o Quércia, além de mandar no Fleury, que é governador de São Paulo, é o presidente do PMDB[1], que é o maior partido do país. Não tenho muitos detalhes sobre isso. Mas foi assim.

— Paulo Haddad vai ser o ministro do Planejamento. Você o conhece?

— Pouco, mas nos entenderemos. É um acadêmico, é um homem de bem, íntegro. Pensamos parecido no atacado e temos algumas divergências no varejo. Governo é como o amor nos versos de Vinicius de Moraes: não é eterno, posto que é chama. Mas é sempre forte e, por isso, parece indestrutível enquanto dura. Vamos tomar café lá embaixo e começar a viver a eternidade dessa chama.

* * *

Tancredo Neves dizia que Itamar guardava o rancor na geladeira. Além de ser a mais pura verdade, era daquelas tiradas inventadas pelos velhos e sábios políticos mineiros para abastecer o folclore em torno do jeito peculiar como se faz política em Minas Gerais.

Itamar Augusto Cautiero Franco, nascido em 1930, quando sua mãe estava a bordo de um navio chamado "Ita", que a levaria da Bahia para o Rio de Janeiro, formou-se engenheiro civil pela Escola de Engenharia de Juiz de Fora. A união do nome do navio com o local onde estava, no "mar", explica a origem do primeiro nome recebido no batismo. Nada mais surpreendentemente prosaico para um homem proverbialmente comum. A ascensão de Itamar à Presidência da República foi o atropelo de alguns acasos interpostos numa trajetória de improbabilidades.

---

[1] Partido do Movimento Democrático Brasileiro (PMDB), antigo MDB (Movimento Democrático Brasileiro).

Em 1966, ele se elegeu prefeito de Juiz de Fora. Foi reeleito em 1972 e, menos de dois anos depois, renunciou ao mandato para abraçar a candidatura ao Senado. Indeciso sobre a renúncia, que deveria se consumar até a meia-noite do dia em que a lei estabelecia como prazo fatal para os candidatos estarem fora de cargos públicos, o alcaide juiz-forano mandou atrasar o relógio oficial da Prefeitura em 45 minutos. Meia hora depois do retrocesso dos ponteiros, trinta minutos aquém da Hora Oficial do Brasil, Itamar renunciou ao comando da cidade para virar candidato do Movimento Democrático Brasileiro (MDB) ao Senado, na eleição de 1974. Era um anticandidato inventado por Tancredo, chefe político da oposição mineira, apenas para confrontar a máquina populista da Aliança Renovadora Nacional (Arena), sigla de apoio à ditadura — mas deu certo: foi um dos 16 senadores emedebistas eleitos no pleito que passaria à História como a eleição que iniciou a derrubada do regime militar.

Em seus primeiros dias como senador na capital da República, em 1975, Itamar costumava passear pela estação rodoferroviária da cidade às sextas e sábados à tarde. Era ali, em meio a cidadãos simples que saíam ou chegavam a Brasília, que encontrava conversas despretensiosas e pães de queijo corretos para serem saboreados com médias de café com leite. Num desses passeios, condoeu-se de uma família baiana que perdera tudo no trajeto até a cidade e dormia num dos vãos do terminal de ônibus e trens. O senador não teve dúvidas: foi a um orelhão *(como eram denominados os telefones públicos antigamente)*, ligou para a administração do Congresso Nacional e ordenou que o Parlamento tomasse providências e desse abrigo aos baianos. A muito custo, depois de horas de conversa e tendo descoberto o óbvio — era apenas mais um dentre dezenas de senadores — compreendeu que o assunto não era competência do Senado e, sim, do governo do Distrito Federal. Portanto, nada poderia ser feito com base em seu surto de proatividade. Tendo deixado com a família de retirantes todo o dinheiro que tinha na carteira, voltou desolado ao apartamento funcional que ocupava na Asa Sul.

Numa safra de senadores integrada pelos arenistas Petrônio Portela (PI), Teotônio Vilela (AL), Luís Viana Filho (BA) e Jarbas Passarinho (PA); e pelos emedebistas Marcos Freire (PE), Orestes Quércia (SP), Paulo Brossard (RS) e Saturnino Braga (RS), todos alçados à condição de tribunos ousados ou de articuladores implacáveis dos bastidores brasilienses dos anos 1970, Itamar Franco cumpriu o primeiro mandato como um discreto político provinciano.

Reeleito em 1982, consolidou laços de amizade com alguns funcionários de carreira e colegas de Parlamento, mas só ganhou destaque em 1988, durante o declínio moral e econômico vertiginoso do governo do presidente José Sarney.

Vice-presidente de uma Comissão Parlamentar de Inquérito, denominada CPI da Corrupção, criada para investigar e apurar desvios de verbas públicas federais ocorridos no mandato de Sarney, o senador mineiro se notabilizou como o mais ranheta e independente dentre todos os demais inquisidores. A declinante popularidade de Sarney, presidente que assumira o mandato no lugar de Tancredo Neves, morto no curso de longa enfermidade, sem jamais tomar posse formal do cargo, embalava ondas de protesto contra a inflação de quase 30% ao mês e de mais de 900% ao ano, em 1988. Os telejornais das emissoras de TV (àquela época todas eram de sinal aberto, não havia TV a cabo) passaram a dedicar longos minutos à cobertura dos trabalhos da comissão e Itamar sempre surgia nas telas como perseguidor implacável de corruptos. O relatório da CPI foi um amontoado desconexo de adjetivos carentes de substantivos. Não teve nenhuma consequência além de projetar os antagonistas de Sarney — Itamar entre eles.

Convertido em paladino da luta contra a corrupção num Brasil desprovido de uma agenda estruturante densa ou mesmo de um plano que resgatasse a economia nacional das armadilhas do colapso advindo com a falência do congelamento implantado pelo Plano Cruzado, o senador mineiro irrompeu no cenário da pré-campanha de 1989 como vice ideal dos pretendentes ao Palácio do Planalto na primeira eleição depois do golpe de 1964. Como Itamar tinha um diapasão ideológico amplo e sua marca era a sincera postura de homem comum em meio aos tecnocratas frios e aos burocratas arrogantes de Brasília, foi procurado por antagonistas que iriam se enfrentar nas urnas.

Levado pelo senador Saturnino Braga, do Partido Democrático Trabalhista (PDT) do Rio, Leonel Brizola foi o primeiro presidenciável a convidar o ex-prefeito de Juiz de Fora para ser seu vice. Jantaram juntos na casa do também senador Maurício Correa, do Distrito Federal, que se afeiçoara a Itamar durante a Assembleia Nacional Constituinte. Apesar de pedetista, Correa guardava reservas às ideias socialistas, que lhe soavam muito radicais quando defendidas pelo caudilho gaúcho. O convite brizolista ficou de pé por uma semana, quando foi atropelado e derrubado pela atração exercida pela personalidade magnética do jovem e carismático governador de Alagoas, Fernando Collor de Mello. Brizola oscilava entre 16% e 18% das intenções de voto e liderava a disputa em alguns cenários dos institutos de pesquisa da época. Collor mal alcançava 2%.

— Senador, o senhor me daria a honra de compor a minha chapa? Não será fácil, tenho a oferecer sangue, suor e lágrimas a esse povo sofrido de nosso país, mas haveremos de vencer.

Foi assim, citando descaradamente Winston Churchill no célebre discurso em que se apresentou aos britânicos como primeiro-ministro com a Europa já conflagrada pelo avanço das divisões nazistas de Adolf Hitler, que Fernando Collor seduziu de forma estudada o humilde e genuinamente generoso engenheiro do interior de Minas.

Obstinado por sair daquela conversa com um "sim" para anunciar à imprensa que o aguardava do lado de fora do gabinete de Itamar no Senado, o alagoano fora apresentado ao mineiro pelo jornalista Hélio Costa. Ex-correspondente da *Rede Globo* em Nova York, Costa foi um dos deputados constituintes de melhor votação em 1986. Ele e Collor eram amigos. Costa foi informado pelo então governador de Alagoas que os ensaios estatísticos e as pesquisas qualitativas executadas pelo cientista político Marcos Coimbra, do *Vox Populi*, filho do embaixador homônimo casado com Leda

Collor, apontavam para a necessidade de o companheiro de chapa presidencial da pretendida aventura eleitoral ser "do Sudeste", "ao menos uma geração mais velho" e "reconhecidamente honesto". Itamar Franco tinha o talhe perfeito para o desafio.

— Não tenho a sua juventude, mas o senhor irá se assombrar com o tamanho de minha coragem para enfrentarmos os inimigos comuns. Aceito o convite.

Cheio de formalidade, Itamar apertou as mãos de Collor e acenou para uma assessora que era hora de divulgar à imprensa seu aceite. A partir dali o resto seria História.

Pedro Paulo Leoni Ramos, amigo de longa data do candidato a presidente e uma espécie de gerente da agenda de campanha, designou a própria esposa, Luciana, para cuidar dos compromissos do vice. Foi o auge da relação dos dois, presidente e vice. Só voltaram a trocar cordialidades e palavras amenas quando se reencontraram como senadores eleitos pelos seus respectivos estados, quase duas décadas depois. Tratado como estorvo nos meses seguintes ao casamento de conveniência eleitoral, Itamar foi acumulando camadas glaciais de rancor na geladeira em que conservou todos os deslizes e as descortesias de Fernando Collor para com ele.

*   *   *

— Senhores, vocês todos são meus amigos e serão meus ministros. Exceto o Pedro, nosso anfitrião, que não aceitou ser ministro — talvez porque não confie tanto em mim quanto eu confio nele, talvez porque ache que serão momentos muito difíceis...

— Itamar, você sabe que não é isso! Eu sirvo mais e melhor onde estou.

Ainda vice-presidente, Itamar Franco reuniu um grupo seleto de futuros ministros e próceres daquilo que seria um governo seu em jantar no apartamento funcional do senador Pedro Simon, na Superquadra 309 Sul, em Brasília, na segunda-feira que antecedeu a votação do *impeachment* de Collor na Câmara dos Deputados. Tendo sido cortado em sua fala, o presidente iminente atalhou o dono da casa.

— Pedro, deixe-me falar. Por favor! Senhores, senhores!

Sempre parecendo o mais humilde dos circunstantes presentes numa sala (*ele se portava assim sem fazer quaisquer esforços para parecê--lo, simplesmente o era*), Itamar levantou a voz e pareceu levemente irritado. Bateu com o cabo da faca numa taça de vidro, gesto típico de quem pede a palavra. Os dois braços estavam esticados para frente e ele os movimentava para baixo, tesos, em gestos compassados, como quem deseja falar em meio a uma algazarra intermitente.

— Tomei uma decisão que precisará ser defendida por todos aqui presentes. Unidos. Vou demitir os três ministros militares.

Fez-se um silêncio de sepulcro à mesa retangular da qual o vice--presidente da República, que assumiria a Presidência dali a poucos dias, ocupava uma cabeceira. Simon estava sentado na cabeceira oposta. Entre eles distribuíam-se Fernando Henrique Cardoso (senador, assumiria o Ministério das Relações Exteriores), Maurício Correa (senador, seria o Ministro da Justiça), Henrique Hargreaves (assessor parlamentar da Câmara, ia se tornar Ministro da Casa Civil), Mauro Durante (chefe de gabinete da vice-presidência da República, ia para a chefia de gabinete da Presidência) e José de Castro Ferreira (advogado, viraria o consultor-geral da República — cargo depois transformado em advogado-geral da União). Fernando Henrique tratou de cortar o silêncio espesso.

— Isso vai dar problema. Eles ficaram calmos por todo esse tempo. O ministro Flores, da Marinha, foi nosso interlocutor constante durante a CPI do PC.

— O almirante Mário César Flores, meu amigo, um homem elevado, honrado, estará no governo. Será o Secretário de Assuntos Estratégicos. Vai para a SAE.

— Excelente, presidente. Ótima escolha. Mas e os outros? Isso não vai dar confusão? Não é melhor esperar um pouco, fazer lentamente?

O senador paulista, filho de general da República Velha, afável e sutil, como se tivesse mesmo nascido para a carreira diplomática, apesar da vida dedicada à Sociologia e à academia, ainda tentava abrir uma janela de diálogo e ponderação na câmara fria em que Itamar guardava rancores ancestrais. O futuro presidente detestava o general Carlos Tinoco, ministro do Exército. Já durante a CPI,

Tinoco reunira seu Estado-Maior para dizer que a eventual troca de Collor pelo vice produziria "um caos".

— Não. O almirante Flores será o único nome, civil ou militar, que migrará do governo que sai para o meu governo.

O tom mais seguro, afirmativo e pragmático do vice denunciava claramente que a transição entre o político mineiro inseguro e solitário e o homem que assumiria a Presidência já havia se realizado na cabeça dele. Prosseguiu:

— Conversei com o ex-presidente Sarney sobre esse tema. Consultei-o. Ele, como eu, acha que, se os ministros forem mantidos, vai parecer que sou um homem tutelado e que as Forças Armadas de alguma forma se envolveram nesse processo. E não se envolveram. Foi um processo democrático, nascido e definido dentro do Congresso e sob as regras da Constituição que nós assinamos.

Até aquele jantar o deputado José Serra, líder do Partido da Social Democracia Brasileira (PSDB) na Câmara, era o nome definido para assumir o ministério da Fazenda. Itamar havia conversado com ele duas vezes, sem formalizar o convite, contudo. Também sondara o empresário Paulo Cunha, presidente do Conselho do Grupo Ultra, e o executivo Carlos Rocca, da rede de magazines Mappin. Todos eram paulistas. Cunha recusou o convite de pronto. Rocca não entendeu que estava sendo sondado. "O Paulo Cunha me disse que Brasília não é lugar para empresário, que empresário não sobrevive no meio da burocracia. Achei que estava era com medo", narrou Itamar para Maurício Correa certa vez. O senador, que virou ministro da Justiça e depois se tornou ministro do Supremo Tribunal Federal, contou-me em detalhes, à época, o processo seletivo por meio do qual o vice de Collor selecionou sua equipe — sobretudo os ministros mais sensíveis. "O cara do Mappin se fez de morto, talvez não tenha entendido que podia ser ministro, e ficou falando muito de como São Paulo tem de carregar o Brasil nas costas. Dançou", revelou-me Correa reproduzindo as palavras e as percepções de Itamar.

Ainda no jantar no apartamento de Simon, na véspera da votação do *impeachment*, o até então vice-presidente criou o anticlímax para os episódios que se dariam na esteira do processo e acendeu o pavio da bomba que só iria estourar para o resto do país, via imprensa, na manhã da sexta-feira seguinte em que tomaria posse:

— Vou dividir o Ministério da Economia. Vai ter Fazenda e Planejamento de volta.

— Tem certeza, Itamar? Isso vai dar confusão, os ministros vão brigar entre eles, como sempre aconteceu.

Agora era Pedro Simon, designado naquela noite mesmo para a liderança do governo no Senado, quem fazia o papel de lançar ponderações a decisões tomadas pelo homem que chefiaria o governo.

— Está decidido e não se fala mais nisso. Convidei o Paulo Haddad e ele aceitou. Vai ser o ministro do Planejamento. Confio muito nele.

O economista e professor da Universidade Federal de Minas Gerais, Paulo Haddad, trilhara carreira técnica e acadêmica enclausurado nos vales das serras mineiras. Tendo militado no Movimento Estudantil ligado a grupos de esquerda, como a Juventude Universitária Católica (JUC) e a Ação Popular (AP), fora secretário do governador biônico de Francelino Pereira durante a ditadura. Ultraconservador, Pereira chegou a ser presidente da Arena, partido criado e mantido pelos generais nos tempos de chumbo para fingir ventos democráticos num Brasil subjugado. Depois, Haddad fora consultor do Banco Mundial e se filiara ao PSDB.

— Grande nome, vocês vão ver. Um homem de espírito público — elogiou José de Castro Ferreira, o único dentre todos os comensais daquela sala que tinha alguma proximidade com Haddad.

— E o Serra? — perguntou Fernando Henrique.

Segundo o relato de Maurício Correa, Itamar meneou a cabeça como sempre fazia ao se sentir contrariado ou acantonado numa esquina qualquer de parede. Baixou os olhos e respondeu sem encarar diretamente quem o questionava.

— O Quércia está colocando um veto a ele.

Emendou, em moto contínuo, uma avaliação procedente sobre o peso e a dimensão das considerações impostas ao líder do PSDB pelo ex-governador de São Paulo.

— Ele me alertou argumentando que, se o Serra for ministro da Fazenda, não haverá um governo Itamar. Haverá, isso sim, um governo Serra. Lembrou-me que nem Tancredo indicou o Serra para o ministério dele, que acabou sendo o de Sarney, justamente por causa disso. O PMDB não dará apoio a um governo que tenha o Serra como ministro. E o PMDB é o maior partido do Congresso.

Em parte, o destino do brasileiro que mais se preparou para ser ministro da Fazenda e nunca conseguiu sê-lo fora definido naquele veto venenoso do ex-senador e ex-governador de São Paulo que, em 1990, celebrou assim a vitória de seu candidato Luiz Antônio Fleury Filho ao governo do Estado, derrotando ao mesmo tempo Mário Covas (PSDB) e Paulo Maluf, do Partido Democrático Social (PDS): "quebrei o *Banespa (o extinto Banco do Estado de São Paulo)*, mas elegi o Fleury".

José Serra não fora ministro de Tancredo Neves nem sentaria na cadeira pela qual se sentia seduzido no governo tampão do sucessor de Collor. Também não iria para lá nos oito anos de mandato de Fernando Henrique, um dos seus melhores amigos e, ao mesmo tempo, um dos mais pérfidos adversários intelectuais que teve. Tampouco contemplaria, sentado na poltrona de cor vinho reservada ao ministro, o espetacular globo terrestre desenhado em couro, que enfeita o gabinete do Ministério da Fazenda nos mandatos dos sucessores do tucano. Os petistas Lula e Dilma Rousseff até elogiavam Serra, mas jamais pensaram tê-lo em suas equipes. Nem mesmo no governo medíocre montado por Michel Temer, na esteira do golpe jurídico/parlamentar/classista que depôs Dilma, em 2016, houve espaço para as ideias de Serra na Fazenda. Ele foi designado ministro das Relações Exteriores de Temer. Cansou em poucos meses e pediu demissão.

Entre as conversas com o líder tucano na Câmara e a desistência do seu nome em função das ressalvas de Quércia, entremeado aos flertes com Paulo Cunha e Carlos Rocca, Itamar havia ainda sondado o empresário Antônio Ermírio de Moraes para ser o que quisesse em sua equipe. O que o vice queria era exibir na Fazenda a efígie de Ermírio, naquele momento o maior e mais conceituado empresário brasileiro. Também fora convidado o embaixador do Brasil em Washington, Rubens Ricúpero.

O controlador do Grupo Votorantim foi seco, honesto e transparente com o homem claudicante que tentava convencê-lo a ir para a vida pública. "Esqueça. Não vou. E acho que você não dura 48 horas naquele Palácio", fuzilou. Ao ouvi-lo, o mineiro arregalou os olhos e sentiu um calor percorrer suas entranhas da coluna cervical ao estômago. Muitos anos depois, em entrevista ao jornalista Geneton Moraes Neto, da *GloboNews*, revelou a recusa e a advertência cataclísmica, sem contar o nome de quem recusara o posto sonhado por Serra. A Geneton, Itamar confessou que, por noites a fio, a frase "não dura 48 horas, não dura 48 horas" martelava em sua cabeça.

Ricúpero, por seu turno, revelara uma vez mais a faceta de integridade que marcou sua carreira pública na diplomacia brasileira. "Não me sinto nem preparado, nem à altura do cargo", respondeu a Itamar, por intermédio de Fernando Henrique Cardoso. O senador ajudara na sondagem, uma vez que já se sabia de sua nomeação para o Ministério das Relações Exteriores. "Se eu aceitasse seria ruim para mim, ruim para o país e ruim para o presidente", completou. Em 1994, ele se considerou pronto e aceitou o posto. Ficou seis meses no cargo, saiu defenestrado pelo vazamento do áudio de uma piada que contou para o jornalista Carlos Monforte, da TV Globo, no intervalo de uma entrevista. Depois, a solidez de sua biografia apagou o tropeço do mau passo.

* * *

Na manhã da quarta-feira, 30 de setembro, dia seguinte à aprovação da licença dada pela Câmara para o Senado iniciar o processo de *impeachment*, Orestes Quércia recebeu os presidentes do PSDB, Tasso Jereissati, e do Partido dos Trabalhadores (PT), Luiz Inácio Lula da Silva, para um café da manhã no apartamento funcional de um dos deputados paulistas. Convertido em anfitrião na casa alheia, dispensando-se de sentar à cabeceira, mas cioso de que era ele quem mandava na agenda, o presidente do PMDB pôs as cartas na mesa.

— Para o PMDB assumir responsabilidades no governo Itamar, não pode ser como na época do Sarney. Se vamos entrar, temos de entrar para valer e, para isso, temos de controlar a área econômica.

Lula sorriu. Forjado nas negociações sindicais da região do ABC, cinturão metalúrgico da Grande São Paulo, vira inúmeras vezes exposições arrogantes de poder como aquela. Só mudava a natureza do dono da bazófia. Saíam executivos de multinacionais e pequenos empresários fabricantes de autopeças e estava ali o rico fazendeiro da região cafeeira de Campinas, transformado em capataz político do capital paulista.

Tasso se irritou. Aos 43 anos, muito jovem e já admitido no clube exclusivo dos caciques políticos, ainda facilmente irritável e sem ter aprendido a dar vezo às sutilezas de temperamento, o ex- -governador do Ceará atalhou Quércia num rompante.

— Serra é o melhor nome do país para o cargo. Espera, espera aí. Não vamos discutir aqui o que já está resolvido.

Lula deu duas batidas leves na mesa e encerrou a conversa.

— Esperem aí, companheiros, deixa eu falar: o Itamar nomeia quem ele quiser. Vamos lá falar com ele.

Quércia e Tasso trocaram muxoxos, apertaram-se nos elevadores quadrados e minúsculos dos prédios funcionais da Câmara dos Deputados localizados na Superquadra 302 Norte, desceram encaixotados até o subsolo e pegaram o mesmo automóvel em direção à QL 12 do Lago Sul *(região de Brasília também denominada Península dos Ministros)*. Era ali que ficava a casa pertencente à Marinha e ocupada por Itamar Franco, na condição de vice-presidente da República. O trio de presidentes partidários desejava descobrir o nome do ministro da Fazenda, perscrutando os silêncios proverbiais do homem que era então o presidente de fato do país — não era de direito, porque a notificação do *impeachment* precisava percorrer trâmites legais e só chegaria a Fernando Collor dali a dois dias.

— Muito bem, senhores. Bom dia! — recebeu-os um Itamar anormalmente efusivo e sorridente. — Vocês já sabem que o se- nador Fernando Henrique Cardoso será o ministro das Relações Exteriores. O Maurício Correa vai para a Justiça, Hargreaves, que está aqui do lado, será o ministro da Casa Civil e conservará as portas abertas a todos vocês. E, por fim, o senador Alexandre Costa irá para a Integração Nacional.

Naquele momento, menos de 48 horas separavam o falante vice do personagem que ele deveria passar a encarnar como presidente da República e nada havia sido dito sobre o nome forte da área econômica naquele rol de confirmações.

— Vou reinstituir o Ministério do Planejamento e o economista Paulo Haddad, lá de Minas, vai ser o ministro.

Nenhum dos interlocutores percebeu na hora, mas aquele foi o momento em que Itamar Franco deixou claro: quem mandaria na Economia seria Haddad, do Planejamento. A naturalidade mineira sublinhava isso. O ministro da Fazenda tornara-se um detalhe. A trinca de políticos que se consideravam experientes e astutos recebera um truco do engenheiro juiz-forano, a quem reputavam o adjetivo "tosco".

O deputado pernambucano Roberto Freire, presidente do Partido Popular Socialista (PPS), sigla que sucedera o antigo Partido Comunista Brasileiro (PCB), juntou-se ao grupo.

— Roberto será nosso líder na Câmara — anunciou o quase-presidente.

Freire recebeu cumprimentos protocolares dos demais. A astúcia mineira de Itamar revelou-se quando ele semeou a discórdia entre os interlocutores para colher o caos e plantar qualquer nome saído de sua cabeça.

— Digam-me aí, senhores, o que vocês acham de José Serra no Ministério da Fazenda?

Silêncio e troca de olhares. Dono do menor cacife à mesa, Lula foi o primeiro a falar. Quis surpreender pelo desprendimento.

— Seria excelente para o momento. Tem bom trânsito entre os empresários e é bem visto nos sindicatos, além de saber tudo no Congresso.

— É óbvio que estou de acordo — disse Freire.

Quércia pediu a palavra. O pescoço dele estava enrubescido e os olhos tinham a pupila dilatada. Raiva: ira ancestral, típica em quem tem ascendentes italianos:

— Não me cabe dizer sim nem não, mas, se o Serra for o ministro da Fazenda, o PMDB não poderá ir para o governo.

Fazendo a cabeça saltar sobre o pescoço e trincando a mandíbula, Itamar segurou um breve sorriso de quem sabia ter atingido o objetivo traçado. Olhou um a um rapidamente e, fitando Quércia, perguntou:

— E o que você acha do Tasso?

Não seria exagero classificar como "estupefatos" os semblantes dos líderes partidários. Todos se consideravam raposas. Tinham caído numa armadilha sagaz montada por um político que, com boa vontade, classificavam como ultrapassado e interiorano.

— A posição do partido é a mesma — respondeu Quércia, sem ouvir o partido.

Era tudo o que Itamar desejava ouvir, mas não podia falar. Ele ansiava pelo veto a Serra e ao PSDB na Fazenda, pois queria seu próprio governo de volta e sentia-o escorrendo pelas mãos antes mesmo da posse formal. Levantou-se, acenou para o ex-governador paulista e puxou-o para dentro de casa. Conversaram a sós por 20 minutos. Quando retornaram à sala onde haviam jogado uma mão de pôquer marcada por blefes sucessivos, a chacrinha estava desfeita.

— Lula, o que você acha do Delfim Netto para ministro da Agricultura? — perguntou Quércia, sem disfarçar o tom de quem falava em nome do futuro presidente.

— É loucura — respondeu o petista. — O que vamos dizer para a meninada que foi para as ruas pedir o *impeachment* do Collor?

— Estou sem ministro da Agricultura — disse-lhes Itamar.

— O Adib Jatene será mantido na Saúde, não será? — quis saber Lula, animado com a possibilidade. Lula sempre foi um admirador do cirurgião que integrou o esquadrão avançado da cardiologia brasileira.

— Não — respondeu de pronto o presidente sem faixa. — Estou comprometido com o Jamil Haddad, meu amigo. O Jatene é muito primeiro mundo.

Também senador, presidente do Partido Socialista Brasileiro (PSB), o carioca Jamil Haddad era um dos amigos mais próximos do vice-presidente e fazia as vezes de médico da família Franco em Brasília. Pouco conhecido, mesmo entre os políticos, o anúncio de seu nome não despertou ânimo nenhum na trinca de cabeças coroadas do PMDB, PSDB e PT. Encerram a missão exploratória com aquela informação. Ao entrarem juntos no mesmo carro que os levara à Península, Lula não perdeu a oportunidade de resumir em uma frase a sensação com a qual saía daquela conversa.

— Jamil Haddad no lugar de Adib Jatene. É... O cara tem o Maradona no time dele e manda sair de campo para pôr o Cafuringa para jogar.

Depois de uma breve gargalhada, a caravana seguiu em silêncio tenso até o Congresso Nacional. Cada um deles se encontraria com suas respectivas bancadas.

* * *

Dias antes de madrugar com Krause no Hotel Naoum, recebi a informação de que os senadores Fernando Henrique Cardoso e Maurício Correa jantavam com o vice-presidente Itamar Franco e os amigos Henrique Hargreaves, Mauro Durante e José de Castro no apartamento funcional do também senador Pedro Simon. O convescote ocorrera na véspera da votação do *impeachment* na Câmara dos Deputados. Resistente à ideia de articular um governo paralelo nas semanas que antecederam a sessão em que se decidiu a suspensão do mandato presidencial de Fernando Collor, o vice-presidente delineava, para uma plateia seleta, o perfil ainda esmaecido do futuro governo. Ele sabia que Fernando Henrique e Correa não tardariam a vazar aquela conversa, e vazá-la era estratégico para o momento.

"Não posso agir de forma açodada, a ponto de dar margem a que me tomem por um golpista, mas também não serei irresponsável a ponto de deixar que confundam meu comportamento com algo como desinteresse pelo futuro do Brasil", dizia Itamar Franco aos mais próximos. João Emílio Falcão, assessor de imprensa de Simon e companheiro de noitadas boêmias do homem que assumiria a Presidência, cansou de ouvir a ponderação paradigmática do vice-presidente e me deu a informação do jantar, ao mesmo tempo em que pediu uma entrevista de páginas amarelas do seu chefe para sair na edição seguinte da revista.

A seção designada "Páginas Amarelas" é uma entrevista em formato de pingue-pongue localizada nas páginas 3 a 8 de *Veja*. Nos tempos áureos da revista, conquistou o prestígio de ser a melhor plataforma para lançamento de ideias e para criação de debates em toda a imprensa brasileira. Há pelo menos duas décadas, contudo, perdeu completamente esse protagonismo na mesma velocidade da decadência da revista.

— Ele será o líder do governo — continuou João Emílio. — Você pode consolidar uma baita fonte.

— Topo, mas preciso combinar com Oinegue e com o Mário Sérgio Conti, lá em São Paulo. As Páginas Amarelas são a fina flor da imprensa brasileira, camarada. Simon vai me contar desse jantar?

Mário Sérgio Conti era o diretor de redação da revista em que eu trabalhava.

— Conta. Mas lave as informações com o Maurício Correa depois.

— Claro. E o Expedito vai falar com o Fernando Henrique, também. Afinal, o nosso Príncipe da Sociologia tem confiança plena e absoluta nele.

Desde os tempos da Assembleia Nacional Constituinte, o jornalista Expedito Filho, que trabalhava comigo em *Veja*, constituíra o senador Fernando Henrique Cardoso como uma de suas melhores fontes em Brasília. Essa relação de confiança mútua entre eles durou por anos a fio, consolidando-se nos tempos de presidência de FHC. Fernando Henrique também era chamado de "Príncipe da Sociologia", apelido jocoso dado pelos próprios amigos do Círculo de Ibiúna, cidade do interior de São Paulo onde um grupo de intelectuais paulistas alinhados à centro-esquerda manteve casas de veraneio nos anos 1980. Em razão disso, Expedito foi um dos mais eficazes e assertivos repórteres na cobertura dos dois mandatos do presidente eleito e reeleito pelo PSDB, em 1994 e 1998.

A entrevista de Páginas Amarelas de Simon foi publicada, conforme combinado com o senador e com seu assessor. A mercadoria paralela — informações de bastidor, diálogos, maldades — também foi entregue de acordo com o planejado por nós. Afinal, jornalismo é rua de mão dupla e, se o desejo do repórter é obter informação, tem de entregar à fonte alguma exposição e certa dose de proteção. Era assim que fazíamos naqueles tempos, sobretudo naquela redação de *Veja*. Maurício Correa e Mauro Durante, ouvidos por mim, confirmaram os bastidores narrados por Pedro Simon e acrescentaram outros. Expedito, por sua vez, remontou a conversa a partir da versão de Fernando Henrique e de Henrique Hargreaves. O cotejamento das versões, o cruzamento de frases e chistes colhidos e a costura de tudo, com uma baita análise produzida na retaguarda da revista, entregou aos leitores, pela primeira vez, um relato por meio do qual era possível depurar o torpor e certo recalque da matriz paulistana de *Veja* com a ascensão de um homem improvável à Presidência da República.

Com origem fora do eixo Avenida Paulista/ academia/ zona sul do Rio/ elite nordestina e mineira, Itamar dera um nó em todos. Começava a mostrar que era um político forjado de matéria-prima diversa dos demais: desprovido de vaidade pessoal, aceitava dividir o poder que caía em seu colo. Orgulhoso como poucos, esperava as deferências e o reconhecimento público a seus gestos generosos e sinceros, somente possíveis quando se olha o mundo e as desigualdades da vida a partir do prisma e do ponto de vista do outro.

* * *

— Nós estamos pedindo a Deus que nos dê nesse momento, no exercício da Presidência da República, bondade, inteligência e humildade.

Foi assim que Itamar Franco iniciou o primeiro discurso como presidente da República, depois de receber a notificação de que deveria assumir o posto imediatamente. Seu relógio marcava 10 e 25 da manhã de sexta-feira, 2 de outubro de 1992. Primeiro-secretário da Mesa Diretora do Senado, o senador catarinense Dirceu Carneiro levara cinco minutos percorrendo os corredores e túneis que ligavam o gabinete presidencial do 3º andar do Palácio do Planalto, onde notificou Fernando Collor do *impeachment*, e a sala 107 da Ala "B" do Anexo 1 do mesmo Palácio, destinada à vice-presidência. Collor e a ex-primeira-dama, Rosane, àquele momento já se encontravam a bordo do helicóptero cedido pela Aeronáutica, com o propósito de voarem para a residência particular, a Casa da Dinda, sem ter de enfrentar protestos públicos.

Modesta, composta por uma antessala em que despachava a secretária e um salão maior, sem divisórias, decorada com uma escrivaninha e duas cadeiras para despachos, além de uma mesa de reuniões e duas poltronas, aquela sala sempre fora considerada até ampla para um esvaziado vice. Houve quem insistisse para Itamar transferir a solenidade e fazê-la no amplo Salão Leste do Planalto, local bem maior designado a cerimônias públicas e reuniões ministeriais. Ele insistiu que não sairia do gabinete que lhe coubera desde a posse, em março de 1990.

"Os urubus estão chegando", alertou-o Mauro Durante, pouco depois das 7 horas daquela manhã, quando entraram juntos no Anexo I para traçar as linhas finais do que precisava ser feito à primeira hora. Durante se referia a puxa-sacos, amigos de longa data que haviam passado anos sem fazer contato com o ex-senador e ex-prefeito de Juiz de Fora, funcionários públicos que pretendiam dias melhores em seus contracheques, com promoções almejadas havia muito — ora por merecimento, ora por vingança de chefes imediatos que estavam de saída —, deputados, senadores, jornalistas etc. "Urubus, cascavéis e papagaios de pirata, Mauro. A floresta deles pegou fogo", respondeu o quase-presidente. O chefe de gabinete perguntou se faria um discurso, se prepararia algo. "Ainda dá tempo de pedir a alguém", asseverou. "Nada", ouviu de volta. "Não vou falar." Foi obrigado a fazê-lo de improviso. Começou daquela forma, pedindo a Deus inteligência, bondade e humildade. Prosseguiu, sem solenidade, num quebra-queixo com os microfones de TVs e rádios que lhe eram estendidos.

— O importante é destacar essa normalidade democrática. Nessa interinidade, repito, permita Deus que nós possamos dar ao país um governo transparente. Um mapeamento ético foi traçado pela CPI do PC. Mas esse mapeamento ético não serve a nós outros, porque a nossa vida, a vida daqueles que estarão comigo, é uma vida limpa. A Nação pode estar certa: não haverá corruptos em meu governo.

Era o começo de um longo dia. Eu, particularmente, emendara as últimas 48 horas sem voltar para casa. Do Hotel Naoum, acompanhei Gustavo Krause até o anexo do Palácio do Planalto onde ele viraria ministro da Fazenda. O jornalista Carlo Iberê, que o assessoraria, esperava-o no estacionamento com uma gravata dobrada no bolso do paletó. Fora avisado ali mesmo, pelo repórter do *Broadcast* de *O Estado de S. Paulo*, que o chefe iria para o posto mais nobre da Esplanada e não mais para o Ministério do Interior.

— Ministro? Fazenda? — perguntou Iberê quando encontrou Krause.

— Sim, mudança de planos, meu amigo.

O assessor tomou um susto. Não havia se preparado para tamanha guinada de temas a serem abordados nem para a ampliação da relevância de seu papel no exército de profissionais de comunicação do governo que começaria naquele dia. Num país de constante e interminável agenda econômica atravessando transversalmente todos os temas em debate na sociedade, o Ministério da Fazenda é uma usina de notícias. Ao mesmo tempo, é também a principal trincheira em que os governos têm de assentar as muralhas contra *fake news*. Naquele exato momento o Brasil estava em frangalhos. O *impeachment*, redenção política e prova da maturidade institucional brasileira, ocorrido apenas sete anos depois da saída do último general-presidente pela porta dos fundos do Planalto *(em 1985, João Figueiredo recusou-se a passar a faixa presidencial para José Sarney e abandonou o palácio no dia anterior à posse do governo que sucederia ao seu)*, levou a população e a imprensa a esquecerem a deterioração macroeconômica promovida pelo imobilismo e pela incapacidade do ministro Marcílio Marques Moreira à frente do Ministério da Economia. A inflação daquele mês de setembro atingira o pico de 25,2%. Anualizado, o índice de inflação nacional estava em 1.130%. O Estado não tinha nenhuma capacidade de investimento ou de gestão. A dívida externa era de US$ 136 bilhões e não havia nem crédito nem paciência com o país na banca internacional. A soma dos endividamentos interno e externo do Brasil ultrapassava 80% do Produto Interno Bruto (PIB). Todos os programas sociais estavam paralisados. Mais do que o próprio cargo de presidente da República, era dos ministros da Fazenda e do Planejamento que os brasileiros ansiavam ouvir boas-novas.

— Fazenda, ministro? — redarguiu Iberê olhando incrédulo no fundo dos olhos miúdos de Gustavo Krause.

Nervoso, ainda sob o impacto da mudança brusca de planos e com a agonia dos que caminham para a frente sob neblina, num vale de falésias e precipícios, o pernambucano revelou-se numa frase típica das espirituosas mesas de bar do Recife.

— Vamos lá, Iberê. Isso é bronca safada.

Paulo Haddad uniu-se a eles na portaria da vice-presidência. Quando os três entraram no gabinete de Itamar e dividiram o foco dos *flashes* e das lâmpadas de TVs com o dono da sala, estava confirmado: era o núcleo central do futuro governo. Alguns repórteres cercaram Haddad e Krause na esperança de ouvir, em primeira mão, alguma medida. Nada. Os dois negavam estripulias enquanto respondiam cordiais, mas visivelmente nervosos, os cumprimentos de parlamentares, governadores e prefeitos que se aglomeravam no espaço exíguo. Encerrado o breve discurso do vice que se tornara presidente, era a vez de Krause e Haddad assumirem o cetro. Não tiveram como fugir de uma breve coletiva. Não tinham o que dizer. O destaque da entrevista terminou sendo a pergunta de um jornalista especializado em economia: durou cinco minutos. Durante a exposição de sua longa questão, o repórter versou por teorias econômicas antagônicas e experiências nacionais pretéritas. Sarcasticamente, foi aplaudido por alguns colegas quando, enfim, concluiu a exposição. "É isso aí, a gente vê depois", aproveitou para dizer Krause, em resposta, usando a deixa para encerrar o bate-papo inútil com a imprensa. "Obrigado e nos deixem trabalhar."

A capa de *Veja*, com data de 7 de outubro de 1992, trazia o título "Início Pífio". Desprovido de vaidade, porém orgulhoso como poucos, o vice que virara presidente da República sem nunca ter almejado realmente o cargo, jamais a esqueceu ou perdoou. O conjunto de textos daquela edição era especialmente ácido, acintosamente arrogante e abertamente contrário ao estilo "homem comum" do mineiro simplório; ele assumia o posto do alagoano saído da elite que seduzira muitos com um discurso falso de modernidade e um moralismo de fancaria, mas decepcionara quase todos os eleitores com práticas velhacas no exercício do poder e um governo canhestramente patrimonialista e perdido na gestão. Depois de um editorial de duas páginas, cuja linha fina dizia: "Itamar Franco tenta adiar a posse, não faz um programa, não diz o que pretende fazer e monta um governo que decepciona todos", seguia-se uma extensa reportagem sobre as armadilhas macroeconômicas que esperavam Krause e Haddad. "Dupla caipira" era o título do longo texto, sem assinatura, mas escrito com a alma de Tales Alvarenga (*diretor-adjunto de* Veja) e a verve maldosa, inteligente e inigualável de Mário Sérgio Conti (*diretor de redação*).

Toda a minuciosa apuração que eu, Expedito Filho, Eduardo Oinegue e o restante da sucursal de Brasília fizéramos ao longo da semana estava lá — a reprodução dos diálogos, o clima, a troca de chistes entre os políticos, tudo. Mas a lapidação das informações, garimpadas como diamantes em meio a filões duros de montanhas brutas, fora feita com o viés de quem via o país a partir da Avenida Paulista, da lógica de São Paulo. A virulência dos ataques a um governo que entrava causou mal-estar dentro da equipe da própria revista. Afinal, teríamos de seguir cativando aquelas fontes e cabalando informações exclusivas das mesmas pessoas que saíam desqualificadas no fim da leitura dos textos redigidos em forma de editoriais. Usar nosso poder de sedução e nossa verve irônica para convencer as fontes de que não havia um complô contra elas foi difícil, mas conseguimos.

A atração fatal que *Veja*, em particular, e a imprensa, em geral, exerciam sobre os formadores de opinião da política era imensa. Itamar Franco, porém, era feito de material diferente e acima da média. Mal a revista chegara às bancas, o senador Pedro Simon chamou-me para um café da manhã em seu apartamento. O assessor João Emílio

Falcão o acompanhava, assim como Alexandre Dupeyrat, assessor do Senado que fora fundamental durante a CPI do PC, era amigo de Itamar e terminaria por virar ministro da Justiça, quando Maurício Correa foi guindado ao Supremo Tribunal Federal.

— Lula, o que isso significa? É guerra? O que a *Veja* quer? — interpelou-me Simon.

— Guerra nenhuma, senador. É uma visão divergente da revista. Ácida, é verdade...

— Preconceituosa. Vocês esculhambaram o Krause e o Haddad. Por quê? Deixa os dois trabalharem!

— Sou amigo do Krause.

— É mesmo? Falou com ele depois disso? "Dupla caipira"?

— Não.

— Então o procure. Conselho meu. Mas olhe, chamei você aqui porque Itamar quer conversar com você sobre a revista. Com você. João Emílio vai levá-lo a ele.

Encerramos o café num tom mais ameno, dimensionei a minha tarefa de reconstrução de relações a partir dali *(todo jornalista tem no sangue o DNA dos bons lobistas)* e saí com João Emílio Falcão com destino ao Palácio do Planalto. O presidente, pouco à vontade no gabinete em que raras vezes havia entrado, recebeu-me de pé na soleira da porta.

— Costa Pinto, que papelão! Então é "Início pífio" e "dupla caipira"? Nem paulista você é. Por que isso?

— O senhor está certo, presidente. Foi um conjunto infeliz de textos.

— Recebemos vocês, contamos tudo. O Maurício, o Krause, o Hargreaves, o Mauro; e vocês me fazem isso? O que vocês têm contra mim? É porque sou mineiro? É porque não sou rico? É porque sou um homem humilde?

— Nada disso, presidente. Talvez tenhamos errado o tom, talvez acertemos no andar do governo.

— Não acredito que vocês corrigirão isso. Foram muito injustos, sobretudo com o Krause e com o Haddad. Eles precisam de força para fazer o que precisa ser feito. "Início pífio"...

Quando o café chegou com dois anéis de biscoito de queijo e polvilho, hábito mineiro que Itamar incorporara ao Palácio do Planalto desde o primeiro dia de exercício do cargo de presidente, mudamos o rumo da conversa. Tornou-se um papo ameno. Ele me chamou para ir conhecer o "reservado" do gabinete presidencial: uma suíte, equipada com ducha e guarda-roupa, com cama de casal e TV. Parecia um quarto de motel.

— Não sei o que o Collor fazia aqui. Vou transformar isso num escritório para momentos que exigirem maior concentração.

Rimos. A obra de artesão que era a reconstrução de pontes com as fontes, destruídas pela mão pesada da cúpula da revista, começara naquele exato momento. Não era missão que pudesse cumprir sozinho — exigiria, como exigiu, empenho de toda a sucursal brasiliense. Ao cabo de duas semanas, e com o auxílio inesperado de uma tragédia que abateu todo o mundo político brasileiro, conseguimos.

* * *

— Doutor Ulysses, o senhor está lépido e faceiro. Aonde vai com tanta pressa? Como faz para parecer tão jovem?

— Costa Pinto! Estou correndo para casa. Vou pegar a Mora e vamos viajar para Angra. Vamos passar o feriado lá, na casa de uns amigos. Ando muito cansado.

A manhã de 8 de outubro começava a terminar naquele 1992 que se alongava infernalmente. Encontrara por acaso com o deputado Ulysses Guimarães na saída do túnel de acesso ao Anexo 4 da Câmara dos Deputados. Ele saía da esteira rolante e se dirigia ao estacionamento do subsolo.

— O senhor corre como um jovem!

— Tomo um *AAS* infantil todo dia, talvez seja isso.

O mais influente, mais admirado e mais sagaz parlamentar brasileiro falou aquilo e abriu um largo sorriso. Era generoso com todos, havia sido essencial durante o *impeachment*, ao se converter à tese da necessidade de derrubar Fernando Collor para restaurar a normalidade do funcionamento institucional no país, e eu desejava ampliar a relação de confiança que começara a construir com ele.

— Doutor Ulysses, quando o senhor volta? Preciso conversar com calma sobre dois assuntos: governo Itamar e o plebiscito do Parlamentarismo.

— Dia 13 estarei aqui. Estou com a agenda apertada. Fale com o Marco Antônio, no meu gabinete.

— Falo, pode deixar. Boa viagem!

— Navegar, meu jovem, navegar! Navegar é preciso! Vou para Angra.

Despedimo-nos com um aceno. Ele entrou no carro e foi cuidar da vida — dele, da nossa, da sobrevivência de seu PMDB e também da vida dos inúmeros candidatos a cargos públicos que batiam à sua porta. Foi a última vez que falei com Ulysses Guimarães.

Feriado de 12 de outubro, noite modorrenta de segunda-feira. A novela da TV Globo foi interrompida pelo som inconfundível da vinheta alarmante do "Plantão do *Jornal Nacional*". Dava-se, naquele momento, a notícia do desaparecimento do helicóptero Esquilo prefixo HB 1105 no litoral do Rio de Janeiro, na região de Angra dos Reis. "O helicóptero levava o deputado Ulysses Guimarães, sua esposa, Mora, o ex-senador e ex-ministro Severo Gomes e sua esposa, Maria Henriqueta, além do piloto Jorge Comerato", dizia o texto lido na TV. "Chovia intensamente na região sobrevoada pela aeronave. Nenhum corpo foi encontrado até o momento. O presidente Itamar Franco já foi informado do desaparecimento do helicóptero com o deputado, sua mulher, os amigos e o piloto."

O impacto da morte repentina, inesperada e traumática do homem cuja biografia se confundia com a história da redemocratização e de consolidação das instituições brasileiras pós-ditadura paralisou o país e uniu antagonistas. O Brasil amanheceu entorpecido no dia seguinte, 13 de outubro.

Aos 76 anos recém-completados (a viagem a Angra tinha por pano de fundo a celebração de seu aniversário, cuja data era 6 de outubro), Ulysses construíra uma biografia que se confundia com a do Parlamento. Constituinte estadual de São Paulo em

1947, depois da ditadura de Getúlio Vargas, elegeu-se deputado federal por onze mandatos consecutivos — de 1950 a 1990. Foi ministro da Indústria e Comércio do gabinete parlamentarista de Tancredo Neves, em 1963; apoiou o golpe militar contra João Goulart, em 1964, mas logo fez uma autocrítica e anteviu os anos de chumbo que viriam: perfilou com a oposição e foi um dos fundadores do Movimento Democrático Brasileiro (MDB). Em 1973, percorreu o território nacional como anticandidato à Presidência (as eleições, feitas dentro de um Colégio Eleitoral controlado pelos militares eram um esbulho à democracia). Naquele período, aliado a seu candidato a vice, Barbosa Lima Sobrinho, jornalista e ex-governador de Pernambuco, depois subscritor do *impeachment* de Collor como presidente da Associação Brasileira de Imprensa (ABI), Ulysses visitou todas as capitais e as principais cidades do interior e denunciou torturas, atos de corrupção e violações aos direitos humanos.

O MDB saiu das eleições de 1974 fortalecido. Coube a seu líder, portanto, personificar a resistência à ditadura. Foi um dos idealizadores da Frente Ampla — a tentativa de unir João Goulart, Leonel Brizola, Miguel Arraes, Juscelino Kubitschek e Carlos Lacerda, principais lideranças políticas do Brasil, obrigados pelos generais a se exilarem. A Frente Ampla refugou na largada. Em 1976, num intervalo de poucos meses, morreram Goulart e JK, numa coincidência cruel da História, que dá vezo até hoje a teorias conspiratórias. O tribuno paulista abraçou, então, a causa da anistia aos exilados políticos. Em agosto de 1979, o último general-presidente, João Figueiredo, assinou, enfim, a Lei de Anistia e permitiu o regresso de Brizola e Arraes ao país.

A eleição de 1982 consolidou a conexão do MDB, já então chamado PMDB, com a maioria da população e com os anseios de liberdade. Comandado por Ulysses, o PMDB elegeu a maioria dos governadores e senadores naquele pleito. Em 1984, o político paulista confundiu a sua personalidade e a sua imagem com a luta pelo restabelecimento das eleições diretas para presidente. A emenda foi derrotada no Congresso no último suspiro de força do regime ditatorial, mas Ulysses forjara em definitivo a efígie de Senhor Diretas.

Em 1986, sob sua liderança, o PMDB saiu praticamente hegemônico das urnas. O deputado, então, presidiu a Câmara e a Assembleia Nacional Constituinte. Em alguns momentos, foi considerado o homem mais poderoso da República. Em 1992, meses antes de morrer, tornou-se o catalisador do processo de *impeachment* de Fernando Collor. Ulysses converteu-se à causa depois de ser informado da existência de um cheque sacado de contas-fantasmas mantidas pela secretária do então presidente e que pagaram um automóvel da marca Fiat, modelo Elba, para o então primeiro-mandatário brasileiro *(essa história está em Trapaça — vol. 1 Collor, Geração Editorial)*.

São escassos os textos publicados na primeira página de *O Globo* assinados pelo dono daquele que era já o maior conglomerado de mídia brasileiro, Roberto Marinho, que viveu até os 99 anos. No dia 13 de outubro de 1992, o jornal da família Marinho trazia uma manchete de seis colunas *(toda a largura da primeira página)* com letras ampliadas, em que se lia "Brasil chora a morte de Ulysses". Abaixo da manchete, emoldurado, como num quadro, um breve e raríssimo editorial assinado pelo jornalista e empresário:

A Morte de Ulysses

Roberto Marinho

Em meio às sucessivas provações por que tem passado a democracia brasileira no seu caminho evolutivo, somos todos chamados a um instante de recolhimento para honrar a memória de Ulysses Guimarães, meu amigo, tragicamente desaparecido em acidente, com sua esposa, ao lado do casal Severo Gomes.

O impacto das notícias funestas foi sentido por toda a Nação, a tal ponto estava Ulysses Guimarães identificado com a própria ideia de homem público. A sua trajetória viu-se intimamente ligada aos momentos cruciais de nossa vida política recente; e em todos esses episódios, ressaltava sempre a sua grandeza humana, a ideia generosa que ele tinha da convivência e até do combate político, a sua extraordinária capacidade de ressurgir depois de cada refrega, como se fosse inextinguível o sopro de vida e de idealismo.

A morte vem colhê-lo em plena atuação; e dela pode-se dizer que tem o ar de um sacrifício oferecido ao processo de purificação e soerguimento da República. Mortes como esta quase apagam a noção de tristeza, pela carga de história e de elevação humana de que estão imbuídas. Podemos agora ver completa a imagem de Ulysses, como diz o verso de Mallarmé – "tel qu'em lui-même l'eternité le change".

Também não posso deixar de recordar com respeito a figura do ex-senador Severo Gomes, de cujos posicionamentos políticos frequentemente discordei, mas que era pessoa de absoluta idoneidade, e que acreditava sinceramente no que pregava. A Nação cobre-se de luto pela morte desses dois casais que representavam o que há de mais digno na sociedade brasileira.

No Congresso, na Esplanada dos Ministérios, nos palácios de Brasília e até nas redações, chorou-se a morte do "timoneiro", como Ulysses também era chamado. Ainda na noite do feriado do dia 12 de outubro, quando escutei o plantão do *Jornal Nacional*, deixei meu apartamento na Superquadra 206 Norte e fui direto para a casa do jornalista Jorge Bastos Moreno, de *O Globo*, localizada no início do Lago Norte. Moreno havia assessorado o deputado na malfadada campanha presidencial de 1989 — Ulysses saiu das urnas com menos de 2% dos votos válidos, um vexame — e era benquisto pelo parlamentar e por Dona Mora, como uma espécie de segundo filho do casal. Moreno saía de casa quando cheguei. Estava meio zonzo em razão de calmantes que tomara. Abraçamo-nos, choramos, dissemos "força" e "obrigado" um ao outro.

— Você sabe o bem que ele fez ao país, Lula. Você sabe — disse-me Moreno.

— Claro. O que precisar, estarei aqui.

— Estou indo para o Rio. De lá, para Angra. Dou notícias.

A partir dali, Moreno deu todas as notícias possíveis das buscas pelo corpo de Ulysses, que jamais foi encontrado. Quando disse que eu sabia o que o Senhor Diretas fizera pelo país, referia-se ao epílogo biográfico de Ulysses escrito por ele: a conversão ao *impeachment* de Collor.

A violência com que a notícia da morte do líder peemedebista colheu a todos entorpeceu o Brasil e, se tirou de Itamar Franco um interlocutor qualificado e experiente, permitiu-lhe também ganhar algum fôlego para articular e concluir a montagem de seu governo.

* * *

Ter o protagonismo inédito na derrubada constitucional e legítima de um presidente da República eleito democraticamente e testemunhar uma transição pacífica entre grupos de poder era experiência inédita, até ali, para a imprensa brasileira. As redações impetuosas daquele período foram impactadas positivamente pelo episódio. Nos anos seguintes, entretanto, a minha geração profissional assistiu a uma lenta e contínua degradação de formação, de atitudes, de postura e da necessária independência por parte dos jornalistas. O fenômeno se deu a partir de Brasília e dos envolvidos na cobertura, sobretudo de política e de economia, mas contaminou as sedes dos principais veículos em São Paulo e no Rio de Janeiro; assim como grandes conglomerados regionais de mídia em Minas Gerais, Rio Grande do Sul, Pernambuco, Pará, Bahia e Ceará.

* * *

— Queridinha, liga para a Lisle. Ela é tua amiga. Ela tem de te contar o que se passa na cabeça do Itamar. Tudo. O que ele pensa, como age, como é em casa quando estão só os dois juntos.

— Eduardo, os dois raramente ficam juntos, a sós, porque tem sempre o José de Castro ou o Mauro Durante, ou o Raul Belém. É um inferno a vida da coitada!

Era a nossa reunião de pauta numa das primeiras semanas do governo Itamar. Eduardo Oinegue, chefe da sucursal de *Veja*, estimulava a repórter Silvânia Dal Bosco a extrair o sumo e espremer o bagaço de Lisle Lucena, namorada do presidente da República e filha do ex-presidente do Senado e líder do PMDB no Congresso, Humberto Lucena. As duas tinham se tornado amigas graças à proverbial habilidade de Silvânia para conquistar a confiança das mulheres que cercavam o poder e viviam em busca de ombros amigos sobre os quais pudessem fazer confissões. Compreender a lógica decisória do homem recém-empossado na Presidência era um desafio para todos. Determinar qual a importância real ou relativa de cada uma das pessoas do núcleo em torno dele, era missão jornalística.

Silvânia Dal Bosco, ótima repórter, gaúcha de sotaque acentuado, a quem chamávamos de "queridinha", em razão de sempre chegar à sucursal e gritar "queridos!" ao entrar, levou a determinação ao extremo. Encerrada a reunião, ligou para a primeira-namorada de sua mesa. Nossas baias não permitiam qualquer reserva entre os repórteres, de modo que todos conseguiam ouvir o que cada um falava ao telefone — exceto conversas mais explosivas ou pessoais, quando transferíamos a ligação para dentro da sala do servidor de computadores (*fechada e gelada, porque tinha de permanecer com o ar-condicionado a 16 °C*). Não foi o caminho que Silvânia seguiu.

— Lisle, que-ri-da! Tudo bem? E a vida?

Nenhum de nós prestava exatamente atenção à conversa, exceto eu, que sentava em mesa colada à dela. Olhava-a transversalmente. A gaúcha fez um silêncio, depois cara de espanto. Soltou um "quê??" acima do tom normal e um "não diga, barbaridade!" O traço pampeiro da exclamação dela atraiu toda a redação. Lu Aiko Ota girou a cadeira para observá-la. Leonel Rocha e Policarpo Júnior esticaram os pescoços e franziram as testas. Expedito Filho e Mário Rosa foram até a mesa dela e estacionaram em frente à repórter. Eu e Gustavo Paul, de nossas mesas, paramos o que fazíamos e abrimos as orelhas. Só ouvíamos um lado, claro.

— O que, Lisle? Mas quer dizer que o José de Castro, que já é consultor-geral da República, aparece todos os dias na cozinha da casa dele para tomar café? E faz o café? E o Mauro Durante às vezes dorme lá? Raul Belém aparece também? *(Raul Belém era um dos mais antigos parlamentares brasileiros com mandato. Completamente careca, obeso, homem de falar manso com seus lábios grossos, nunca levava menos de dez minutos para narrar um prosaico "bom dia" que dera ao amigo presidente. Morava no Hotel Phenícia, um dos prédios mais velhos e malcuidados do Setor Hoteleiro Sul. Era a encarnação da mineiridade, com seu prosear lento e recheado de regionalismos interioranos. Em tempos de Itamar, convertera-se em fonte necessária. Folclórico, gostava de nos ouvir dizer que havia um "setorista de Raul Belém" em cada redação).*

Jornalista é fofoqueiro de ofício. Histórias da vida privada dos poderosos sempre atraem atenção. A intimidade do primeiro presidente brasileiro que chegara ao cargo divorciado, mais ainda. A apuração de Silvânia seguia seu curso, sendo escutada unilateralmente por todos nós. Depois, à mesa da Fiorentina, uma cantina italiana de pratos baratos que existia na Asa Sul e onde costumávamos almoçar após as reuniões de pauta das segundas-feiras, saberíamos de detalhes mais sórdidos.

— O que, Lisle? E caiu o sabonete então? Que-ri-da! Não me conte...

Policarpo não resistiu àquela informação. Levantou-se de sua mesa, foi até a colega e sussurrou algo no ouvido dela. Silvânia sorriu e acatou a sugestão:

— Lisle, vem cá: e como o Itamar apanhou o sabonete? Isso, como ele abaixou? Ah, perfeito. Então ele abaixou como qualquer outro abaixaria..., Porque, você sabe, né? Tem gente do lado de fora dessa vida de vocês que não conhece o Itamar, que acha que o Itamar... (pausa) — Sim, eu sei. Você garante que não, mas o pessoal... Ok, vamos tomar um chá em sua casa hoje à tarde, daí você me conta detalhes.

A repórter de *Veja* foi tomar o chá com a namorada do presidente e avisou que não voltaria mais à redação. Por algum motivo, apesar de ser início da semana, demorei-me mais que o necessário na sucursal e, por volta das 19 e 30, tocou o ramal direto de Silvânia.

Estava ao meu lado, resolvi atender. Voz masculina, timbre de um homem mais velho, inseguro.

— Redação *Veja*, Brasília, boa noite.

— Aalô? A Silvânia, por favor?

— Ela não está. Quem deseja falar?

— É o Itamar.

— Itamar? Itamar Franco? O presidente?

— Sim, quem fala?

— Boa noite, presidente. Aqui é o Lula, o Costa Pinto. Posso ajudar?

— Ah, oi Luís. Boa noite. Não quero incomodar. Mas a Lisle disse que ia tomar um chá com a Silvânia, não consigo falar com a Lisle e liguei para ver se as duas já tinham terminado.

— Não sei, presidente. A Silvânia vai voltar.

— Obrigado, boa noite. Prazer em falar com você.

— O prazer foi meu, presidente.

O relato do telefonema ilustra, sem retoques, um dos traços mais marcantes da personalidade de Itamar Augusto Cautiero Franco: homem desprovido de vaidade, que chegara por acaso à Presidência. Havia uma piada para sintetizar pejorativamente seu governo: "um uísque antes, o Mauro Durante, o Raul Belém depois". Mesmo não publicados, soprados ao vento por fontes diversas, relatos como aquele da *performance* do presidente no banho ou de telefonemas dele disparados diretamente para ramais exclusivos das repórteres que cobriam o Planalto, ajudaram a calcinar a imagem daquele homem simples que ascendera à Presidência.

*   *   *

O executivo de uma grande multinacional mantinha um escritório de uso permanente em Brasília, cidade onde morara durante boa parte da vida profissional. Sempre se dedicara à atividade de relações institucionais, algo que, em geral, é erroneamente designado como *lobby* (*erro duplo. A atividade de* lobby *é legítima e, quando se dá dentro de regras e parâmetros de transparência, ela se torna auxílio ao funcionamento das democracias. Por isso, jamais se poderia designar de forma degradante e estereotipada* a ação de relações institucionais como *lobby)*. Numa noite de terça-feira, quando acabara de retornar à sua filial brasiliense, ele recebeu o telefonema tenso de uma oficial da Marinha, casada com um funcionário público de carreira. Ambos despachavam no Planalto. Ela fora designada como ajudante de ordens da Presidência.

— Você está na cidade? Preciso falar com você, com alguém de toda a confiança, antes de ir para casa.

— Claro, disse o executivo. Era amigo do casal. — Venha, estou aqui.

A oficial da Marinha não demorou 20 minutos até chegar ao escritório do executivo. Entrou aos prantos. Ele a acolheu. Ela tremia. Pôs o quepe sobre o sofá. Pediu água com açúcar. Bebeu e contou sua história.

— Saí do gabinete do presidente agora. Não sei o que fazer. Todo mundo já tinha ido embora. O Mauro Durante precisou sair mais cedo, tinha uma consulta. Ficamos só nós dois. O presidente Itamar tentou me agarrar! Ele quis me abraçar, eu virei de lado bruscamente. Ele insistiu, pegou nos meus braços insistentemente, roçou as mãos no meu peito. Claramente, ele tocou no meu peito!

Ela falou aquilo e voltou a chorar convulsivamente. Recompôs-se. Tomou água e café. Desabafou. O silêncio entre eles só foi quebrado pela intervenção do executivo.

— Não conte isso em casa. Morre aqui. Peça para deixar o Palácio, alegue motivos pessoais.

A oficial seguiu o conselho do executivo. Outros eventos semelhantes foram reportados durante o exercício de Itamar na Presidência e também em sua passagem pela embaixada brasileira em Roma. A sabedoria política daquele homem era intuitiva e não fruto de uma alma genuinamente elevada. Nunca escondeu o regozijo que sentia de exercer o poder em seu esplendor. Fez isso como quase todos que atingem os degraus elevados da glória pessoal, mas até seus xavecos eram executados com pitadas de cafajestadas mundanas que tangenciavam a irresponsabilidade. Talvez, não por vaidade: por orgulho.

* * *

No início do mês de dezembro de 1992, o país seguia em caminhada célere rumo à desordem financeira. O presidente da República reunia seus ministros da área econômica, mas não confiava neles. Durante as reuniões, Itamar abria um caderno escolar com espiral de arame e anotava números. Com o auxílio de uma calculadora financeira, rudimentar quando comparada aos *gadgets* atuais, interrompia explanações complexas de economistas, engenheiros e auxiliares diretos para fazer cálculos. Por vício de comportamento, driblava toda e qualquer tentativa de acelerar o calendário de privatizações. Exibindo os próprios cálculos, anunciou que não aumentaria nem a tarifa dos serviços de Correios e Telégrafos, como pleiteava o ministro das Comunicações, nem o preço dos combustíveis, como implorava o presidente da Petrobras e os ministros Gustavo Krause, da Fazenda, e Paulo Haddad, do Planejamento.

Alcir Calliari, nomeado presidente do *Banco do Brasil*, foi um dos tecnocratas a quem Itamar se afeiçoou, porque falava a língua dele. Egresso da máquina pública, tinha ojeriza a privatizações e a juros altos. Sempre que desejava dizer não a Krause ou a Haddad, o presidente mandava chamar Calliari para participar das reuniões. Sem cerimônia e ignorando a hierarquia — deveria se sentir subordinado aos dois ministros —, o presidente do maior banco público brasileiro sussurrava seus credos no ouvido de Itamar. Em voz alta, o dono da primeira caneta da República terminava sempre tomando uma decisão que desagradava a dupla da economia.

O preço da gasolina, depreciado pela inflação e pela alta do dólar real — a cotação, naqueles tempos, não flutuava livremente, mas era pré-fixada pelo governo federal — atingira o piso de US$ 0,51 e começara a pôr em risco o equilíbrio de contas da Petrobras. Krause passou a pedir diariamente autorização para anunciar um ajuste de tarifa. Itamar segurava-o. Os ministros da Fazenda e do Planejamento viviam uma deterioração veloz da autoridade ante suas respectivas equipes. Sem receber *briefing* algum, sem ter um plano estratégico sobre o que dizer, o presidente da República dava entrevistas todas as manhãs aos repórteres que o esperavam sair do Palácio da Alvorada para despachar no Planalto. Cordial e educado, não se recusava a responder nenhuma pergunta. Versava sobre todos os temas, os assessores dos ministérios que tratassem de adequar projetos e políticas públicas ao que o chefe dissera de manhã cedo a caminho do trabalho. Era, enfim, o inferno idealizado contra o planejamento de qualquer ministro. Sobretudo, contra o ministro da Fazenda.

Na manhã em que completaria 72 dias no cargo, Krause explodiu. Soube, por terceiros, que o presidente receberia em seu gabinete o economista Dércio Garcia Munhoz, da Universidade de Brasília (UnB), para uma terceira rodada de conversas sobre realidade econômica brasileira. Estatizante, defensor de congelamento de preços e de tarifas e considerado uma espécie de advogado de modelos moderados de calotes ou confiscos de dívida pública em nome da necessidade de financiamento do Estado, Munhoz pensava de A a Z diferente de Krause. Também era um tipo de raciocínio muito diverso do professado por Haddad. Foi o estopim. O ministro da Fazenda passou a mão no telefone e ligou para o gabinete presidencial. O próprio Itamar atendeu.

— O senhor está só?

— Estou.

— Precisamos conversar, e tem de ser agora.

— Pode ser depois? Daqui a pouco saio para uma solenidade no Clube do Exército, com um almoço.

— Tem de ser agora.

— Não dá para esperar?

— Não.

— Então venha.

Gustavo Krause entrou como ministro da Fazenda no Palácio do Planalto. Depois de um despacho de apenas 25 minutos, saiu do gabinete presidencial e pediu à sua secretária que comprasse um bilhete aéreo urgente de volta para Recife — no primeiro voo que estivesse disponível. Voou para casa no meio da tarde, deixando os porta-vozes palacianos com a missão de explicar o ocorrido. Fora a primeira demissão de ministro da Fazenda que Itamar fizera.

Paulo Haddad assumiu o lugar do colega. Durou 76 dias no posto e não conseguiu sequer fazer face à fugacidade do antecessor. Virou ministro da Fazenda com a missão renovada de baixar a inflação com urgência. Saiu da Esplanada com a amizade abalada com o velho amigo mineiro. Pedira 90 dias a Itamar Franco para traçar e executar um plano econômico — qualquer um. "Não tem esse prazo", respondeu-lhe o presidente.

* * *

Naquele começo dos anos 1990 os jornalistas eram bem remunerados, tinham ambições intelectuais e gozavam de uma possibilidade não desprezível de mobilidade social. Formávamos uma espécie de casta que se sentia superior à média, embora isso fosse mais pretensão do que verdade. Destinados a viver, por ofício, constantemente nas franjas do poder, alguns se sentiam também poderosos. Raros eram os que compreendiam a transitoriedade do momento. Criam-se integrantes natos do grupo de donos do poder. Alguns não administraram muito bem o ostracismo quando ele chegou; outros, mudaram de vida. Exceções notáveis seguem até hoje com rotinas perseverantes e semelhantes à daqueles tempos, mesmo com a nada sutil mudança de qualidade da representação parlamentar e política dos brasileiros em Brasília.

Casais surgiam e se desfaziam dentro das redações e em meio às coberturas. Havia um genuíno espírito de corpo, celebrado intensamente em festas memoráveis. Eram as chamadas "Festas de Jornalistas". Uma dupla de repórteres que marcava presença constante nesses eventos, Patrícia Andrade e Eliane Trindade, anunciara que morariam juntas na Itália, onde cursariam uma pós-graduação em Relações Internacionais da Universidade de Pisa. Patrícia era a repórter do jornal *Zero Hora* que, no curso daqueles meses feéricos da CPI do PC e do *impeachment* de Collor, se convertera na pessoa mais próxima a mim. Por causa dela, o meu primeiro casamento estava terminando, ao mesmo tempo em que o segundo começava. Sempre chamei o episódio de "intersecção de relacionamentos". Para celebrar a notícia do aceite das duas na universidade italiana, vários jornalistas de diversas redações, alguns já casados formalmente, outros tentando estruturar-se em duplas formais ou informais, marcaram de assistir a "A Viagem do Capitão Tornado", de Ettore Scola, no Cineclube da Cultura Inglesa, na Entrequadra 709/909 Sul. De lá, fomos ao Bizarre. Era segunda-feira, a melhor noite do bar dançante onde tocava também o melhor *pop* na cidade.

— Eliane e Patrícia, qual a idade de vocês mesmo? — perguntei, antes de sugerir um brinde à dupla que partiria em breve para a Europa.

— Vinte e três anos — respondeu Eliane.

— Vinte e três — confirmou Patrícia.

Taças de margheritas, daiquiris, caipirinhas; copos de gin tônica e de belinis e uma ou outra lata de cerveja foram erguidas. A palavra era minha.

— Meninas, um brinde a vocês. Celebrem! Só temos futuro até os 24 anos (*era,* não por acaso, a minha idade). Depois dos 24, vocês aprenderão: só temos passado. Então, o futuro de vocês bate à porta: agarrem-no!

Brindamos e a roda se desfez. Patrícia Andrade me puxou de lado.

— Meu voo para Paris sai do Recife, pela Air France, dia 29 de dezembro. Você estará lá?

— Sim. É só uma escala?

— Não. Vamos passar o dia lá. Eu, Eliane e a minha mãe.

Eu estaria na folga do recesso de *réveillon*, junto com a minha família. Ela não pediu nada, mas a simples informação era insinuante.

— Organizo esse dia. Darei um jeito.

— Você está louco? É a sua cidade, você vai estar lá com a sua família.

— Dou um jeito.

A manhã de 29 de dezembro indicou, desde sempre, que seria um dia marcante, para além das formalidades do calendário. Logo nos primeiros telejornais e nos noticiários de rádio o tema era um só: o assassinato da atriz Daniela Perez, protagonista da novela das 20 e 30 da *Rede Globo*, "De Corpo e Alma". A mãe dela, Glória Perez, era a autora da trama. Linda e talentosa, a atriz fora barbaramente assassinada por seu colega de *set*, Guilherme de Pádua, e pela mulher dele, Paula Thomaz. Até as 12 horas, os telejornais estavam tomados pelo tema, mas, no fim da manhã, o Senado se reuniria em Brasília para decidir se seguiria, ou não, com o julgamento da cassação de Fernando Collor.

Tendo jantado na noite anterior com oito amigos seletos em sua residência particular, a Casa da Dinda, o presidente afastado contabilizou irrisórios cinco votos favoráveis a ele, em um plenário de 81 senadores.

— Vou tomar uma atitude e amanhã cedo comunico aos senhores. Telefono de manhã — disse Collor aos comensais que tiveram a lealdade de acompanhá-lo na véspera das horas derradeiras do fiapo com o qual ainda se segurava no mandato, na esperança de voltar à cadeira onde Itamar sentava-se como interino, aguardando a ordem definitiva a ser dada pelo Congresso para se tornar de fato o 28º Presidente da República. Estavam lá o empresário Luiz Estevão de Oliveira, o governador de Alagoas, Geraldo Bulhões, o advogado José Moura Rocha, o deputado Roberto Jefferson, que fora o general de sua tropa de choque na CPI do PC, e os senadores Affonso Camargo e Odacir Soares, além de Rosane Collor e Cleucy, mulher de Luiz Estevão.

Houve quem imaginasse que o presidente afastado poderia tomar uma atitude dramática, como Getúlio Vargas.

— Temi que aquela frase significasse um anúncio velado de suicídio ante tanta humilhação — contou-me anos depois Odacir Soares, que foi senador por Rondônia e naqueles tempos era um fiel cão de guarda a reverberar os laivos de um chefe de Executivo acuado pelos malfeitos descobertos em sua gestão.

Antes de deixar a Casa da Dinda, por volta das duas horas da madrugada, Luiz Estevão foi o único a falar diretamente sobre a renúncia com o presidente afastado. "A sessão do Senado vai ocorrer de qualquer forma. Talvez renunciar seja o melhor caminho", aconselhou. Collor ouviu e não respondeu. Às 6 horas redigiu de próprio punho uma breve carta em papel encimado pelo timbre "Fernando Collor", aposto no canto superior esquerdo:

"Excelentíssimo Senhor Presidente do Congresso Nacional,
Levo ao conhecimento de Vossa Excelência que, nesta data,
e por este instrumento, renuncio ao mandato de Presidente
da República, para o qual fui eleito nos pleitos de 15 de
novembro e 17 de dezembro de 1989.
Brasília, em 29 de dezembro de 1989.
F. Collor"

Ao renunciar, driblando o julgamento final do Senado, a intenção de Collor era manter intactos os direitos políticos e voltar a disputar a Presidência em 1994. Os escassos aliados do presidente afastado tentaram adiar a sessão para janeiro ou fevereiro de 1993. Os muitos amigos do governo efetivamente instalado no Planalto tinham pressa: se Itamar não parecia consolidado por atos de gestão, que, ao menos, tivesse chance de um reinício de mandato com a posse definitiva. Presidindo a sessão de cassação, como determina a Constituição de 1988 ao estabelecer as regras para o *impeachment* presidencial, o presidente do Supremo Tribunal Federal, Sidney Sanches, indeferiu o embargo da sessão. Sem saber o conteúdo do que tinha em mãos, posto ter recebido um envelope lacrado enviado por Collor, o advogado José Moura Rocha pediu a palavra.

— Senhor presidente, sou portador de uma mensagem do réu com a instrução de ser lida caso a decisão do egrégio plenário seja pela continuidade dessa sessão — disse Moura Rocha.

— A sessão está mantida e Vossa Excelência, na condição de advogado do réu Fernando Affonso Collor de Mello, pode ler a carta que tem em mãos.

Moura Rocha abriu o envelope rasgando a aba de cima, uma vez que fora colada. Em menos de cinco segundos desdobrou a carta — na verdade, um bilhete. Era a terceira renúncia da história da República brasileira. A primeira fora do também alagoano Deodoro da Fonseca, o marechal que liderou o levante dos militares contra Dom

Pedro II e decretou o fim do Império. O segundo a renunciar foi o mato-grossense radicado em São Paulo, Jânio Quadros, em 1961.

Os senadores ficaram momentaneamente perplexos com o lance jurídico de Collor. Em seguida, compreenderam a intenção da renúncia e, numa decisão controvertida, alegando que a sessão de cassação já se iniciara, optaram por mantê-la e cassar os direitos políticos do já ex-presidente. Com isso, ele só estaria elegível a qualquer cargo público em 2000 — ainda assim, depois das eleições municipais daquele ano.

Enquanto a onda de choque pela morte da atriz Daniela Perez e os ecos de regozijo pela renúncia de Fernando Collor, que, enfim, escrevia o epílogo da novela política cujo prólogo fora a entrevista de Pedro Collor concedida a mim alguns meses antes, ocupavam todas as plataformas de informações daqueles tempos, a minha agenda era outra.

Logo cedo deixei o apartamento em que veraneava na praia de Pau Amarelo, ao norte do Recife, e dirigi-me ao Aeroporto dos Guararapes para apanhar Patrícia Andrade, Eliane Trindade e "Dona Zilda", a mãe de Patrícia. Ajudei-as a guardar as bagagens no Malex — depósito que era comum nos aeroportos antes dos atentados de 11 de setembro de 2001 e depois praticamente sumiram, em razão do medo de malas guardadas conterem bombas de alta destruição. Seguimos para executar o *tour* proposto por mim.

Naquelas horas, eu sabia estar a jogar uma partida decisiva na definição de minha vida afetiva. De forma instintiva, sem ter lido manuais de autoajuda sobre "Como fazer a corte em 10 lições e encantar a futura sogra e a melhor amiga", desliguei os sinais de "Brasília" e de "notícia" do radar. Deixamos o aeroporto rumo à casa de Gilberto Freyre, no bairro do Monteiro. Fiz o trajeto inacreditavelmente mais longo para tal passeio: peguei a Avenida Beira Mar, em Boa Viagem, fui até o centro antigo da cidade pelo Cais José Estelita, contornei a Rua da Aurora para ter acesso ao núcleo urbano que mais me agrada no Recife — os bairros de Graças, Espinheiro, Aflitos e Casa Forte. Segui pela Avenida Dezessete de Agosto até Apipucos, onde o sociólogo pernambucano havia morado. Queria mostrar o Recife, especialmente a Patrícia. Havia também, claro, uma afirmação regionalista que terminou por virar, para sempre, brincadeira entre nós. Eliane é baiana; Patrícia e a mãe, cearenses. No trajeto que fiz, da forma como o tracei, revelei a elas — sem usar uma só palavra — o quanto o Recife parecia viver em maior harmonia com seu passado arquitetônico do que Fortaleza e Salvador.

Tomamos um chá na casa de Gilberto Freyre, que se tornara um centro cultural, e de lá fomos ao Museu do Homem do Nordeste. Almoçamos no Restaurante Leite, na Praça Joaquim Nabuco, centro da capital pernambucana. É o mais antigo restaurante brasileiro, fundado em 1882, e segue funcionando ininterruptamente. Nos últimos tempos, em razão de uma briga de família, a cozinha se tornou sofrível e o serviço, péssimo. Mas, até o fim da primeira década dos anos 2000, conservava-se ponto obrigatório no roteiro de quem ia ao Recife.

Do Leite voltamos ao Aeroporto dos Guararapes. Despachadas as malas, pedi licença a Dona Zilda e a Eliane e puxei Patrícia para uma conversa mais reservada. Despedimo-nos. Não foi uma despedida fria. Embarcaram. Caminhei até o meu carro, estacionado na Praça Santos Dumont, conjecturando sobre o que tinha acontecido e sobre o que ainda ia acontecer. Entrei no carro, sintonizei a *Rádio Universitária* e comecei o longo caminho de volta até a praia de Pau Amarelo. Quando cruzava o Complexo de Salgadinho, um istmo urbanizado que liga Recife a Olinda, troquei a rádio por um CD de Frank Sinatra. *My Way*, na versão tocada no show do Carnegie Hall, em 1974, foi a primeira faixa a tocar. Apertei o botão *repeat* do som do carro e deixei que aquela fosse a trilha única das reflexões que fazia sobre "o amor e suas consequências, a vida e suas implicações", como me advertia Luciano Suassuna, enquanto escrevemos juntos, no prazo de uma semana, o *instant-book "Os Fantasmas da Casa da Dinda"*, sobre a CPI do PC e as investigações que levaram ao *impeachment* de Collor. Lançado naquele dezembro, venceríamos com ele o Prêmio Jabuti de melhor livro-reportagem de 1993.

Desci em Pau Amarelo, pedi a alguém que ficasse com nosso filho e chamei Cristina, minha esposa, para andar na praia. Caminhamos sob a lua nascente por um bom tempo. Não era uma discussão de relacionamento — jamais fizéramos uma DR. Era uma conversa profunda. A noite ia chegando e nós, caminhando. Passávamos a limpo um filme resenhado de nosso casamento. Resolvemos parar diante de um sobrado onde um primo dela, arquiteto recém-formado, mantinha uma quitinete. Ela a pediu emprestada ao primo. Ele cedeu. Entramos para prosseguir a conversa que começara sob a lua. Eram 8 e 15 da noite. Não sei por que, ligamos a televisão. *TV Globo. Jornal Nacional* iniciando em sua escalada — ainda com o locutor Cid Moreira como âncora. Renúncia de Collor, posse formal de Itamar marcada para o dia seguinte, assassinato de Daniela Perez. Trocara o fundo musical de *My Way*, para as minhas reflexões, pelo som das notícias correndo na TV para o veredito que ouviria sobre meu futuro imediato. Remoía em silêncio a frase que eu mesmo criara: "Só se tem futuro até os 24 anos. Depois, tudo é passado". Eu tinha 24 anos. Cristina também. Contei a ela tudo o que se passara entre mim e Patrícia, retrospectivamente: a partir daquele dia, como uma fita de videocassete em *rewind*, até o primeiro dia de funcionamento da Comissão Parlamentar de Inquérito, criada para investigar Paulo César Farias e a relação dele com o governo Collor, quando a conheci e ela usava um perfume chamado *Fendi*. Não dissemos uma palavra sequer sobre o fim da Era Collor, muito menos sobre os atropelos de Itamar. Não comentamos a insensatez passional que levou um casal desequilibrado a matar um talento florescente como Daniella Perez. Choramos juntos, abraçados, por longos minutos. Até que ela perguntou:

— Isso tem futuro?

— Não sei.

— Vamos continuar?

*   *   *

Quando tomou posse no lugar de Gustavo Krause, em 16 de dezembro do ano anterior, Paulo Haddad não recebeu o prazo de 90 dias pedidos para urdir um plano econômico que pusesse fim à inflação. Em 28 de fevereiro de 1993, um domingo, ele protagonizou a mais rápida demissão de um ministro da Fazenda já ocorrida no país. Depois de jogar uma série de partidas de peteca, esporte do qual se dizia "máster", por volta das 14 e 30, recebeu em sua casa de Belo Horizonte um telefonema de Itamar Franco. De manhã, o ministro ligara quatro vezes para o Palácio da Alvorada e não fora atendido pelo chefe. Haddad queria confirmar a veracidade de uma entrevista concedida pelo presidente no dia anterior, no portão do Alvorada, em que dissera que "quem derruba ministro da Fazenda não é presidente da República, é a inflação" e que "Haddad ainda queria mais 90 dias para me mostrar um plano que acabe com a inflação. Não teve e nem terá esse prazo". Nos bastidores, o ministro também tentava anular indicações do chefe para vice-presidências e diretorias do *Banco do Brasil* e do *Banco Central*.

— Quanto ao *Banco do Brasil*, presidente, tudo bem. Pode nomear os dois nomes que o senhor quer — disse o ministro.

Itamar desejava fazer do ex-deputado Paes de Andrade vice- -presidente de crédito rural do *Banco do Brasil* (*BB*) e pôr um ex-governador do Rio Grande do Sul, Sinval Guazelli, em outra vice-presidência do mesmo banco. Paes de Andrade era pai de Patrícia, a minha amiga do jornal *Zero Hora* que estava fazendo uma pós-graduação em Pisa, na Itália. O ministro da Fazenda prosseguiu:

— No *Banco Central* não posso aceitar que o senhor mexa. O plano econômico que desejo implementar estará 75% nas mãos do diretor de área internacional do *BC*, e o Emílio Garófalo é o melhor para o cargo.

— Não quero esse Emílio Garófalo. Quero o José Roberto Novaes, o nome que lhe dei — respondeu Itamar.

...

Houve um átimo de silêncio do outro lado da linha.

— Então não vai dar para continuar, presidente. Aí eu estou fora.

Paulo Haddad pensava estar jogando truco com um homem que já revelara grande habilidade no contorno de conversas difíceis com aqueles que imaginavam saber mais do que ele.

— Assim você está me pegando de surpresa. Ok. Então você está fora. Só não fale nada para ninguém ainda. Não tenho outro nome, mas terei rapidamente.

Daquela forma Itamar demitia o segundo ministro da Fazenda em cinco meses exatos de governo. Um recorde, até para as inconstâncias brasileiras. Por volta das 17 horas, convocados às pressas pelo presidente, os ministros Maurício Correa, da Justiça, e Henrique Hargreaves, da Casa Civil, chegavam ao Palácio da Alvorada para uma reunião cuja pauta não faziam ideia qual fosse. O consultor-geral da União, José de Castro, e o chefe de gabinete da Presidência, Mauro Durante, também receberam a convocação. Alexandre Dupeyrat, um assessor do Senado que fora excelente fonte minha durante a CPI, acabara de assumir a Advocacia-Geral da União e fora chamado. Conhecia a todos. Era o único não mineiro dentre eles. Depois de deixar os convidados entregues aos pernilongos e a outros insetos vespertinos dos chuvosos verões brasilienses numa marquise úmida do cinema do Alvorada, Itamar os recebeu com a notícia-bomba da demissão de Paulo Haddad.

— Demissão de ministro não é problema — tentou animar Maurício Correa. — Levanta, sacode a poeira e dá a volta por cima! — seguiu o ministro da Justiça em sua estratégia panglossiana, citando os versos de Paulo Vanzolini.

Às perguntas sobre os nomes dos candidatos possíveis para o cargo, respondeu não ter nenhum. Repassaram o rol de alternativas. Paulo Cunha, do *Grupo Ultra*, e Carlos Rocca, do *Mappin*, voltaram à baila. Itamar mandou esquecê-los.

— Nomeia o Luiz Salomão. Ele é leal e vai fazer tudo o que você quer que faça. Baixar os juros, essas coisas — seguiu o efusivo Correa.

Falava do deputado do PDT do Rio de Janeiro, Luiz Alfredo Salomão.

— Ele é brizolista e vai trazer problemas com o Roberto Marinho, com a *Rede Globo* — ponderou Henrique Hargreaves. — Por que não o João Sayad? É paulista, será bem recebido pelos bancos e pela academia.

— Sayad é nome do Sarney. Não posso nomear uma pessoa do Sarney — respondeu o presidente.

Alguém propôs, uma vez mais, Tasso Jereissati, ex-governador do Ceará. Tasso havia frequentado a lista de opções iniciais de Itamar, logo depois do *impeachment*. Não animou.

— E o Eliseu? — perguntou o consultor-geral José de Castro.

— O Eliseu Resende é mineiro, é uma pessoa mais conservadora em economia, é engenheiro.

Ninguém dentre eles pronunciou uma palavra sequer para lembrar aos circunstantes que Eliseu Resende acabara de ser condenado pelo Tribunal de Contas da União por sua gestão à frente do Departamento Nacional de Estradas de Rodagem (DNER) durante a ditadura militar. Estava decidido: na manhã da segunda-feira, 1º de março de 1993, Eliseu Resende viraria ministro da Fazenda. Durou 79 dias no cargo. Foi demitido em 19 de maio na esteira de um escândalo ético. Ele fizera pressão para que o Comitê de Financiamento Econômico do *Banco Central* favorecesse a construtora *Odebrecht* na obtenção de empréstimos que a permitissem tocar uma obra no Peru. Resende e Norberto Odebrecht, fundador da empreiteira, eram amigos.

* * *

No dia seguinte à posse de Eliseu Resende no Ministério da Fazenda, amanheci na casa do ex-deputado Paes de Andrade para um café da manhã reservado. Mesmo sem mandato, ele conservava grande influência no PMDB nacional. Era o tesoureiro da sigla. Havia sido presidente da Câmara. Era pai da minha amiga que fora morar na Itália. Meu casamento atravessava uma crise. A generosidade afetiva de Cristina, minha mulher, permitia-nos tentar reconstruir a relação, mas aquela proximidade casual com o pai de Patrícia despertava emoções guardadas nas gavetas da intimidade. Havia passado um telegrama para ela horas antes *(telegrama era um serviço oferecido, no Brasil, pela Empresa de Correios e Telégrafos. O usuário era cobrado por cada letra digitada. Sinais gráficos como ponto, vírgula etc., eram descritos em duas letras: "pt", "vg", por exemplo. Pode-se dizer que foi o embrião do SMS ou até mesmo dos aplicativos de mensagens instantâneas. Todos os demais serviços de Correios do mundo, como France Post, US Mail, Deutsche Post, usavam-no. Você ligava para uma central dos Correios de seu país, ou ia a uma agência da empresa, ditava o texto e era cobrado pela quantidade de letras — pagava na hora ou na conta telefônica. Um carteiro entregava a mensagem no endereço do destinatário no prazo de até seis horas. O "telegrama urgente" custava duas vezes mais e o prazo de entrega caía para duas horas).*

> *"Amanha cafe s/ pai PT Assuntos políticos PT Não pode assumir vice BB PT Beijos VG".*

Foi esse o texto que enviei para Pisa. Fui ao café da manhã sem ter recebido qualquer resposta.

Encontrei o ex-deputado cearense, ex-presidente da Câmara dos Deputados, já de terno e gravata às 7 e meia numa pequena copa de sua casa. Era uma residência confortável em uma das quadras internas do Lago Sul. Tínhamos uma boa relação de fonte com repórter, distante anos-luz daquela que construiríamos nos anos que viriam pela frente. Cumprimentou-me sem muitas formalidades e pediu que sentasse. A mulher dele, Zilda, que estivera comigo no dia do embarque de Patrícia no Recife e sabia da profundidade de nossa amizade — além de desconfiar da intensidade *(algo que o político nem sequer imaginava)* — entrou no recinto, cumprimentou-me e saiu com discrição.

Paes me perguntou o que eu achara da demissão do ministro da Fazenda. Disse-lhe que considerava a nomeação de Eliseu Resende um desastre. Ele concordou: Resende havia sido homem fiel aos generais da ditadura e isso lhe parecia abominável. Contei que, em parte, as razões da briga entre o ex-ministro da Fazenda e o presidente da República passaram pela insistência de Itamar em nomear dois políticos para cargos técnicos do *BB* — ele e o ex-governador gaúcho Sinval Guazelli. Paes de Andrade ouvia em silêncio tentando mapear minhas reações e opiniões não postas à mesa.

— Desculpe falar assim, respeito-o, sou muito amigo de sua filha, mas o senhor não pode aceitar essa vice-presidência.

Fui direto. Ele me olhou com os olhos miúdos, apertou-os ainda mais, colocou quatro dedos de cada mão sobre a mesa conservando os dois polegares dobrados. Pareceu que iria se levantar. Não levantou, mas alterou um pouco a voz.

— Por quê? Sou um homem íntegro, limpo. Ulysses Guimarães, quando me passou a presidência da Câmara, disse: "aperto as mãos de Paes de Andrade, essas mãos posso apertar, são mãos limpas".

— Não tem nada a ver com fatos, mas com o que o quadro geral pode projetar. E, se o senhor aceitar, até eu, que gosto muito do senhor como fonte, e que sou muito amigo de sua filha, terei de escrever contra isso. Primeiro: cargo em banco público não é coisa que deva ser dada a políticos. Acho isso de verdade. Segundo, o senhor tem dois genros que são empresários e têm contratos com bancos públicos. Podem e devem ser as melhores pessoas do mundo, mas isso será falado e vai colocá-los numa situação limite. Terão de entregar esses contratos, ou ficarão tendo de se explicar a todo momento (*dois dos genros dele à época, Eunício Oliveira e Danilo Forte, tinham empresas de serviços gerais, segurança privada e engenharia que, de certa forma, precisavam conservar boa relação com o Banco do Brasil, em particular, e com bancos estatais, em geral. Ambos entraram na vida pública mais à frente. Eunício foi deputado federal e senador. Presidiu o Senado. Danilo foi deputado federal por dois mandatos. Os dois se tornaram, além disso, meus amigos — uma relação fraternal e sincera. Certa vez, antes da morte de Paes de Andrade, em momentos diferentes e diante de cada um deles, relembrei essa passagem. O ex-presidente da Câmara rira e confirmara aos dois: minha franqueza cortante o surpreendera naquele café da manhã e fora decisivo para que saísse dali e encontrasse Itamar no Planalto, declinando da oferta da vice-presidência do BB*).

— Você escreveria contra mim?

— Escreveria, claro.

— Mas você é um amigo que a Patrícia preza muito, eu sei disso, a Zildinha me disse que você foi muito educado e prestativo antes do embarque dela, lá no Recife.

— Mas escreveria. E todo mundo vai escrever. Sinceramente, não vejo como esse cargo pode ajudá-lo politicamente.

— Não sabe? — ele então riu largamente. — Meu jovem, se você não sabe como isso é importante para os pequenos agricultores do Nordeste, sobretudo, e qual a força política disso, precisa aprender muita coisa na vida. Você está com quantos anos?

— Vinte e quatro.

— Vinte e quatro anos? Tem o futuro todo pela frente! Vai aprender. Mas vou te ouvir, sim.

Engoli o riso frouxo que queria sair, fitei-o:

— Eu costumo me achar velho, na verdade. Digo sempre que a gente só tem futuro até os 24 anos. Depois disso, só passado.

Rimos juntos, por motivos diferentes. Ele me achou arrogante. Eu registrei a piada interna que se iniciara naquele brinde depois do filme de Ettore Scola. Paes de Andrade saiu da casa dele junto comigo. Foi direto para o Palácio do Planalto. Eu fui para a sucursal de *Veja*. Por volta das 12 horas o serviço de informações *Broadcast* do jornal *O Estado de S. Paulo* informava: "Ex-deputado Paes de Andrade recusa vice-presidência do *BB*. Ministro da Fazenda nomeará técnico do banco".

*   *   *

A quarta-feira, 19 de maio de 1993, seria o dia mais incomum do governo, até ali, descomunalmente desarranjado de Itamar Franco, o homem desprovido de vaidade que não escondia a vontade de futuramente poder se orgulhar de ter sido o primeiro homem comum a sentar na cadeira de presidente da República. Almejava ser reconhecido por isso e se sentir aplaudido nas ruas. Ele chegara ao Palácio do Planalto decidido a demitir Eliseu Resende do Ministério da Fazenda. Antes de completar o sétimo mês na Presidência, era a terceira demissão de um comandante da economia nacional que faria. A inflação mensal rondava a casa dos 28%. Anualizado, o índice de alta de preços estava em 1.348%. O país detinha apenas US$ 24 bilhões em reservas internacionais, e a dívida externa era de US$ 150 bilhões *(a título de comparação, em janeiro de 2011 o volume de reservas* *brasileiras era de US$ 380 bilhões e a dívida externa era considerada inexistente).* Sem conseguir explicar suas relações com a empreiteira Odebrecht e as facilidades de financiamento concedidas a ela para vencer a concorrência de uma obra no Peru, Resende foi demitido.

— Eliseu, você sabe que me dói fazer isso, mas tenho de fazer.

— Sei, Itamar. Como anunciaremos?

— Escolherei o substituto e anuncio. Vá para o Alvorada e me espere lá.

Em Nova York, o então chanceler Fernando Henrique Cardoso concluía uma viagem internacional bem-sucedida ao Japão e aos EUA. Nela, reafirmou a confiança na lenta arrumação dos indicadores brasileiros e sublinhou para os interlocutores japoneses e americanos a boa vontade e a correção pessoal do presidente Itamar Franco. Sociólogo de grande prestígio acadêmico, o ministro das Relações Exteriores exercitava no cargo a arte de potencializar seu maior diferencial competitivo ante qualquer outro ser humano: o gogó. Inteligente, articulado e com leitura refinada da conjuntura, o professor sabia transformar qualquer ouvinte em aluno embevecido.

Quando a tarde entrou no Planalto, Itamar estava reunido com seu Estado-Maior juiz-forano. Henrique Hargreaves, Mauro Durante e José de Castro Ferreira tentavam ajudá-lo a se decidir por um nome que sentasse ainda naquela noite na cadeira de Eliseu Resende. Hargreaves sugeriu Fernando Henrique. "Já convidei uma vez, ele não aceitou. Não falarei de novo", refutou o presidente. José de Castro sugeriu o banqueiro José Eduardo Andrade Vieira, herdeiro do banco *Bamerindus*, uma instituição financeira que crescia com linhas de crédito populares e muito focado no setor rural. Também tinha ampla exposição de mídia, porque patrocinava o *Jornal Nacional*, da *Rede Globo*, com um filme semanal de dois minutos nos quais se contava, todos os sábados, a história de *Gente que Faz*. Os comerciais marcaram a publicidade brasileira. Hargreaves insistiu:

— Ligue para o Fernando Henrique. Você o convidou, da primeira vez, para algo incerto e hipotético. Agora ele pode aceitar.

Itamar ouviu e acedeu. Demorou, contudo, a ligar para Nova York. Chamou Andrade Vieira para uma conversa. Gostou do que ouviu, mas não se sentiu seguro a ponto de nomeá-lo. Homem simples do interior do Paraná, o dono do *Bamerindus* poderia ser esmagado pelos porta-vozes da Avenida Paulista — sobretudo aqueles instalados na cúpula das principais redações brasileiras. O político sem vaidades não queria submeter sua pretensão de orgulho a novo teste midiático. Resende seguia no Alvorada. A tensão entrou pela noite. Às 23 horas, ainda no Planalto, Itamar mandou que suas secretárias encontrassem Fernando Henrique em Nova York. Naqueles tempos, antes de a telefonia celular se tornar uma tecnologia considerada até vestível por qualquer um de nós, os ministros em viagem ao exterior tinham de mandar as assessorias informarem o passo a passo da agenda às secretárias do gabinete presidencial. Não foi difícil encontrar FH na residência do embaixador Ronaldo Sardenberg.

Precedendo a chegada ao coração da conversa, o presidente confirmou para seu chanceler o aceite aos pedidos de demissão da ministra Luíza Erundina, ex-prefeita de São Paulo, à frente do Ministério da Administração, e Lázaro Barbosa, da Agricultura. Erundina, nome simbólico da esquerda, rompera com o Partido dos Trabalhadores ao aceitar o cargo, porque achava que Itamar deveria fazer um governo de união nacional, mas sucumbira às intrigas internas de uma equipe díspar e muito aquém do espírito público que ela sempre tivera. Monitorado por seus amigos da imprensa e por assessores do Itamaraty, Fernando Henrique já sabia das demissões. Fingiu, contudo, estar ouvindo uma novidade diretamente da boca presidencial.

— Você está sentado? — quis saber o presidente. Do outro lado da linha, preservando a conversa dos demais convidados do jantar na casa do embaixador Sardenberg, o chanceler perguntou:

— Por que, Itamar?

— Não conte a ninguém. Mas estou saindo agora do Palácio para uma conversa lá em casa com o ministro Eliseu. Ele não tem mais condições de ficar. Se isso acontecer, vou precisar de você.

— Nós já conversamos sobre isso. Eu já lhe disse minha posição. Estou muito bem no Itamaraty e você sabe onde eu gostaria de ficar — respondeu o ainda ministro das Relações Exteriores.

— Mas não sou eu, o Itamar, quem precisa de você. É o Brasil.

— Itamar, eu sou apenas um ministro e você é o presidente. Você é o juiz da história e sabe o que eu penso. Mas é você quem decide.

— Eu te dou cinco minutos para pensar no assunto e já falamos — disse o presidente a Fernando Henrique.

— Nem cinco nem quinze minutos vão fazer diferença. Não precisa. Você conhece minha posição. É você quem decide.

— Então está bem. Estou indo para o jantar com o Eliseu e depois eu te ligo.

Quando encontrou o amigo e até ali chefe direto, Eliseu Resende estava em frangalhos. Ciente de sua demissão, havia sido humilhado por uma espera de oito horas nos gabinetes do Palácio da Alvorada, de onde sair e falar com a imprensa ou com algum confessor mais próximo seria traição impensável. Ficar, como ficou, representava a destruição moral, como ocorrera de fato. Um Itamar faceiro e contente o recebeu.

No diálogo em que os dois falaram o que quiseram e ambos ouviram também o que queriam, o presidente considerava-se liberado para nomear Fernando Henrique — mesmo que o outro não tivesse dito "sim" a um convite formal para assumir o posto de última opção para escudeiro da República.

Às 2 e meia da manhã da quinta-feira, 20 de maio, Itamar assinou o ato de nomeação de Fernando Henrique Cardoso para o ministério da Fazenda sem se dar ao trabalho de retornar a ligação para Nova York. "Se eu ligasse, poderia ter ouvido um 'não' formal. Preferi ficar com o 'sim' informal", contou-me depois, numa conversa mantida quando era embaixador em Roma. Recebera-me cortesmente para um café no *Palazzo Pamphili*, a belíssima sede da embaixada brasileira na capital italiana.

Em seu quarto no *Hotel Intercontinental*, Fernando Henrique adormecera chanceler. Começou a desconfiar que acordara ministro da Fazenda quando ligaram da recepção, dizendo-lhe que, no saguão, diversos jornalistas o esperavam. Telefonou então para o secretário-executivo Luiz Felipe Lampreia, no Itamaraty.

— Estou lendo o *Diário Oficial* agora. Você é o ministro da Fazenda e eu sou o ministro-interino das Relações Exteriores — disse-lhe o imediato.

— Como? O que você está falando, Lampreia? — assustou-se Fernando Henrique.

— É isso o que você ouviu. E o Alexis Stepanenko é o ministro do Planejamento. Foi efetivado.

Sentindo-se ao menos ex-chanceler, o sociólogo que teria de passar a entender de economia discou direto para o número da ala privada do Alvorada. Quem atendeu foi Raimunda, uma senhora de Juiz de Fora que era a faz-tudo da residência pessoal de Itamar e o acompanhara ao palácio presidencial.

— Doutor Itamar está no banho — comunicou Raimunda.

Quando o presidente retornou a ligação para o ministro em Nova York, entrou de sola sem dar espaço para tergiversações do interlocutor.

— Seu nome está no *Diário Oficial* e a repercussão foi muito boa.

— Mas Itamar, você ficou de ligar para mim e não ligou.

— É, mas a repercussão foi boa. Está no *Diário Oficial*. Você é o novo ministro da Fazenda. E, olha, eu nomeei o Stepanenko para o Planejamento. Mas se você precisar mexer, não será problema.

— E no *Banco Central*, posso mexer?

— Pode mexer onde você quiser. Nomeei também o Osíris Lopes Filho para a *Receita*, mas ele foi avisado que a permanência dependia de uma conversa com você.

— Você sabe que não sou de quebrar louça, mas talvez no Planejamento eu precise de um nome mais técnico. Não sou economista, nem o Stepanenko.

— Não tem problema. Conversamos na sua volta.

Aquele começo de manhã de quinta-feira também flagrava um alvoroço nas redações brasilienses. Todos sabiam que a ascensão de

Fernando Henrique ao Ministério da Fazenda era um bom ponto de inflexão do claudicante governo Itamar Franco. O recém-nomeado capitão da economia também o sabia. As redações de *Veja* em São Paulo e em Brasília passaram a se comunicar com uma intensidade só vista nas grandes crises. Ninguém precisou dar o alerta: aos poucos, os repórteres do escritório brasiliense e os diretores e executivos de São Paulo assumiam seus postos.

— É a última chance de termos algum governo. Precisamos contar a melhor história possível disso. E vamos deixar claro que essa mudança pode salvar Itamar e o Brasil — instruiu por telefone Tales Alvarenga, o diretor-adjunto de redação da revista e o mais animado com a mudança, depois de Expedito Filho.

— Tales, teremos a melhor apuração já feita na revista — prometeu Expedito. Fernando Henrique era a melhor fonte dele. Ele era uma espécie de filho adotivo do homem que se converteria na última esperança nacional àquela altura.

Expedito alcançou Fernando Henrique na sala VIP da companhia aérea *Varig* no aeroporto *JFK*, em Nova York. Até ali, o ministro somente dera declarações protocolares aos jornalistas que o aguardavam no saguão do hotel. Com o humor aguçado, entrara no reservado da *Varig* perguntando se poderia pedir asilo político. Deram-lhe uma área de trabalho privativa, enquanto aguardavam a antecipação do voo de regresso ao Brasil. De lá, Fernando Henrique e Expedito conversaram longamente. O ministro, que assumiria a Fazenda no dia seguinte para mudar o destino do combalido governo Itamar, contou os bastidores da escolha e os diálogos entre o presidente e ele mesmo, o sociólogo guindado de forma improvisada ao posto de czar da economia nacional que, enfim, dar-lhe-ia orgulho de ter exercido o mandato-tampão.

A reportagem de Expedito Filho reproduzindo a conversa é uma das melhores peças do jornalismo político dos anos 1990. Não era uma boa notícia para mim. Em nosso dérbi pessoal na redação de *Veja*, ele pulara à frente: tinha uma grande narrativa por meio da qual exporia os dotes incontestáveis de grande repórter e caminhava duas jardas à frente na disputa por futuras promoções. Além disso, sua fonte caudalosa estava no poder. Itamar, por sua vez, recomeçava tudo de forma improvável. Negava a vaidade mundana dos políticos tradicionais e reafirmava a perseguição pelo orgulho de terminar sendo bem tratado na história.

CAPÍTULO 2

O PROCESSO IMPLACÁVEL

Nunca houve um repórter com a capacidade, o talento e a competência exibidos por Policarpo Jr. para mergulhar no submundo policial, tocar o lodo do fundo dos charcos mais fétidos e emergir com notícia sem se deixar contaminar pelas versões e fantasias de gente metida a paladino oficial. Forjado para o ofício como apurador de resenhas do repórter policial Mário Eugênio Oliveira, "O Gogó das 7", da *Rádio Planalto*, e repórter policial do jornal *Correio Braziliense*, Júnior possuía um manancial de fontes entre policiais civis e militares do Distrito Federal; conservava conexões nos serviços de inteligência das Forças Armadas e gostava do papo *non sense* de delegados e agentes da Polícia Federal (PF). Por outro lado, não escondia a ojeriza pelos políticos. Detestava quando tinha de falar com parlamentares. Sentia-se pouco à vontade transitando pelo Congresso Nacional e nos gabinetes da Esplanada dos Ministérios. Quando eu o convidava para jantar, levava-o ao *Piantella*, restaurante frequentado pela fina flor do Congresso. Nas vezes em que me convidou, tive de ir ao *Xadrezinho*, uma espécie de restaurante dançante conhecido como "matadouro", embalado por forró e música brega, que ficava no Setor de Clubes Sul, ou no *JR's*, uma galeteria que funcionava 24h na Entrequadra 302 Sul. Lá, disputávamos lugar às mesas com prostitutas, cafetões, bêbados e policiais em rondas madrugadoras.

Em 11 de novembro de 1984, o jornalista Mário Eugênio foi assassinado na saída da Rádio Planalto com sete tiros na cabeça pelo pistoleiro Divino José de Matos, conhecido como Divino 45. No ar, ele chamava sempre "Jota Júnior" para introduzir os flashes de apuração de Policarpo. O assassinato de Mário Eugênio, cometido nos estertores da ditadura militar, nunca teve sentença definitiva para seus mandantes — dois policiais civis do Distrito Federal.

Aos 28 anos, preferindo sempre usar *blazers* e colarinho aberto no lugar do terno completo, que era o uniforme de quem cobria política e economia, avesso ao novo-riquismo e às pseudosofisticações datadas de uma Brasília que vivia em torno do poder federal, Policarpo Jr. era o enviado especial de *Veja* ao universo paralelo do crime. Aquele mundo seria o responsável por pautar, no ano de 1993, todo o noticiário político e econômico brasileiro.

Quarta-feira, 13 de outubro. No dia seguinte ao feriado prolongado de Nossa Senhora Aparecida, Júnior foi o último a chegar e o primeiro a falar na reunião de pauta da sucursal de Brasília. Quando entrou na sala, já estávamos reunidos. Parte da revista havia sido antecipada, era fria, dado que a semana nos daria apenas dois dias e meio de trabalho. Na sexta, os prazos de gráfica obrigavam *Veja* a estabelecer ritmo de plantão a partir das 19 horas.

— Bom dia, cidadãos de bem. Quem matou Ana Elizabeth?

Policarpo abriu a porta da saleta onde estávamos e obrigou-nos a parar o que fazíamos para olhá-lo. Referia-se a uma servidora de carreira do Ministério da Educação, Ana Elizabeth Lofrano, desaparecida desde 19 de dezembro do ano anterior, quando saíra para jantar com o marido, José Carlos Alves dos Santos. O companheiro de Ana Elizabeth, economista, funcionário aposentado do Senado, fora durante décadas a fio o maior especialista em orçamento público dentro do Congresso. Quando Marcílio Marques Moreira ocupou o Ministério da Economia no lugar de Zélia Cardoso de Mello, no governo Collor, chamou-o para ser diretor do Departamento de Orçamento da União.

Alves dos Santos tinha sido preso durante o feriadão. US$ 1,1 milhão foi recolhido em sua casa no Lago Norte. O dinheiro estava escondido no fundo falso de uma escrivaninha e dentro de uma caixa de papelão largada em um depósito. Dispersos em meio à dinheirama, US$ 30.000 em cédulas falsas. O economista passara a ser investigado pela Delegacia de Homicídios de Brasília porque a Polícia Civil, sem pistas do corpo ou do paradeiro de Ana Elizabeth, prendera dois ladrões durante um assalto. No curso do interrogatório, os presos insinuaram saber da existência de dinheiro escondido na casa do funcionário aposentado do Senado. Quando realizaram uma batida, acharam os dólares. Puxando o novelo das improbabilidades ficcionais que caem como viaduto de concreto no cenário da vida real quando as imperfeições dos crimes insistem em se revelar, os policiais cruzaram o nome de Alves dos Santos com a ocorrência do desaparecimento de sua mulher. Questionaram sobre os dólares. Encontraram as notas falsas e deram, na sequência, voz de prisão por falsificação. Ao se depararem com documentos de uma aeronave bimotor em sua casa, fizeram buscas no avião estacionado em um hangar do aeroporto *Juscelino Kubitschek*. Cães farejadores encontraram traços de cocaína e de maconha. Nova ordem de prisão foi expedida: tráfico de drogas.

Na contabilidade final da apreensão na residência do homem que até outubro de 1992 encarnara o papel de diretor do Orçamento da União e por mais de 20 anos fora a voz mais respeitada do Congresso Nacional na confecção e execução do Orçamento Geral do país, estavam telefones e endereços de 170 mulheres, uma coleção multilíngue de revistas pornográficas e uma dezena de vibradores penianos de tamanhos diversos. Exceto os policiais, só quem tinha detalhes daquele enredo fabulosamente pérfido era Policarpo Jr. Permanecemos boquiabertos enquanto nos contava tudo.

— Temos de fazer esse cara falar. É uma história sensacional — decretou Júnior.

— Sem dúvida, mas como? Pau de arara? Quem é o advogado dele? — quis saber Eduardo Oinegue, o chefe da sucursal, já traçando as formas de fazer o preso contar o que sabia. A referência ao pau de arara, claro, era uma brincadeira de gosto duvidoso; mas era usual entre nós.

— José Grossi é o advogado dele — informou Júnior.

Era a melhor das informações depois de todo o enredo desfiado. José Gerardo Grossi era um dos mais respeitados advogados de Brasília. Fora ministro do Tribunal Superior Eleitoral (TSE), onde cumpriu mandato por indicação da Ordem dos Advogados do Brasil (OAB). Humanista, envolveu-se profundamente nas batalhas jurídicas contra a ditadura militar. Generoso, não encurtava a conversa para dizer o que queria — transformava cada bate-papo numa aula de vida. Eu o conhecia: fora apresentado a ele na antessala do ministro da Justiça, Maurício Correa, e jantara com ele numa mesa ampla junto com os deputados Nelson Jobim, Sigmaringa Seixas e Miro Teixeira.

— Eu o conheço e posso ir à casa dele com você — atalhei.
— Adianta?
— Muito. Agora?

Saímos num átimo para a casa de Grossi no Lago Sul, onde ele mantinha um escritório para atendimentos mais reservados. Foi o primeiro *home office* que vi na vida. Tornou-se o modelo que adotei para o meu próprio escritório caseiro depois que deixei as redações. Sem secretárias, sem auxiliares, sem ninguém. Uma pequena recepção, sala de reuniões, unidade de trabalho pessoal.

— Sentem, meninos — pediu-nos José Gerardo Grossi. Quase 40 anos de diferença de idade permitiam a ele que nos chamasse assim.

Policarpo expôs o que sabia e jogou a isca, que não era de todo falsa, e preocupava sinceramente o advogado.

— José Carlos corre risco de morte. Os policiais dizem que ele pode ser assassinado na cela antes de contar tudo o que sabe. A polícia tem certeza de que ele foi o mandante do assassinato da mulher, mas não achou o corpo.

— A polícia vive das certezas que fabrica, meu jovem. Não há corpo encontrado, não sabemos como se deu esse crime. Quanto às relações políticas do meu cliente, é fato que são amplas, e é fato que ele pode correr riscos. Como vocês o tratariam na revista?

A conversa virou um show de conjecturas. Não sabíamos ao certo como ele seria tratado. Grossi estabeleceu um *link* direto com Policarpo. Voltamos para a redação. Oinegue distribuíra um rol de missões a serem cumpridas por todos. Precisávamos perfilar José Carlos Alves dos Santos na visão dos parlamentares e dos técnicos da área econômica do governo. Também era necessário explicar em detalhes o que era o Orçamento Geral da União e sua importância. Quem eram os amigos do ex-diretor de Orçamento da União que fora preso? Em que pé estavam as investigações formais sobre o desaparecimento de Ana Elizabeth Lofrano? O que achavam de tudo aquilo as pessoas que conviveram com ela no Ministério da Educação? Como ela definia a relação com José Carlos? Teríamos de esmiuçar as respostas para organizar dois tipos de reportagem: uma, sem a concessão de uma entrevista com o burocrata preso. Outra, caso ele resolvesse falar. Fomos a campo. Encontramos até o curioso caso de um jornalista amigo nosso, repórter dedicado à cobertura de assuntos gerais em um dos grandes jornais do país, que desenvolvera a síndrome do pânico a partir do desaparecimento da funcionária do Ministério da Educação. Ele e Ana Elizabeth mantinham um caso extraconjugal quando ela sumiu.

Sexta-feira, 15 de outubro, 6 e 30 da manhã. Grossi acordou Policarpo Jr. com a informação de que um juiz de 1ª instância concedera o direito de seu cliente dar a entrevista — mas só à *Veja*. E seria dali a uma hora, na Delegacia de Homicídios e Proteção à Pessoa (DHPP) da Asa Sul.

— Só você, Policarpo. Ele, de fato, corre risco de morte.

Júnior entrou na delegacia às 7 e 30 e saiu às 12 horas. Ficamos em suspense na sucursal de *Veja*. Mário Sérgio Conti, diretor de redação em São Paulo, contingenciou a gráfica para uma operação de guerra. Poderíamos ter de mudar a capa da edição e certamente faríamos um fechamento no laço do horário. A publicação ultrapassava, naqueles tempos, um milhão de exemplares distribuídos em todo o país. Era a quarta maior revista do mundo. Qualquer atraso impactava a distribuição e se refletiria nas vendas.

Como dizem os baianos, com o proverbial bom humor das terras de São Salvador, José Carlos Alves dos Santos cantou para não subir. Citou 19 deputados, quatro senadores, três governadores, dois ex-ministros e a maioria das grandes empreiteiras do Brasil como implicados num escândalo de corrupção envolvendo propinas pagas com a liberação de verbas do Orçamento Geral da União e a benevolência do governo federal e de governos estaduais. No centro de todo o escândalo, o deputado João Alves. Septuagenário, com exíguos 1,62m de altura, cabelos pintados de preto-asa-de-graúna, unhas caprichosamente aparadas e brilhantes, adornadas por cutículas cuidadas por manicures, um notável *handicap* negativo no quesito pescoço e nariz semelhante ao bico de um pinguim, João Alves acumulava oito mandatos de deputado federal pelo Estado da Bahia. Dentre os parlamentares, era o mais experiente no trato dos meandros orçamentários. Não por acaso, fora o fiador político da ida de Alves dos Santos para o Ministério da Economia com Marcílio Marques Moreira durante o governo de Fernando Collor.

Em resumo, o que o assustado economista dissera a Policarpo Jr. desde sua cela na DHPP da Asa Sul:

- *"Com a Constituição de 1988, o Congresso Nacional ganhou poderes para alterar o Orçamento. Aí a coisa (o roubo) começou: a primeira vez que recebi dinheiro (irregular, para mexer nas verbas) foi em 1989".*
- *"Todo o dinheiro que recebi veio do João Alves. Ele me chamava à casa dele, na 112 Sul, e me dava o dinheiro. Eram malas de dólares. Cheguei a receber boladas de 200.000 dólares, 300.000 dólares".*
- *"João Alves tinha reuniões com empreiteiras, governadores, um monte de gente. Tinha brigas homéricas com a Margarida Procópio (ministra da Ação Social de Collor), porque eles se conheciam desde a infância e ela era gananciosa. Alves tinha reuniões na casa dele com a Andrade Gutierrez, a Odebrecht, a OAS[2], a Queiroz Galvão. Além dos governadores, claro".*
- *"Eu via as reuniões na casa de João Alves. Eu mandava o papelucho dele, com o visto dele, com uma relação de emendas para aprovar. Todas as empreiteiras passavam na casa dele com uma relação do que queria colocar no orçamento".*

---

[2] Olivieri, Araújo e Suarez.

- *"Policarpo fez uma pergunta bem específica, bem no seu jeitão de desossar personagens melífluas: 'como se rouba no Orçamento?' A ela, José Carlos Alves dos Santos respondeu como se fosse algo corriqueiro praticar pilhagem orçamentária: 'o parlamentar consegue aprovar uma emenda no Orçamento da União. Aí, acerta para que a empreiteira faça a obra, e recebe o dinheiro. A gente não consegue provar isso, mas é o esquema que todo mundo conhece. Isso existe, é assim'".*

A esses *highlights*, somavam-se os nomes dos parlamentares, governadores, ex-ministros e outras personalidades citadas na entrevista. Mal tínhamos dormido e não almoçaríamos. Júnior entrou na redação por volta das 13 horas. Contou-nos as passagens mais relevantes da entrevista numa toada sem freio. Todos os repórteres anotamos os dados principais — com base naquela narrativa teríamos de distribuir novas tarefas e sair em busca de histórias que recheassem a apuração do nosso repórter policial.

— É muito grave. Ele diz que o Henrique Hargreaves sabia como as coisas funcionavam e assistiu a algumas das reuniões com João Alves — pontuei.

Hargreaves era o ministro da Casa Civil de Itamar no governo pós-*impeachment*. Era o único ministro que entrava em mangas de camisa e sem paletó no gabinete presidencial.

— Expedito, você fala com Hargreaves. Tem de entender isso — ordenou Oinegue, o chefe da sucursal.

— E Fiúza? Ricardo Fiúza foi citado também — alertou Expedito. Disse aquilo e me olhou lateralmente. Eu e ele vínhamos disputando, havia meses, a precedência como melhor e mais eficiente interlocutor do deputado pernambucano que era um dos mais experientes e benquistos do Congresso.

— Você fala com Fiúza — respondeu Eduardo.

— O filho do Mauro Benevides foi citado. Eu falo com o Mauro Benevides — posicionei-me.

Mauro Benevides era senador pelo Ceará. Carlos Benevides, filho dele, fora relacionado por Alves dos Santos como um dos vendedores de facilidades no Congresso para a liberação de emendas orçamentárias. Fomos, assim, distribuindo as missões que deveríamos entregar no curso de poucas horas — quatro horas, no máximo — até o fechamento da revista.

— Lula, você e o Gustavo Paul vão também à casa do deputado João Alves. Vamos dizer a ele tudo o que pesa de acusação contra ele e ver o que fala. Vão em dupla, porque esse cara pode ser meio bronco, meio perigoso — determinou Eduardo.

Gustavo Paul sempre fora o jornalista com maior afinidade para comigo na sucursal. Sua área era economia. Revelar-se-ia providencial atuar em dupla. Antes de sair, levantei a mão e chamei atenção para uma ausência dentre os citados.

— O José Carlos Alves dos Santos não fala em Inocêncio Oliveira.

Era fato. O presidente da Câmara, um deputado do sertão de Pernambuco que fizera seu currículo como facilitador de benesses para os colegas no baixo clero, e apenas um mês antes estrelara a capa de *Veja* como vilão que negociava votos e apoios políticos exibindo o poder de mandar furar poços artesianos no interior do Nordeste, não constava na desairosa relação de Alves dos Santos.

— É a melhor forma de dar consequência às denúncias da entrevista — sugeri.

— O quê? — perguntou o chefe da sucursal.

— Atrair Inocêncio para o nosso lado e forçá-lo a defender uma Comissão Parlamentar de Inquérito com base nessas denúncias. É a melhor forma de soltar a bomba e correr para a esquina para assistir à explosão. Lembram da máxima do Elio Gaspari para resumir a missão de cada tipo de veículo de comunicação?

— Qual delas? — quis saber Policarpo. Ele não acompanhara o grupo que jantara no *Piantella* com o badalado correspondente de *Veja* em Nova York quando Gaspari estivera em Brasília.

— Elio disse que TVs e rádios contam o que está acontecendo hoje. Jornais, o que aconteceu ontem. Revistas têm o dever de resumir tudo em poucas palavras e apontar o que esperar e como ler os fatos narrados pelos demais meios. É claro que essas denúncias darão em CPI. O próprio presidente da Câmara pode sair na frente propondo essa CPI — expliquei.

— Boa ideia, mas tente você falar com Inocêncio. Duvido que ele nos receba, muito menos que nos ouça — devolveu Oinegue.

Seria mesmo difícil. Três semanas antes, a revista destruíra a reputação do deputado pernambucano. O colunista Roberto Pompeu de Toledo, dias depois, escreveu um artigo trocando o nome do presidente da Câmara: chamou-o de "Culpôncio", num chiste com o incomum prenome "Inocêncio", e sugeriu ter ele parte da culpa da miséria nordestina. Como conservava boas relações com a assessoria do deputado, insisti em tentar falar. Começavam a chegar até nós versões da entrevista de José Carlos a Policarpo. Eram especulações. E, nas especulações, criavam-se as listas de denunciados que os especuladores queriam. Era terrorismo. Para conseguir superar a compreensível má vontade de Inocêncio Oliveira com *Veja*, criei um novo capítulo do meu jornalismo epistolar, testado anteriormente com Gustavo Krause. Redigi de próprio punho um breve bilhete e combinei com o assessor que estava na residência oficial da Câmara, Juarez, que o passaria por fax. Precisava caprichar nos argumentos:

> *Meu amigo e deputado Inocêncio Oliveira,*
> *caríssimo presidente da Câmara dos Deputados,*
>
> *são raras as pessoas que têm a capacidade de sair dos desafios maior do que neles entraram. O senhor é uma delas.*
> *Necessário deixar claro: são falsas as informações dando conta da existência do nome do senhor dentre os políticos denunciados por José Carlos Alves dos Santos. Não é verdade. O senhor não foi citado. Muitos parlamentares foram citados. Isso terá consequências. Preciso ouvi-lo, hoje ainda, a qualquer hora.*
> *Um grande abraço, respeitoso,*
> *Lula Costa Pinto.*

Escrevi, rubriquei, fui à sala de teletipos da sucursal, enviei o fax e desci para a o 2º subsolo, onde Gustavo Paul já me esperava em seu carro para irmos ao apartamento funcional do deputado João Alves. Eram 15 horas. Logo depois de nos anunciarmos na portaria do bloco do acusado-mor, na Superquadra 112 Sul, o meu *pager* acendeu e vibrou. *"Pres. Inocêncio aguarda você, 17h30min, na casa dele. Vera"*. Por meio daquele fabuloso serviço precursor dos *SMSs* e do *WhatsApp*, um pouco diferente e mais rápido que o telegrama, a secretária de nossa redação deixava claro que a minha isca para o presidente da Câmara funcionara. Ele falaria.

O apartamento de João Alves era uma moradia pública, mantida pelo Congresso, típica dos deputados e senadores. Assoalho de tacos de madeira, móveis coletados no depósito comum da Câmara dos Deputados. Mesa retangular para até dez comensais, *buffet* de pau-ferro, um espelho com moldura laqueada de gosto duvidoso, nenhuma obra de arte nas paredes. Três aparelhos de ar-condicionado mal ajambrados na esquadria de ferro do janelão da sala pareciam ser o único artigo de luxo numa Brasília onde a temperatura raramente ultrapassava os 23 °C, mesmo nos meses mais quentes. Fomos acomodados por um assessor numa poltrona de dois lugares.

— O deputado já vem. Ele cancelou a ida à Bahia só para falar com vocês.

Não respondemos. Acenamos positivamente com a cabeça, eu, e com a mão direita levantada, Gustavo. Logo depois, o Rei da Comissão de Orçamento entrou na sala. Tinha o semblante carregado. Baixinho, andava arqueado e com as pernas tortas à la Garrincha *(perdoem-me os amantes do futebol e da poesia, mas foi o paralelo que me ocorreu na hora)*. Os cabelos negros, gomalinados, contrastavam com o rosto decrépito. A decrepitude não era decorrente de rugas ou dos vincos da idade, mas, sim, do olhar e das expressões. Os dentes eram alvos e pequenos. O nariz, enorme. Discretamente, pus o queixo sobre o ombro de Gustavo Paul e sussurrei:

— Caralho, parece o Pinguim do Batman!

Sem discrição alguma, Paul ensaiou uma gargalhada. O pinguim de rapina nos olhou e fez um gesto para que continuássemos sentados.

— Não sei o que vocês querem de mim. Sou um pobre baiano dedicado a fazer o melhor para o povo da Bahia, do Nordeste, do Brasil.

Fitei-o com nojo, dentro do olho miúdo dele.

— Queremos entender de orçamento — repliquei.

— Isso. Todo mundo diz que o senhor é craque em Orçamento Geral da União — emendou Gustavo.

Considerado pelo próprio José Carlos Alves dos Santos um "anão", em razão do déficit de estatura, o deputado encheu o peito e quis se agigantar.

— Entendo mesmo. Entendo, porque estudei o Orçamento e muita gente chega a Brasília, muito deputado, senador, chega aqui e não sabe nada de verbas públicas. Não sabe os caminhos técnicos que as coisas têm de percorrer. Então, é como diz o outro: em terra de cego, quem tem um olho é rei. Se querem me chamar de Rei do Orçamento, fazer o quê? Dizer que não me chamem?

— Deputado, chamam o senhor de anão. De Anão do Orçamento — retruquei.

— Anão? Anão? Por quê?

— Deixa para lá, deputado. Lula é assim, implicante. É por causa da estatura do senhor, do Genebaldo Correa, do Manoel Moreira, de outros deputados que não são tão altos... Aí falam em Sete Anões do Orçamento — contemporizou Gustavo Paul, com a sua inigualável bonomia pragmática de ascendência germânica.

— O senhor é acusado de corromper José Carlos Alves dos Santos no Departamento de Orçamento da União. Ele foi preso com US$ 1,1 milhão em casa, em espécie. Parte desse dinheiro era composto por notas falsas. Ele está sendo investigado por tráfico de drogas e é suspeito de ter planejado o assassinato da própria mulher. Ele contou à *Veja* todo o esquema da Comissão de Orçamento do Congresso Nacional. A reportagem está sendo fechada nesse momento. O senhor não sai bem nela.

Eu havia girado o botão "tocar o terror" para o grau máximo. Gustavo espezinhou:

— Aliás, sai muito mal, deputado.

— Sabem por que eu atrasei? Porque estava conversando com o Doutor Campos da Paz. Vocês conhecem o Campos da Paz, o Hospital Sarah Kubitschek?

— Não, não conheço — respondi.

— Nem eu — disse Paul.

— O Sarah é um exemplo de hospital na rede pública de saúde. O Campos da Paz é um dos maiores gestores que esse país tem. Só com verbas públicas, fruto de emendas parlamentares, ele conseguiu construir e mantém um hospital exemplar na área de ortopedia. E que atende a todo mundo da mesma forma... Tem fila lá. Vocês precisam ir no Sarah? Se precisarem, e tiver fila, podem falar comigo. Falo com Campos da Paz, dá para abrir umas exceções, porque ele me deve muitos favores.

— Deputado, não precisamos do Sarah — atalhou Gustavo Paul.

— Mas, se precisarem...

— Deputado João Alves, o que o José Carlos Alves dos Santos fala do senhor é verdade? O senhor deu dinheiro a ele para facilitar a liberação de emendas do orçamento? — segui espremendo o arremedo de Pinguim do Batman.

— Veja bem...

— Veja bem? Sim, ou não? Ele foi preso com um milhão de dólares em casa. Disse que o senhor deu o dinheiro. É verdade ou não?

— Vocês têm carro? Vocês dois têm carros novos?

— Não precisamos de carro. A *Veja* nos dá carros novos todo ano — respondi.

— Mas não querem um carro zero quilômetro? Um para cada? Um Gol zero quilômetro para cada um? Eu posso dar. Eu dou. Não publiquem essa matéria, meninos. Não publiquem e eu dou um carro para vocês.

— O senhor está querendo nos comprar, deputado?

A minha voz saía já alterada e trêmula. A tez caucasiana de Gustavo Paul não deixou que ele escondesse a onda vermelha — encarnado de raiva — que subia de seu pescoço até ferver as orelhas.

— Acabou a conversa, deputado. — Foi Gustavo quem decretou. — O senhor está tentando nos corromper.

Levantamos. Pálido, trêmulo, sem saber o que dizer, o parlamentar que era considerado o chefe da quadrilha dos Anões que rapinavam o Orçamento Geral da União pediu que ficássemos. Não demos ouvidos. Saímos. Descemos pela escada, sem querer esperar o elevador. Entramos no carro e voltamos para a redação. Eu tinha ainda uns 45 minutos antes da hora em que Inocêncio Oliveira me receberia. Relatamos para o pessoal da sucursal o que ocorrera. Gustavo ficara para escrever o episódio e as esparsas e desconexas respostas de João Alves. Também ligou para o senador Eduardo Suplicy e contou a ele o ocorrido. Ainda em seu gabinete no Senado, o que era raro àquela altura de uma sexta-feira, Suplicy foi ao plenário e do microfone denunciou que o deputado João Alves tentara comprar dois jornalistas presenteando-os com carros zero quilômetro.

Involuntariamente, eu e Gustavo terminamos virando notícia em pés de texto do dia seguinte. O Pinguim orçamentário telefonou para o senador Suplicy quando soube do pronunciamento. "Vou dar um tiro na sua bunda, seu merda", ameaçou. Não deu, nem tentou. Era blefe. Afinal, anão que ladra não morde.

— Costa Pinto! Recebi o seu fax. Quase chorei de emoção. Mandei o Juarez, meu assessor, emoldurar aquilo: "são raras as pessoas que têm a capacidade de sair dos desafios maior do que neles entraram. O senhor é uma delas". A-a-adorei essa passagem.

Foi a minha vez de enrubescer igual a Gustavo Paul ante o achaque de João Alves. De imediato, pensei: "meu Deus, se ele emoldurar mesmo, estarei comprometido por essas palavras para o resto da vida". Mas fingi.

— Que bom, presidente, que bom! Mas é isso mesmo. Sincero!

— O que há nessa entrevista? — quis saber Inocêncio.

Resumi sumariamente tudo o que Júnior havia apurado. Falei, um a um, os nomes dos citados. Contei também a conversa que tivera com João Alves junto com meu colega Paul.

— Temos de fazer uma CPI. Nã-nã-não é possível conviver com essa chaga, com essa marca — asseverou o presidente da Câmara, batendo a perna esquerda no chão, com força, e girando a mão direita ao mesmo tempo para destravar a língua que vez ou outra aprontava das suas e realçava a gagueira nos momentos de maior tensão ou emoção.

Tínhamos, mais uma vez, uma baita história para contar. Pautaríamos de novo todo o resto da imprensa. A edição 1.310 de *Veja* foi para as bancas com o furo de Policarpo Jr., a entrevista de José Carlos Alves dos Santos, num alentado trabalho de reportagem. A imagem central era ele, algemado, com uma reprodução das torres gêmeas do Congresso Nacional ao fundo. "Os podres do Congresso", dizia a chamada principal em amarelo. E a linha fina: "O ex-diretor de Orçamento da União entrega um esquema de roubalheira na Câmara e dá os nomes dos parlamentares, governadores, ministros e empreiteiras envolvidos". Lá dentro, um editorial escrito com cuidados milimétricos revelava a dimensão da habilidade política de Mário Sérgio Conti na condução da direção da revista. No lugar da foto do dono do furo, Policarpo Jr., o protagonista da semana, um retrato de Inocêncio Oliveira. O texto saudava Júnior e sua proeza jornalística em dois parágrafos, mas depois advertia que a rápida apuração dos fatos e depuração do Congresso não podiam atropelar o processo de Revisão Constitucional.

Prevista no texto da própria Constituição para ocorrer cinco anos depois da promulgação da Carta de 1988, o instituto da Revisão Constitucional conferia a deputados e senadores o poder de aprovar emendas constitucionais com o voto da maioria absoluta dos membros do Congresso Nacional *(a soma de deputados e senadores)* reunidos em sessão unicameral *(ou seja, conjuntamente)*. Era chance única, e de ouro, para aprovar emendas privatizantes e para mexer em direitos e garantias assegurados pelos constituintes de 1987/88, fazendo uso de um quórum especialmente mais fácil de reunir do que os 2/3 de deputados e 2/3 de senadores, apoiando em dois turnos as emendas constitucionais ordinárias.

A *Veja* estava empenhada em não permitir que a janela da revisão constitucional se fechasse. Daí a adulação a Inocêncio no editorial da edição em que abria a cavidade gastrointestinal do Parlamento brasileiro. "Tudo isso faz crescer a maré antipolítica", dizia o texto que expressava o pensamento da revista. Apresentava ainda as denúncias do operador do Orçamento da União, mas ponderava: "é possível fazer com que esses problemas sirvam para fortalecer o Congresso. É o que vem fazendo o presidente da Câmara, Inocêncio Oliveira, ao defender uma apuração rápida e rigorosa, culminando com a cassação dos mandatos dos deputados corruptos". O editorial emoldurava um retrato de Inocêncio — e não de Júnior, como seria de se esperar — e a legenda "Inocêncio Oliveira: apuração rigorosa". Fazíamos jornalismo, mas também sabíamos fazer política e os donos da publicação mandavam seus recados por meio de nosso talento jornalístico. Eram as regras do jogo e o preço que pagávamos para jogar aquele campeonato.

*   *   *

Pouco mais de um ano depois do desfecho da CPI do PC, iniciada a partir de uma entrevista e uma série de reportagens de *Veja,* ter levado ao *impeachment* do presidente Fernando Collor, a revista voltava a abalar as estruturas do mundo político brasileiro com combustível de alta octanagem, capaz de incendiar o Congresso e chamuscar a Esplanada dos Ministérios. Na terça-feira, 19 de outubro, já havia condições para que fosse instalada a Comissão Parlamentar Mista de Inquérito destinada a apurar o escândalo que passou a se chamar CPI do Orçamento.

Em tudo, seria uma investigação cujo resultado diferiria da laparoscopia exploratória dos crimes de corrupção desvendados no governo federal na época de Collor. O Congresso Nacional nunca gostou de cortar a própria carne e entregar nacos às feras sedentas por justiçar políticos. Até ali, apenas três deputados federais haviam sido cassados em toda a história — o paulista Bilac Pinto, em 1945, por posar de cuecas para uma fotografia que sairia na revista *O Cruzeiro*; o também paulista Felipe Cheidde;

e o mineiro Mário Bouchardet, ambos em 1989, por excesso de faltas às sessões parlamentares.

A tecnologia de apuração e funcionamento de CPIs fora montada pela comissão que pediria a cassação de Collor. A CPI do Orçamento apenas a reproduziu. O senador Jarbas Passarinho, coronel reformado do Exército, ex-ministro da Educação e da Previdência de governos da ditadura militar e ex-ministro da Justiça de Fernando Collor, foi indicado presidente. Era um homem austero; nascido no Acre e tendo trilhado carreira política no Pará, fora criado na rígida disciplina militar. Teve muitos adversários na política em razão do viés ideológico — de direita — e pela colaboração ao regime de exceção instalado no país em 1964. Nunca conheci, contudo, alguém que se dissesse inimigo de Passarinho. O relator indicado consensualmente por todos os partidos representados no Congresso era o deputado Roberto Magalhães. Ex-governador de Pernambuco, advogado de sólida carreira jurídica, seu perfil conservador condizia com o do presidente da CPI. Formaram uma dupla diante da qual jamais alguém teria ousadia de pedir qualquer coisa que ao menos tangenciasse a sugestão de uma postura antirrepublicana. Assim como eu fizera durante o processo congressual de investigação de PC Farias, era necessário construir pontes com Passarinho e Magalhães e convertê-los em minhas fontes.

Com o senador do Pará a empreitada foi difícil. Os hábitos espartanos dele não deixavam muitas brechas para meu temperamento às vezes folgado e irônico. Ainda assim, graças às raízes paraenses de meu avô paterno, que se chamava Luís Genou da Costa Pinto e tinha um irmão (meu tio-avô) amicíssimo do senador, estabeleci algumas cabeças de ponte de diálogo. Para mim, sempre valeu a pena acreditar na teoria dos seis graus de separação.

A teoria dos seis graus de separação originou-se a partir de um estudo científico desenvolvido pelo psicólogo Stanley Milgram. Segundo ele, no mundo, são necessários, no máximo, seis laços de amizade para que duas pessoas quaisquer estejam ligadas.

Com Roberto Magalhães tracei roteiro diferente. A meia-irmã de minha avó materna era cunhada dele. Na infância, frequentei a casa desse irmão do relator da CPI do Orçamento. Chamava-se Geraldo Magalhães, fora prefeito biônico do Recife. Meu avô materno também tinha sido professor dele no Colégio Nóbrega, o mesmo em que eu estudara no Recife. Com essas credenciais, bati à porta do apartamento de Magalhães e descongelei o coração duro do ex-governador pernambucano. Terminei virando companhia habitual dele e da esposa, Jane. Duas a três vezes por semana tomávamos café com bolo de rolo e filhoses — iguarias da doçaria recifense.

Nem um, nem outro, era capaz de me dar furos de reportagens. Ambos, contudo, iriam me tirar de várias linhas equivocadas de apuração. Conquistar a confiança de políticos com uma conversa panorâmica sobre todos os temas contemporâneos é, decididamente, um desafio que sempre me deu prazer encarar.

Se o furo de reportagem com José Carlos Alves dos Santos narrando as denúncias que fez fora obra de Policarpo Jr., estava sobre meus ombros a responsabilidade de manter com *Veja* a vanguarda da cobertura congressual. Havia mais frentes abertas do que no processo anterior, do caso PC Farias. Porém, imiscuíra-me de forma profunda na rotina de congressistas.

— 504, venha cá, dê um abraço, deputado de número 504!

Era Luís Eduardo Magalhães, o jovem líder do PFL, o Partido da Frente Liberal, legenda com o maior número de parlamentares no Congresso. Filho do governador da Bahia, Antônio Carlos Magalhães, Luís Eduardo tornara-se uma fonte confiável e fluida para mim. Ele dizia que eu era o único deputado sem voto da Câmara, que tinha àquela época 503 integrantes.

Às quartas-feiras, e com a conta de toda a mesa regiamente paga pela revista, costumava reunir Luís Eduardo, Mário Covas, Nelson Jobim, Sigmaringa Seixas, José Dirceu, Benito Gama, Miro Teixeira, José Genoino e, às vezes, José Serra, no restaurante *Lake's Baby Beef*, na QI 9 do Lago Sul. Chamávamos o convescote de "atacadão das fontes". Durante aqueles jantares conseguia ter a visão ampla da direita e da esquerda sobre os rumos dos processos congressuais. Extraía a tese e a antítese. Saía deles com uma verdadeira coleção de frases para ir preenchendo os textos da revista. Por fim, consolidava uma relação de confiança com todos — e vice-versa. Outros repórteres também iam. Sobravam frases para compor reportagens diversas, de temas variados, para a revista.

Durante o funcionamento da CPI do Orçamento, a Polícia Civil de Brasília descobriu uma cova rasa às margens do Lago Paranoá. Um corpo fora enterrado a dois palmos de profundidade no quadrante Norte do lago, ao lado de uma das pilastras de sustentação da Ponte Braghetto. Exames de arcada dentária e vestígios do tecido das roupas logo dirimiram as dúvidas: era a ossada de Ana Elizabeth Lofrano, a mulher do economista José Carlos Alves dos Santos. Ela havia sido enterrada ainda com vida.

A acusação de mandante do assassinato foi confirmada contra ele e o episódio turvou ainda mais o horizonte do Congresso. Detalhes da péssima relação familiar do economista, que era o estopim da CPI, eclodiram com força. As filhas passaram a acusá-lo. Uma namorada, aluna dele no curso de Economia numa faculdade privada, deu detalhes da relação extraconjugal que mantinham.

Em 1997, José Carlos Alves dos Santos foi condenado a 17 anos de prisão por planejar e mandar executar o crime.

O enredo policial era apenas uma espécie de *teaser* para fisgar a atenção de quem desejava acompanhar o verdadeiro núcleo da narrativa: a política. Em meio ao furacão de informações desencontradas dando conta das relações promíscuas entre empreiteiras, gestores públicos e parlamentares que coloriam de cinza-chumbo o magnífico céu de Brasília, a inflação e os gastos públicos saíam do controle do ministro da Fazenda, Fernando Henrique Cardoso, e da sua equipe. Ele reunira a fina flor acadêmica nacional em torno do Ministério. Os economistas Edmar Bacha, André Lara Resende, Pérsio Arida, Pedro Malan, Chico Lopes e Winston Fritsch gravitavam em torno da confiança solar de FH. Com um chicote imaginário nas mãos e uma capacidade de organização incomum, Clóvis Carvalho foi designado pelo ministro como bedel do grupo. Aquele time iria urdir o Plano Real dali a alguns meses.

Em sincronia com a necessidade da constelação de Fernando Henrique — mergulhar em um buraco negro para estruturar um *big bang* destinado a pôr fim à inflação — a CPI do Orçamento sugou todas as atenções do país por alguns meses. Foi salutar para os formuladores do plano econômico que, enfim, derrotaria a endêmica e descontrolada inflação brasileira.

* * *

O apresentador Cid Moreira já lia a escalada de manchetes do *Jornal Nacional* na TV colocada em cima de um armário modulado na redação da sucursal brasiliense. Preparávamos para considerar fechada a semana. Deixaríamos uma repórter como plantonista. "Até tu, Ibsen?" era a chamada de capa da edição 1.314 de *Veja*. O texto lamentava o surgimento de indícios de provas dando conta que o ex-presidente da Câmara durante o *impeachment* de Fernando Collor, no ano anterior, estivesse enredado na teia de intrigas e de corrupção que a CPI do Orçamento retirava do fundo das salas e dos anexos do Congresso como se estivesse a pescar com redes de arrasto. Aos 58 anos, o deputado gaúcho Ibsen Pinheiro vinha sendo apontado como alternativa do centro liberal à disputa pela presidência da República no ano seguinte. Alguns cheques emitidos pelo líder do PMDB na Câmara, Genebaldo Correa, classificado pelo denunciante Alves dos Santos como "operador do Ibsen", conferiam tênue credibilidade às desconfianças. O texto escrito por nós, até aquele momento, tinha um tom de lamento sóbrio, mas não destruía a biografia de Ibsen. A sexta-feira, 12 de novembro de 1993, contudo, não havia terminado.

Antes das 20 e 30 o telefone geral da sucursal tocou. A secretária Marinéia Rigamonte atendeu. Localizou-me com o olhar dentro da sala de Eduardo Oinegue, pôs a mão no fone para dificultar que ouvissem sua pergunta:

— O Waldomiro Diniz. Disse que é urgente. Você fala? — perguntou-me.

— Claro.

Waldomiro Diniz fora designado pelo Sindicato dos Bancários para trabalhar na área técnica da CPI do PC. Articulado, inteligente e dono de pretensões políticas maiores que a sua capacidade intelectual, rapidamente virou um assessor de confiança do núcleo político-operacional da Comissão Parlamentar de Inquérito que apurou os escândalos do governo Collor. Tinha acesso a documentos oriundos de quebras de sigilo fiscal e bancário e ajudava os parlamentares a organizarem os vazamentos para a imprensa. Conheci-o naquela empreitada. Quando a CPI do Orçamento foi montada mimetizando a estrutura operacional da comissão de inquérito anterior, Waldomiro ressurgiu nos gabinetes do Congresso. Foi designado coordenador de apuração da subcomissão de Assuntos Bancários, cujo presidente era o deputado Benito Gama *(Gama presidira a CPI do PC)*. Com raciocínio ágil, conhecedor dos horários de fechamento de cada veículo, Diniz sabia que a *Veja* fecharia a edição em, no máximo, duas horas e ligou primeiro para a nossa sucursal. Depois, vendeu seu peixe com sucesso em todos os grandes jornais que publicaram a mesma notícia da revista — mas nos últimos clichês *("clichês", termo derivado das artes gráficas, era como chamávamos as edições atualizadas na gráfica ao longo da madrugada. O último clichê pegava apenas algumas centenas de exemplares dos jornais, resultando em danos administráveis à imagem de quem fosse vítima de um erro jornalístico. Maior veículo impresso do país, e saindo da gráfica de uma vez só — um único "clichê" —, Veja não dispunha desse atenuante)*.

— Amigo, é urgente — disse-me Waldomiro Diniz ao telefone. — Pegamos cheques de Ibsen Pinheiro que, somados aos valores já levantados, mostram que ele movimentou US\$ 1 milhão em suas contas bancárias em quatro anos. Isso derruba toda a versão dada pelo deputado até agora.

Eu passava a ter um problema gigantesco nas mãos. Ibsen era uma de minhas melhores fontes. Ele me abrira o coração negando irregularidades em suas contas e concedera-me explicação razoável para o aumento patrimonial. O texto que ajudara a escrever era opinativo, mas não assassinava a reputação construída até ali por ele. Diniz oferecia-me uma adaga e pedia: trucide seu amigo.

— Cadê os cheques?

— No seu fax, agora. Vá para lá — respondeu-me.

Corri à sala de teletipos e um dos faxes já vomitava os cheques. Junto, uma planilha manuscrita com os valores dolarizados — toda a contabilidade feita por Waldomiro Diniz.

— Essa dolarização está correta? — quis saber.

— Corretíssima — atestou ele. — Um auditor do *Banco Central* foi quem a fez.

Desliguei, expus para os editores em São Paulo o que tínhamos e Mário Sérgio Conti, diretor de redação, mandou-me falar com Ibsen novamente. Ia parar o fechamento, mexer na capa e no texto interno da revista. Liguei para o ex-presidente da Câmara. Ele me atendeu de pronto. Contei as novidades chegadas de última hora.

— Lula, eu não sou louco. Eu vivo do que ganho como deputado. Ganhei dinheiro, também, como promotor público e advogado. Como presidente da Câmara, não gastava nada para me deslocar, para comer, para viajar. Eu nunca tive US$ 1 milhão em minhas contas — argumentou ele.

— Mas os números provam. A subcomissão Bancária da CPI pegou isso. O *Banco Central* dolarizou.

— Não tenho como te dar uma resposta em minutos. Preciso ver esses dados, confrontar o que dizem ser provas. Mas em minutos não posso defender a minha vida.

— Lamento, deputado. Lamento muito. Estamos fechando. Vou registrar as suas palavras, mas ficará muito por ser explicado.

— Lula, por favor, não deixe que me destruam. Sou um homem honrado.

O tempo era exíguo. Dei retorno para a redação em São Paulo. O texto de capa ganhara uma linha fina. Abaixo da pergunta indignada "Até tu, Ibsen?" fora colocada uma explicação enfática: "Um baluarte do Congresso naufraga em dólares suspeitos". Lá dentro, o texto fora cravejado de adjetivos que acentuavam a indignação dos homens comuns com as descobertas em torno do ex-presidente da Câmara. Os números foram transpostos para a revista como verde-de absoluta. Não verificamos as conversões feitas por Waldomiro

Diniz. Eu não executara aquela tarefa básica. A negação de Ibsen Pinheiro fora colocada também, mas depois dela vinham diversos apostos explicativos e detonadores. No cômputo geral, era um desastre completo para a imagem de um dos melhores parlamentares que o país tivera. *Folha de S. Paulo*, *O Globo* e *Jornal do Brasil* deram a mesma dolarização, mas em parte muito pequena dos exemplares. Diniz só conseguira falar com seus contatos naquelas redações tarde da noite.

Voltei para casa no começo da madrugada de sábado sem energia, sem elã. A morte à prestação de Ibsen estava encomendada e aquilo também me matava. Tomei uma dose de uísque e fui dormir. Por volta das 5 horas fui acordado por Cristina, minha mulher. Estava com o telefone nas mãos, puxara-o pelo longo fio desde a sala até o quarto. "É Silvânia, da *Veja*. O pessoal de São Paulo quer falar com você, parece", disse-me ela. Atendi.

— Lulinha, querido, desculpe a hora. Mas o PML quer falar com você. Urgente. Ele está na gráfica, outro ramal. Vou te dar o número direto de lá — disse-me nossa plantonista.

Liguei de imediato.

— Lula, é o Paulo Moreira Leite. Cara, temos um problemão para resolver. Vou te passar o Adam Sun, ele vai falar com você.

Gelei. Paulo era o redator-chefe da revista. Sagaz, com opiniões políticas semelhantes às minhas, apurador compulsivo, era o tipo de superior que se temia dentro de uma redação. Adam Sun era um taiwanês radicado em São Paulo e chefiava o departamento de checagem de dados da *Veja*. Era chato, falava enrolado, era insistente na defesa das próprias opiniões; mas era eficaz, dedicado e brilhante. Éramos amigos.

— Lula! Esses números não somam US$ 1 milhão nem aqui, nem na China!

— O que, Adam? Não estou ouvindo.

A gráfica estava funcionando, imprimindo cadernos centrais da revista, e o ruído era imenso. Ele repetiu o que dissera.

— Adam, não conferi as contas. Recebi em cima da hora do fechamento, confiei na minha fonte.

— Mas está errado. E agora?

— O que podemos fazer?

— Fale com o Paulo.

Paulo Moreira Leite pegou o telefone novamente. Disse que seria impossível parar a revista para corrigir o erro. Tínhamos tempo, entretanto, de pôr uma frase de alguém reafirmando as contas. A emenda seria feita direto na gráfica.

— Benito Gama — sugeri. — É o presidente da subcomissão Bancária.

— Ele te atenderia a essa hora? Quase 5 e meia da manhã de sábado?

— Vou tentar. Tenho o número do apartamento dele. Ele está aqui em Brasília.

Telefonei para o apartamento funcional do deputado baiano. Ele atendeu. Expliquei o que acontecia. Ele negou o erro e reafirmou os cálculos da CPI. Eu tinha a frase que garantia a capa. Liguei para a gráfica, passei a confirmação de Benito para Adam. Ele emendou o texto. Quanto a mim, se havia ido deitar angustiado, já não conseguiria mais fechar os olhos.

Nos telejornais do sábado era a capa — errada e injusta — de *Veja* que ilustrava todas as reportagens sobre Ibsen Pinheiro. Os demais veículos de imprensa, que repetiam o mesmo erro em alguns exemplares, passaram batido na onda de repercussão. No feriado de 15 de novembro fiz uma cirurgia odontológica para retirar os dentes do siso. Com pontos e risco de inflamação, não fui à redação na terça-feira, 16. No começo da noite Mário Sérgio Conti telefonou-me. Ainda permanecia com o maxilar inchado e tinha dores e dificuldade para falar. Ouvi calado. Recebi o maior corretivo profissional que já tomei em toda a vida.

— Lula, fizemos uma lambança inacreditável — disse-me Mário.
— Não podíamos ter publicado números sem checar, confiando numa fonte que não sei quem é. Erramos. Erramos e vamos tentar corrigir esse erro na próxima semana. Erramos, paramos a gráfica, atrasamos a revista e tivemos um prejuízo financeiro inacreditável.

— Desculpe, Mário. O erro foi meu, de fato.

— Foi. Amanhã você vai procurar o Ibsen Pinheiro e vai dizer que erramos. E que nós nos corrigiremos na próxima edição. Não sei como, mas corrigiremos.

— Os jornais também deram os mesmos números — apelei.

— Você não trabalha nos jornais. Trabalha na *Veja*. A fonte podre deu as mesmas informações ruins para todo mundo. Não devíamos ter publicado. Para sua informação: temos a política de premiar furos. Cada furo vale uma gratificação de mil dólares. Você mesmo já ganhou esse prêmio algumas vezes. Estou dando mil dólares ao Adam Sun. Na função dele, de checagem, ele deu um furo ao pegar o erro. Uma merda, mas é assim que funciona.

— Merece, Mário.

— Até.

Na edição seguinte, com data de capa de 24 de novembro, a *Veja* admitia o erro nas contas de Ibsen Pinheiro. Fora o único veículo de imprensa que tivera a dignidade de reconhecer que errara ao dar espaço à contabilidade superfaturada pelo assessor Waldomiro Diniz, da subcomissão de Assuntos Bancários da CPI do Orçamento. "No caso do ex-presidente da Câmara dos Deputados Ibsen Pinheiro, a quem atribuiu a movimentação bancária de 1 milhão de dólares nos últimos quatro anos, a subcomissão errou feio e colocou em risco a credibilidade da CPI", escrevemos em *Veja*. Com habilidade, consegui restaurar a paz e a confiança de Ibsen. Mas ele já era um homem destruído.

* * *

— O Congresso enfrenta uma crise que nunca vimos, Itamar. Isso não vai dar coisa boa. Estão acusando todo mundo, ali é uma disputa de roleta-russa e não vai sobrar ninguém para recolher as carcaças.

O deputado Raul Belém, com seu jeito peculiar de falar, voz grossa modulada por lábios constantemente inchados, com a língua grande demais parecendo sobrar dentro da cavidade oral, um fio de baba escorrendo pelo canto da boca, fora ao gabinete presidencial no 3º andar do Palácio do Planalto bancar a vivandeira. Seguiu atentando, sibilante:

— Quem sabe não é hora de fechar o Congresso, fazer uma limpeza geral, dar ao Brasil uma nova ordem institucional e começar tudo de novo?

O presidente Itamar Franco olhou-o sinceramente espantado. O topete grisalho, já transformado em marca pessoal, deve ter balançado para trás.

— Não, não! Não fale mais isso! Não sou eu quem vai quebrar, destruir, tudo o que aprendi desde jovem. Você está louco? A crise será resolvida com o Congresso, dentro do Congresso e com toda a ajuda que for necessária do governo.

— Vamos fechar, vamos limpar o Congresso, vamos fazer como De Gaulle fez na França em 1968 — propôs outro parlamentar que acompanhava a conversa e cujo nome Belém não quis me dizer, quando me contou o diálogo, meses depois de ocorrido.

— Como De Gaulle? Vocês estão loucos? Aqui é Brasil, não é França. Eles tinham saído de uma guerra que uniu a Nação na resistência. Aqui, acabamos de derrotar uma ditadura e escrevemos uma Constituição.

Em 1968, durante os protestos estudantis que incendiaram a República Francesa, o general Charles De Gaulle, presidente do país e herói nacional da resistência contra o nazismo, dissolveu o Parlamento e convocou eleições gerais. Saiu vitorioso com larga margem sobre os oposicionistas.

— Custe o que custar, vou entregar a faixa presidencial ao próximo presidente da República, e ele será eleito direta e democraticamente. É isso o que quer a sociedade brasileira — lancetou o presidente. Daquela forma dura, aniquilou o tumor que começava a criar pus em seu próprio gabinete.

Encerrada a reunião na qual ouvira o que nunca imaginara escutar dentro do Palácio, Itamar chamou o ministro da Casa Civil para uma conversa. Henrique Hargreaves era um dos nomes citados por José Carlos Alves dos Santos como alguém ciente das traficâncias e roubos de verbas públicas que ocorriam no âmbito da Comissão de Orçamento. Ele sempre negou qualquer relação com o economista preso. O pai de Hargreaves havia sido o líder de Itamar Franco na Câmara de Vereadores de Juiz de Fora. A irmã dele, Ruth, era assessora especial da Presidência e pessoa em quem o chefe tinha confiança irrestrita. O presidente e o ministro da Casa Civil trocaram impressões de conjuntura. Nada foi falado de forma direta. Até que Hargreaves tomou a iniciativa e criou um paradigma para a política nacional.

— Itamar, é melhor eu sair. Vou sair, vou me defender, vou mostrar que não tenho nada a ver com isso. Depois, se você quiser, eu volto. Mas só volto quando resolver todo esse problema, porque ficar aqui é uma desculpa para deixar o governo paralisado.

O presidente aceitou, assegurou-o de que ele voltaria mesmo e ordenou que o próprio Hargreaves fosse à sala de *briefings* do Planalto e anunciasse sua saída. Jamais o gesto tinha ocorrido: o ministro mais forte da área política de um governo, detentor da chave de comando da coordenação e gestão dos cargos públicos, deixar o posto para defender a honra e voltar caso nada se provasse contra ele. Afastado do governo na segunda semana de novembro de 1993, Hargreaves reassumiu o ministério da Casa Civil em fevereiro de 1994, inocentado pelas investigações da CPI do Orçamento. Nunca mais, em governo algum, o gesto voltou a ocorrer no país.

*   *   *

Durante a Assembleia Nacional Constituinte de 1987 e 1988, quando ganhou notoriedade como líder do Partido da Frente Liberal e do bloco parlamentar denominado "Centrão" — coalizão de deputados e senadores conservadores que se uniram para derrotar o maior número possível de teses mais à esquerda na Constituição que estava sendo redigida —, o deputado Ricardo Fiúza fora chefe de Henrique Hargreaves. Afinal, Hargreaves era o principal consultor parlamentar do PFL e saíra do gabinete da legenda no Congresso para ocupar o ministério na equipe de Itamar. Fiúza também fora citado por Alves dos Santos. Feito o cruzamento de suas informações bancárias, um crescimento patrimonial vertiginoso não foi explicado aos integrantes da CPI. Quando o repórter Expedito Filho traçara um perfil dele em *Veja*, havia pouco mais de um ano, Fiúza admitira receber presentes de empreiteiras e assumira: a empreiteira *OAS*, por exemplo, dera-lhe dois *jet skis*. Não era segredo para ninguém em Brasília, também, que o industrial João Santos, um dos homens mais ricos de Pernambuco, proprietário de usinas de açúcar e da cimenteira *Nassau*, entre outras empresas, dera ordens expressas aos executivos da *Weston Táxi Aéreo*, que lhe pertencia, para sempre atender as solicitações de voos privados de Fiúza em seus jatos e helicópteros. Os intestinos de alguns dos homens mais poderosos do país estavam abertos e lançavam um papelório inquietante sobre o Brasil.

Deprimido, defendendo-se, negando irregularidades e admitindo que pedia favores políticos durante campanhas eleitorais, Ricardo Fiúza perdera o brilho da atuação parlamentar. Passou a andar sozinho pelos corredores do Congresso. Explicava-se sempre, bem mais do que tinha ideias originais. Parecia um zumbi. Convidados por Expedito, eu e Eduardo Oinegue fomos jantar com ele. O objetivo era levantar o astral de alguém que fora sempre uma fonte presente e caudalosa nos tempos áureos em que o poder era um sol incandescente em sua janela. Foi uma noite agradável. Jantamos no apartamento funcional dele. Bom uísque, bom vinho, boa cozinha. Uma antiga funcionária do deputado recebera um terreno do governo do Distrito Federal e ele prometera financiar a obra. Feliz, ela havia levado o rascunho do projeto arquitetônico para que o chefe visse. Fiúza pôs o assunto à mesa e se animou. Pediu o projeto. Quando recebeu o desenho verificou que a casa teria 95 metros quadrados. Achou pequena e redesenhou-a. Eduardo pediu, por curiosidade, que ele medisse com quantos metros de área a casa ficaria depois das alterações feitas pelo parlamentar. Ele mediu:

— 87. 87 metros quadrados.

Fez-se um silêncio de alguns segundos.

— Pô, deputado! O senhor agora rouba até metro quadrado de sua funcionária! Que é isso? — brincou Expedito.

Caímos todos numa gargalhada intensa. Fiúza desarmou-se por algumas horas, brincou, bebemos mais.

— Estou na trincheira, meus amigos. Na trincheira. Vou procurar cada um dos 502 outros deputados. Vou mostrar minha defesa a eles. Vou ter conversas pessoais. Vou me livrar dessa, porque não mereço isso — disse-nos, despedindo-se à porta.

Na manhã seguinte fui tomar um chá no gabinete de Ibsen Pinheiro. Chá de capim-santo, gelado. Ele estava só. Nenhum outro parlamentar. Era a medida do abandono. Com medo de uma depressão cortar os caminhos do marido, Laila, a esposa, fazia-lhe companhia.

— Tenho vergonha de procurar meus colegas. Não sei por que estou me explicando, pois não fiz nada. Nunca vivi com nada que não fosse meu — disse ele, olhar perdido mirando o horizonte interrompido pelo *brise-soleil* amarelo do Anexo 4 da Câmara. Contei-lhe do jantar com Ricardo Fiúza.

— Lula, anote em sua memória o que vou te falar: eu e Fiúza seremos levados a julgamento no plenário. Fiúza não será cassado. Eu serei cassado.

— Que pessimismo é esse? Por que o cassariam? O senhor foi um grande presidente dessa Casa. Conseguirá explicar essas contas.

— Não se trata disso. É a Lei Ácida da Política agindo. Fiúza é um homem de amplas amizades. Sempre que teve poder, dividiu-o com muita gente. Fiúza é conhecido por jamais romper acordos. E ele nunca sentou na cadeira de presidente da Câmara. Naquela cadeira, precisamos dizer muitos "nãos". Temos de fazer opções. Agradamos uns, para desagradar outros. Não sou o tipo de deputado que sai por aí cumprimentando todo mundo. Sou contido. Às vezes, sinto-me chato mesmo.

— Mas não é. Quem o conhece sabe disso.

— Mas poucos me conhecem. Eu não deixei que as pessoas me conhecessem. Cobre-me depois o que te digo agora: eu serei cassado. Fiúza, não.

* * *

Quarta-feira, 1º de dezembro de 1993. Um terremoto abalou as estruturas do país na manhã daquele dia. Ondas sísmicas foram sentidas na Avenida Paulista e nas bolsas de valores de São Paulo e do Rio de Janeiro *(existia, ainda, a bolsa carioca)*. Não houve *break* para plantão do *Jornal Nacional*, não houve anúncio formal do fenômeno. O epicentro do terremoto estava no bloco C da Superquadra 309 Sul. Era o apartamento funcional do senador gaúcho José Paulo Bisol, juiz aposentado, filiado ao PSB, um dos nomes mais respeitados do Congresso Nacional. E eu estava lá. Tomávamos café da manhã a sós, por volta das 8 e 30, quando tudo começou. Ao chegar, percebi a tensão na face do senador. Ele estava em mangas de camisa, calça de moletom e chinelos. Não tinha feito barba ainda. Marcáramos aquela conversa porque, dias antes, Bisol confiscara da Polícia Federal 18 caixas e 68 disquetes de computador apreendidos na casa de um diretor da empreiteira Odebrecht.

"Disquetes" era como se chamavam os extensores de memória dos computadores — semelhante aos cartões SD ou pen-drives dos últimos tempos. Tinham a mesma função dos arquivos em nuvem. Eram quadrados flexíveis com uma capa de náilon que guardava um disco magnético. No disco, informações e arquivos.

O diretor, encarregado de estruturar as relações políticas da empreiteira, chamava-se Ailton Reis. Era o chefe do *lobby* da empresa. O parlamentar gaúcho levara o cartapácio para sua casa, passara o fim de semana manipulando-o com a ajuda exclusiva de dois funcionários de seu gabinete. Na véspera de nosso café, compartilhara o teor das caixas e dos disquetes apenas com o deputado paulista Aloizio Mercadante. Mesmo com acesso tão restrito ao conteúdo do arsenal, espalhara-se o boato de que dali surgiriam cogumelos atômicos capazes de derrubar a Nova República brasileira, surgida em 1985, quando José Sarney tomou posse no lugar de Tancredo Neves. Como sempre, Brasília estava tomada por muitas impressões e poucas informações. As impressões alarmavam os mercados financeiros e faziam a farra dos especuladores das bolsas de valores.

Sempre que vou a cafés da manhã de trabalho, cuido de fazer o desjejum em casa; afinal, ou se come, ou se conversa com uma fonte à mesa. Logo, estava livre para falar enquanto segurava apenas a caneca com café preto.

— Que cara é essa, senador? Assustado?

— Você não viu o que vi, o que estou vendo desde sexta-feira.

— Os papéis da Odebrecht?

— Sim. Vou fazer um discurso muito grave na CPI esta tarde. O Congresso terá de parar, fechar as portas. O governo pode cair. Está todo mundo corrompido. As empreiteiras é que nos governam. É muito sério o que há ali.

— O senhor vai fazer um discurso nesse tom?

— Vou.

— Quem mais viu esses documentos?

— O Mercadante. Eu e o Mercadante. Ele pensa um pouco diferente, mas concorda que é muito grave. Vamos entregar tudo à comissão de inquérito. Lula: o governo do Itamar pode cair.

— Senador, não seria o caso de mostrar esses papéis a outras pessoas? O senhor não pode fazer um discurso desses, tão grave como diz, e não ter respaldo de outros parlamentares da CPI. O país não pode dar um salto desses sem rede de proteção.

Até hoje, quase três décadas depois, quando lembro de minha moderação e das minhas ponderações naquela manhã, mal saído dos bancos da universidade e das rinhas do Movimento Estudantil, intercedendo a favor da racionalidade ante um senador eleito e juiz aposentado, busco entender onde arrumei tanta tranquilidade.

— Está todo mundo lá. Todo mundo! Somos um país de corruptos, infelizmente.

— Como todo mundo? O presidente Itamar Franco está lá?

— Sim. Dá para dizer que sim.

Emudeci. Meus argumentos travaram.

— O senador Jarbas Passarinho está?

— Não. Não está.

— Olhe aí, um nome. O relator da CPI, Roberto Magalhães, está lá entre os nomes que integram os papéis da Odebrecht?

— Está.

Gelei. Mas segui. Comecei a abrir meu portfólio de fontes:

— O deputado Luís Eduardo Magalhães, líder do PFL, maior partido do Congresso?

— Está, claro.

— O senador Mário Covas?

— Não.

— Pedro Simon?

— Não.

— Os deputados Nelson Jobim, Miro Teixeira e José Genoino?

— Não, nenhum deles.

— O deputado Sigmaringa Seixas?

— Não também.

— O deputado Adylson Motta?

— Não, não está.

Larguei a terceira caneca de café e sugeri a Bisol que era melhor conversarmos no sofá da casa dele. O telefone ficava ali ao lado, numa mesinha lateral.

— Senador, a gente não pode ir para uma aventura dessas sem que outras pessoas possam dar sustentação às suas denúncias. O que será do país depois de seus discursos? — ponderei. — O senhor tem de chamar aqui, agora, para uma reunião, essas pessoas cujos nomes falei e que o senhor disse que não estão relacionadas na lista de propinas da Odebrecht. Tem de chamar o Covas, o Simon, o Passarinho, o Sig, o Jobim, o Miro, o Genoino e o Adylson Motta.

— Como vou fazer isso? Não tenho como chamá-los. Não tenho nem o telefone deles.

— Eu tenho. Aqui, na minha agenda. Eu chamo. Ligo para todos em seu nome. Digo que é o senhor quem convida. Só não vou ligar para o Jarbas Passarinho. Aí é o senhor quem liga.

— Por quê?

— Porque o Passarinho é um homem que se põe acima dos outros. Tem essa história da hierarquia, coisa de militar. Não virá se for chamado para uma reunião dessas por meio de um jornalista.

— Eu ligo para o Passarinho, então. Mas veja com os outros se eles topam vir. Ah, e vou chamar o Aloizio Mercadante também, claro.

— Sim, claro. Ele é o único que leu os papéis além do senhor.

Pus o telefone no colo, abri a pequena caderneta telefônica que carregava no bolso do paletó e saí discando para os gabinetes ou para as casas dos parlamentares. O primeiro com o qual consegui falar foi José Genoino. Estava já em seu gabinete do Anexo 3 da Câmara. Chegara de um café da manhã com o almirante Mário César Flores, secretário de Assuntos Estratégicos do Governo Federal. Flores deixara o deputado do PT de cabelo em pé dando ciência a ele de algumas insatisfações na caserna e com o início provável de uma temporada de sublevações dos militares incomodados com notícias de corrupção e com os baixos soldos. Um caso em específico, o do capitão e deputado Jair Bolsonaro, preocupava-o. "Esse sujeito tem mandato e fala o que o baixo clero das tropas quer ouvir", relatou Flores. "Prega para quem não sabe de nada e acreditam nele."

— Genoino, bom dia. É o Lula. Costa Pinto.

— Fala companheiro. Como está? — saudou-me o deputado. Podíamos dizer, já ali, que éramos bons amigos.

Expliquei para ele toda a situação, onde estava e por que achava uma reunião naquele momento absolutamente necessária. Descrevi o quórum que havia desenhado para o encontro e perguntei se ele estava de acordo. Disse que sim. Pedi sigilo e solicitei que tentasse entrar em contato com os outros também. Em seguida, liguei para Miro Teixeira e Sigmaringa. Falei com os dois em suas respectivas casas. Acionei o deputado gaúcho Nelson Jobim no gabinete da Revisão Constitucional. Ele era o relator do processo de revisão da Constituição e adquirira o hábito de madrugar na Câmara para não deixar o trabalho de cruzamento de informações se acumular. Voltei a expor toda a conjuntura e ouvi um "espere-me aí. Estou indo". Em seguida liguei para os senadores Mário Covas e Pedro Simon. Os dois disseram que iriam. Simon já estava no Senado. Covas estava no mesmo prédio de Bisol e logo chegaria. Mas o senador paulista me interpelou:

— Ô Lula, por que é você quem está nos ligando?

— Senador Covas, porque a ideia de fazer essa reunião foi minha. Acho que o senador Bisol precisa da rede de proteção que vocês podem dar para ele e eu tinha os números de vocês.

— Você vai participar da reunião?

— Pretendo, claro. O senhor deixa?

— Claro, é justo. Pode me esperar aí.

Desliguei com Covas quando o parlamentar gaúcho, dono da casa, voltava à sala. Saíra do banho, escanhoara a barba, estava pronto para receber quem fora convidado por mim. Disse-lhe que falara com todos e que era hora de ele ligar para Jarbas Passarinho. Ligou. O presidente da CPI do Orçamento atendeu e aceitou ir ao apartamento funcional do colega, mas impôs uma condição: não poderia haver ninguém de fora do Congresso, nenhum presidente de partido na conversa. Bisol aceitou a condição e não me revelou isso ao desligar o telefone. Passarinho estava no Senado. Ao ser convidado, fora informado de que o colega Pedro Simon também iria. Passou no gabinete de Simon e o encontrou lá. Ao descrever o episódio em sua biografia, *Um Híbrido Fértil*, Passarinho lembra que o gaúcho o assustou com uma informação desencontrada.

— Vamos à casa do Bisol? — disse ao colega do Rio Grande do Sul.

— Vamos, claro. O Lula me ligou e chamou.

— Como Lula? Eu asseverei para o senador Bisol: não podia ter chefes partidários nessa reunião, ninguém de fora. E você me diz que o presidente do PT estará lá?

— Não, senador, não o Lula do PT. O Lula jornalista. O Costa Pinto. O nosso amigo — explicou Simon a Passarinho.

— Ah, bom, ah, bom. Mas amigo seu. Não costumo ter amigos jornalistas. E, mesmo assim, não admitirei que um jornalista esteja na reunião.

Os demais parlamentares começavam a chegar ao apartamento de Bisol. Eu os recebia à porta e logo dizia: faria parte da reunião, iria testemunhá-la, queria ver os documentos e a ideia do encontro era minha. Todos, até a chegada dos retardatários Simon e Passarinho, aceitaram a condição. A afluência de tantos deputados e senadores para o mesmo bloco numa das quadras da Asa Sul chamou a atenção do resto da imprensa. Alguns dos parlamentares que foram para o apartamento de Bisol haviam cancelado entrevistas previamente marcadas em outros veículos e as respectivas assessorias disseram o porquê.

O burburinho em torno da reunião crescera. Jornalistas estabeleceram-se para fazer plantão no gramado da SQS 309. As bolsas de valores começaram a cair e um sem-número de boatos mexeu com o mercado financeiro. Os senadores Pedro Simon e Jarbas Passarinho, derradeiros convidados a chegar à reunião, deram entrevista aos plantonistas dizendo terem sido convocados para um encontro em que seriam mostrados os documentos apreendidos na casa do diretor da Odebrecht. O presidente da CPI do Orçamento entrou na sala escoltado pelo líder do governo no Senado. Fui o primeiro a ser visto por ele. Eu estava no meio de um sofá de três lugares. Era o único sem-voto naquela sala. Levantei-me, junto com os demais, para cumprimentar os dois que entravam.

— O que o senhor faz aqui? Este não é o seu lugar. Você não tem de estar aqui — ralhou Jarbas Passarinho comigo.

De forma quase hostil, o presidente da CPI do Orçamento segurou meu antebraço esquerdo. Tinha quase a expressão de um avô brigando com um neto. Virou-se para Bisol, o anfitrião, e continuou.

— Senador Bisol, eu não participarei da mesma reunião que o senhor Costa Pinto vai participar. Lá fora está cheio de jornalistas. O lugar dele é lá.

Antes que o silêncio se instalasse, atalhei, tomado pela ousadia e pela arrogância que às vezes me eram peculiares.

— Presidente, não vou sair. O Bisol ia fazer um discurso bombástico na CPI e eu o convenci a não o fazer, porque o país não suportaria. A ideia de chamar vocês aqui foi minha. Eu liguei para todo mundo, exceto para o senhor. É justo que eu fique. Não vou vazar nada, a não ser na reportagem que escreverei para a revista. E a *Veja* só sai sábado, dentro de alguns dias.

— Então eu vou embora. Até logo. Descerei e direi a seus colegas lá embaixo que saí sem participar da reunião, porque havia um jornalista aqui dentro — ameaçou Passarinho.

O deputado Nelson Jobim, que depois seria ministro da Justiça e integraria o Supremo Tribunal Federal (STF), assumiu o controle da situação e fez uma proposta salomônica.

— Lula, há um escritório logo na entrada do corredor. Você não sai, não desce, mas também não fica na sala. Você fica no escritório. E depois nós conversamos com você. Pode ser?

Aceitei. Até porque os deputados Sigmaringa e Miro e o senador Covas fizeram sinais para que concordasse e giraram os dedos indicadores num movimento que parecia ensaiado. Queriam dizer "vá, nós contaremos tudo". Fui.

Na sala principal, José Paulo Bisol narrou para os demais o que vira nos documentos — contou mais ou menos o que me havia contado, dissera que era possível inferir o benefício dado a Itamar Franco, Luís Eduardo e Roberto Magalhães, por exemplo, com base nos papéis que manipulara. Deixou claro que não conseguia determinar provas cabais do material que vira. Assumira-se profundamente assustado com a dimensão da influência de um cartel de empreiteiras no comando da política nacional. O deputado José Genoino pediu a palavra e disse que os militares estavam incomodados. Poder-se-ia assistir no Brasil o regresso de levantes pontuais em quartéis e corporações — episódios tristemente comuns nos anos 1950 e 1960 e que seguiram até os anos 1980. Alguns deles, usados para justificar o endurecimento de regimes e mesmo o golpe dado contra João Goulart.

— Os militares estão preocupados com o Itamar. Eles temem que surja um cheque do PC ou de empreiteiras, por exemplo, para o presidente. E isso o leve à renúncia — expôs Genoino.

— Vou falar com o ministro Zenildo Lucena. Precisamos ter uma temperatura dessa preocupação — disse Jarbas Passarinho. — Assim que sair daqui, irei ao Ministério do Exército e digo a vocês como eles estão vendo tudo isso.

Aloizio Mercadante entrou em cena pontuando exatamente qual a sua discordância com Bisol, que acreditava na existência de uma irmandade de empreiteiras comandando todo o jogo político brasileiro.

— Os documentos se referem basicamente ao funcionamento da própria Odebrecht — disse ele. — Em alguns momentos, para vencer essa ou aquela licitação, para executar um ou outro contrato, eles se unem a outras empreiteiras. Mas não vejo como algo generalizado.

Ainda presente, o senador Jarbas Passarinho fez uma ponderação destinada a desanuviar o ambiente. Mas a conclusão de seu relato terminou por incendiar o microclima na sala do apartamento de Bisol.

— Nos últimos três anos, tenho conversado sempre com a área militar. Sempre tive a impressão de que estava tudo sob controle. Mas ultimamente percebo que o clima mudou. Tenho a informação de que grupos militares da reserva estão sugerindo até um ato institucional que feche o Congresso.

De meu posto avançado desde o escritório de Bisol, ouvia e anotava a maior parte da reunião. Sigmaringa passou pela porta para ir ao banheiro. Quando saiu, puxei-o para dentro de minha trincheira e pedi que me descrevesse o contexto, as expressões faciais e quem estava de pé e quem estava sentado. A disposição dos lugares. E elucidasse uma ou outra anotação que não ouvira direito. Foi quando escutamos o senador Simon tentar uma saída que lhes permitisse tirar o Congresso do alvo.

— Vamos falar só das empreiteiras e preservar os nomes dos parlamentares, dos governadores. Que acham? Faremos um libelo contra os corruptores, contra quem corrompe o Estado.

Mercadante discordou com veemência.

— Não! Temos de ser transparentes. Vamos divulgar os nomes e enfrentar os debates com a sociedade.

Subindo o tom, o dono da casa parecia fora do controle.

— Estamos falando de uma centena de parlamentares. Deputados e senadores. Cem! O Congresso não vai avançar nada. Temos de formar uma comissão de notáveis para apurar essas coisas.

Fez-se um silêncio só cortado pela voz grave de Mário Covas.

— Comissão de notáveis? Bisol, notáveis somos nós. Nós temos mandatos populares, dados pelos brasileiros, para resolver essas questões. Não conheço nada mais notável do que o voto popular. Quem escolherá os notáveis? Como alguém se candidata a notável?

Malnascida, a ideia de Bisol teve morte prematura. Nelson Jobim e Miro Teixeira pediram acesso aos documentos originais lidos apenas por Bisol. O dono da casa disse-lhes que estavam no escritório — justo no local onde eu estava. Como não sou bisbilhoteiro, não tinha aberto os armários em busca das caixas. Jobim, Miro e Sigmaringa foram à minha trincheira. Chegaram sorrindo. Abriram um dos armários e tiraram algumas caixas. Passaram a ler com cuidado o conteúdo principal. Listaram os nomes. Levariam algumas horas naquela lavra. Na sala principal, Jarbas Passarinho anunciou que ia embora. Despediu-se de todos e disse a Bisol que ligaria com o retorno da visão do ministro do Exército sobre a conjuntura geral. A mulher de Bisol anunciou que mandara buscar almoço para todos.

— Estou convidado? — perguntei.

— Claro — disse ela. — Na cabeceira.

À mesa, Jobim e Miro disseram que os 100 nomes podiam ser resumidos a apenas 17. Só dezessete tinham referências realmente ruins nos papéis da Odebrecht. Daqueles, sete já estavam sendo investigados. Logo, só uma dezena de nomes havia sido acrescida ao rol de suspeitos da CPI. Nem Itamar Franco, nem Luís Eduardo Magalhães, nem Roberto Magalhães, o relator da CPI, estavam entre eles. A suspeita contra o relator vazara para a imprensa. O deputado pernambucano cogitava renunciar. Isso chegara até nós no apartamento de Bisol. Foi quando o senador Passarinho ligou para falar com o colega gaúcho, dono da casa.

— Senador, estive com o ministro Zenildo. Ele disse que tudo devia ser apurado, que o Exército tinha estrutura para essa apuração e que não pode haver condescendências. Mas disse também que, se precisar, que se for o caso, o Exército está pronto para intervir. Eu disse a ele que não era o caso, que o país suportaria a apuração, mas não a intervenção.

Bisol segurou o gancho do telefone nas mãos e relatou para o grupo o que lhe havia sido dito pelo presidente da CPI. Houve sinais de preocupação na sala. O senador socialista retornou à ligação e o representante do Pará prosseguiu.

— Também liguei para o senador Marco Maciel. Como você sabe, Bisol, o Roberto Magalhães é uma invenção política do Marco. Não há chance de haver irregularidade na conduta do Roberto. O Marco Maciel acha que eu, você, todos nós temos de retirar qualquer sombra de cima do nome do relator.

Roberto Magalhães não admitia ter seu nome metido na confusão. "Não tenho vocação para Robespierre. Se quiserem me decapitar, entrego isso nas mãos de vocês e vou lavar a integridade do meu nome com sangue", disse ele a Passarinho. Fazia referência ao líder da Revolução Francesa que, no século 18, mandou muitos à guilhotina e depois teve, ele mesmo, a cabeça cortada pelos revolucionários que liderara. Magalhães podia estar a falar verdades. Andava armado. Tinha o pavio curto. Jamais sentava de costas para uma porta. "Alguém pode entrar e esfaquear-me, de repente. Não confio", disse-me certa vez para justificar o porquê de trocar de lugar e colocar-se sempre de frente para a entrada do gabinete.

A reunião de emergência do dia em que o país amanheceu devastado por um terremoto que parecia ter grau 8.8 na escala Richter *(cujo ápice é 9)* terminou com os pragmáticos Mário Covas e Nelson Jobim distribuindo tarefas. Aloizio Mercadante voltaria ao ministro do Exército, agora como uma voz da oposição à esquerda, do PT, para ouvir um relato mais tranquilizador do clima nos quartéis e para dizer a Zenildo Lucena que não se brigava naquele momento por uma ocupação de poder. Jobim, Miro e Sigmaringa tratariam de redigir um relatório desidratando a lista de 100 "possíveis denunciados" de Bisol para 17. Covas reuniria as principais lideranças políticas para relatar o ocorrido. Adylson Motta falaria diretamente com Luís Eduardo Magalhães e José Genoino, com Lula, o presidente do PT. José Paulo Bisol, por sua vez, reescreveria o discurso que pretendia fazer na CPI — fora remarcado para as 20 horas. Antes disso, Simon levaria o colega gaúcho para uma rápida conversa com Itamar Franco no Planalto. Fui aconselhado a só deixar o bloco onde ocorrera a reunião quando nenhum outro jornalista estivesse por lá. Assim se deu.

* * *

Varei aquela madrugada escrevendo sobre a quarta-feira que passara na Casa do Espanto que se tornara o apartamento de José Paulo Bisol. Na quinta-feira de manhã, quando saí da sucursal de *Veja* depois das 8 horas, passei no edifício-sede dos Correios. Ele ficava diante do prédio da revista, do lado contrário do Eixo Estrutural, no caminho de meu apartamento na Asa Norte.

Saudades PT CPI do Orçamento dando trabalho PT Vastas emoções e pensamentos imperfeitos PT Dê notícias PT Beijos VG Lula.

Passara aquele telegrama para Pisa, Itália. A adrenalina daquela cobertura me remetera de volta aos tempos da CPI do PC, a Patrícia, a tudo o que ocorrera apenas um ano antes.

* * *

O episódio dos documentos encontrados na casa do executivo Ailton Reis, da Odebrecht, durante a CPI do Orçamento, foi um ponto de inflexão nos trabalhos da comissão de inquérito. Depois daquele dia em que o Brasil não acabou, tudo mudou. O furor investigativo da banda limpa do Parlamento diminuiu. Os temores de hecatombe, que paralisavam a banda podre do mesmo Parlamento, arrefeceram. Os trabalhos da CPI entraram pelo primeiro trimestre de 1994. Em fevereiro, Henrique Hargreaves reassumiu o Ministério da Casa Civil, inocentado. Quatro deputados renunciaram a seus mandatos, com medo de enfrentar processos de cassação. Cinco deputados foram cassados pelo plenário da Casa em decorrência do escândalo. O mais célebre deles, Ibsen Pinheiro.

Em 18 de maio de 1994, o ex-presidente da Câmara que conduzira o *impeachment* de Fernando Collor menos de dois anos antes, via-se na condição de réu no púlpito esquerdo da Câmara. Cabisbaixo, não conseguia coordenar a própria defesa. Sua profecia se cumprira: foi cassado. Dias depois, era a vez de Ricardo Fiúza esperar o veredito dos colegas parlamentares. Fiúza foi absolvido.

Já sem mandato, no dia seguinte à cassação, Ibsen mirou o espelho de manhã cedo enquanto segurava a navalha com a qual faria a barba. Dialogou com o próprio reflexo.

— Você não morrerá. Recuse-se a morrer. Você é inocente e provará isso. Sua morte é a vitória total de seus adversários. Vivo, você vai encará-los um dia.

Foi ele quem me contou aquelas divagações mantidas enquanto observava seu reflexo no espelho. Seguimos nos falando, de forma esparsa, ao longo dos anos. Voltaria a se eleger deputado federal, voltaria a ser secretário estadual no Rio Grande do Sul, voltaria a escrever sobre o *Sport Club Internacional*, sua paixão. Ibsen morreu no dia 24 de janeiro de 2020. Inocentado em todos os processos, deixou uma biografia limpa e encarou com coragem todos os adversários.

Em 2015, quando o empresário Marcelo Odebrecht foi preso pela *Operação Lava-Jato*, teve os telefones celulares apreendidos. Em um deles, uma mensagem destinada aos advogados da corporação intrigou os investigadores. "Executar o Plano Bisol?", perguntava o presidente da empreiteira, integrante da terceira geração da família no comando das empresas. Fazia referência àquele dia em que a montanha de documentos coletada na casa do coordenador de *lobbies* de uma das maiores construtoras nacionais desmoronou e pariu um rato ao ser aberta. Décadas depois, o episódio se convertera em paradigma para planejar a resistência a ataques hostis dos investigadores públicos.

CAPÍTULO 3

O PLANO
INIMAGINÁVEL

A CPI do Orçamento havia atravessado o samba da Revisão Constitucional de 1993. Prevista para ocorrer cinco anos depois de promulgada a Constituição, estabelecia que deputados e senadores poderiam alterar o texto pactuado pelos constituintes da legislatura anterior aprovando emendas por maioria simples dos 584 deputados e senadores *(quórum do Congresso Nacional da época)*, reunidos em um único turno em sessão unicameral. Aquela seria a única janela de reformas *fast track* apontada pela Carta de 1988, considerada um divisor de eras na história brasileira; promulgada, deu concretude ao fim do regime dos generais iniciado em 1964 e pôs o país no grupo dos Estados Democráticos de Direito. Ordinariamente, para se aprovar uma emenda constitucional são necessários dois turnos de votação, tanto na Câmara quanto no Senado. Ainda assim, uma tese só sai vitoriosa se obtiver, em ambos os certames, 3/5 dos votos totais de cada uma das Casas do Parlamento. É a isso que se chama de "quórum qualificado".

Os senadores Nelson Carneiro e Élcio Álvares e o deputado Nelson Jobim lideraram pequeno grupo de parlamentares que selecionou um ambicioso espectro de temas a serem tratados na revisão. A ambição era atacar problemas identificados na Carta de 88 e viabilizar caminhos rápidos que permitissem ao Brasil caminhar mais celeremente rumo a transformações sociais e econômicas. O gaúcho Jobim, que exercera o papel de relator-adjunto da Comissão de Sistematização da Assembleia Nacional Constituinte, foi designado relator da Revisão Constitucional. Ao elencar os assuntos que tratariam de rever, reescrever e mudar na Constituição que completava apenas cinco anos, um extenso cardápio:

- Ordem econômica;
- Pacto federativo, estrutura político-institucional do país;
- Tributação e Orçamento;
- Relações capital/trabalho;
- Previdência Social;
- Poder Judiciário e seus órgãos;
- Administração Pública;
- Educação, Ciência e Tecnologia.

Tendo à proa da nau que os conduzia Fernando Henrique Cardoso, ministro da Fazenda que concedera a Itamar Franco trégua ante as cobranças do empresariado, do mercado financeiro, dos sindicatos e de entidades da sociedade civil para que começasse a apresentar algum norte para o qual a população pudesse olhar em busca de saídas para a alta inflacionária, o desemprego e o colapso social, os economistas do governo enxergaram na Revisão uma tábua de salvação. Acertaram com Nelson Jobim a aprovação de um dispositivo no Regimento Interno do processo revisionista que consideraria promulgada uma emenda tão logo ela fosse aprovada em plenário. Tudo ocorreria de forma automática. Isso parecia essencial, acreditava a equipe de FH, porque partes do plano econômico que ainda não estava pronto poderiam passar a vigorar de imediato — antes mesmo do próprio programa de estabilização da economia que, àquela altura, nem eles mesmos sabiam do que trataria.

Mas a prática e o pragmatismo solaparam a teoria. A Revisão Constitucional foi um fiasco. Ao cabo de 80 sessões legislativas, escassas 19 propostas foram levadas ao plenário unicameral para serem votadas. Doze delas foram rejeitadas em primeiro turno. Uma, no segundo turno. Somente seis emendas foram aprovadas, sob o instituto facilitador da Revisão. Dentre elas, apenas uma diretamente ligada ao plano econômico que estava sendo urdido pela área econômica do governo: o Fundo Social de Emergência. O Fundo não era nada além da institucionalização do poder concedido ao presidente da República para contingenciar o Orçamento da União, tirar o carimbo de verbas públicas e direcioná-las para as áreas determinadas por seus auxiliares.

Uma mudança na concessão de cidadania, outra nas regras de acolhimento de candidaturas eleitorais, o fim da possibilidade de um detentor de mandato conservar os direitos políticos caso renunciasse antes da instauração de processo de cassação e a poda do mandato presidencial — que caiu de cinco para quatro anos de duração — foram os outros temas tratados na revisão.

A redução do mandato presidencial era claramente uma medida anti-Lula. O líder do PT, àquela altura, diante do fiasco econômico e social de Itamar e do naufrágio moral de Fernando Collor, era considerado candidato imbatível à Presidência da República em 1994. Os setores conservadores aliaram-se, alinharam-se e conseguiram ceifar um ano do mandato presidencial.

Em 1997, aquele casuísmo seria reposto e ampliado com a emenda de reeleição. Antes, precisavam que um personagem de dentro do sistema reunisse força política para derrotar o petista. Esse enredo costura novo capítulo dessa saga, mais à frente.

Sem as facilidades que a Revisão poderia lhe conceder na confecção e implantação de um plano de estabilização, Fernando Henrique Cardoso viu-se obrigado a dobrar a aposta no sucesso de seu maior talento e grande diferencial competitivo ante qualquer adversário na Esplanada, no Congresso ou em cima dos palanques. Esse diferencial era a habilidade para encantar serpentes, domesticá-las, fazê-las trabalharem para si e depois colher os louros da vitória.

* * *

Até as definições de "grotesco" e "bizarro" serem atualizadas pelos episódios de boçalidade, misoginia e cafajestices explícitas protagonizados a partir de 2019, quando o capitão da reserva do

Exército, Jair Bolsonaro, afastado da tropa por mau comportamento e por ameaçar soltar bombas em quartéis, passou a despachar no Palácio do Planalto, o cetro da desonra nesses quesitos inglórios para um presidente da República pertencia a Itamar Franco.

Domingo, 13 de fevereiro de 1994, foi quando tudo aconteceu. Visto a partir do deprimente show de barbaridades, amoralidades, imoralidades e vulgaridades cometidas por Jair Bolsonaro e seus filhos, o deslize do ex-prefeito de Juiz de Fora terminou por passar à história como uma impudica piada de um chefe de Estado, tão pueril que podia ser considerado quase infantil.

Em seu primeiro Carnaval no cargo que herdara do impedido Fernando Collor, um ano antes, Itamar fora às ladeiras de Olinda e ao Galo da Madrugada, no Recife. A Liga das Escolas de Samba do Rio de Janeiro, uma espécie de Confederação Brasileira de Futebol (CBF) carnavalesca, controlada pelos bicheiros cariocas, convidou o presidente para ir ao Sambódromo no ano seguinte. Houve um debate prolongado no gabinete presidencial e a tendência era recusar o convite — mais por medo de vaias, visto que a inflação seguia em alta, do que por eventuais fotografias ao lado dos capitães do jogo do bicho, uma contravenção penal. Secretário-geral da Presidência, Mauro Durante era voz isolada a entusiasmar o chefe para ir à Marquês de Sapucaí.

— Vamos. O povo gosta de manifestações folclóricas. É a cara do Brasil, dos brasileiros. Ninguém ouvirá vaias — apelava Durante.

— Mauro, o último presidente a ir a um desfile de escola de samba foi Hermes da Fonseca, em 1913. Naquele tempo Carnaval se chamava "entrudo momesco" — retrucava Itamar, apelando para um conhecimento enciclopédico que lhe fora fornecido, por meio de cola numa folha xerografada, pelo embaixador brasileiro em Portugal, José Aparecido.

Durante venceu o embate, contra todas as enciclopédias e contra todos os demais convivas da República de Juiz de Fora. Uma comitiva presidencial foi ao Sambódromo para um domingo carnavalesco. Por volta das 22 e 30, Itamar, o ministro da Justiça Maurício Correa, o secretário-geral, Mauro Durante, o ex-consultor-geral da

República, José de Castro, transformado em presidente da estatal telefônica do Rio de Janeiro, Telerj, além do embaixador em Lisboa, José Aparecido, puseram as cabeças para fora do camarote da *Liga Independente das Escolas de Samba do Rio de Janeiro* (*Liesa*), na Marquês de Sapucaí. Não houve vaias. Ouviram-se aplausos, até. A instantânea auditoria de imagem, positiva, estimulou o grupo a evoluções que foram se tornando cada vez mais ousadas, à medida que o estoque de uísque e de cerveja ia sendo consumido.

Itamar arriscou uns passinhos, tamborilou os dedos no cinto de couro, acompanhando alguns dos sambas-enredo, jogou beijos para passistas e seguia atento à desenvoltura de todas as mulheres que surgiam diante do camarote. O critério para escolher a quem perseguir com os olhos era a indumentária. Quanto mais despida a sambista, por mais tempo ele a filmava com o olhar e mais beijos lançava com as mãos. O entusiasmo cresceu quando a Unidos do Viradouro entrou na avenida com uma destaque vestida de Princesa da Pérsia. Era a cearense Lilian Ramos, 27 anos, modelo e atriz. Com 1,75m de altura, um sorriso bonito e sem sutiã, ela não se esforçou para atrair os olhares presidenciais. Recebeu beijinhos de Itamar. Devolveu sorrisos e flexionou a cabeça várias vezes, como a aceitar a corte. "Vi que o presidente estava acenando e me olhando", contou ela depois a quem quis ouvir. "Respondi e ele me jogou beijinhos. Então, estabelecemos um contato."

Encerrada a hora e meia de desfile da Viradouro, Lilian Ramos tirou a fantasia e pôs uma camisa de algodão. A blusa era dois números além do manequim que ela vestiria — caiu em seu corpo como se fosse um blusão. E só. Sem sutiã, sem calcinha, sem calça, *short* ou qualquer outra peça de roupa que a cobrisse três dedos depois da virilha até as sandálias rasteirinhas. Com tal déficit de indumentária, entrou para curtir o resto da noite em um camarote onde estava o deputado federal paulista Waldemar da Costa Neto, líder do Partido Liberal.

Homem dado a viver cercado de mulheres loquazes, vivazes e intensas, Costa Neto pôs a Princesa da Pérsia e a irmã dela em seu grupo. Pouco depois, chamou-as para ir ao camarote onde estava o presidente. Foram, e terminaram barrados. Ladino, o deputado pediu para falar com Mauro Durante. Explicou ao secretário-geral da Presidência com quem estava. Durante foi ao chefe e cochichou no ouvido de Itamar que a destaque da Viradouro, aquela sem sutiã, estava na porta. Perguntou se ela podia entrar. Ouviu um "claro que sim" e o próprio Itamar Franco foi buscar sua musa carnavalesca na entrada do camarote.

À guisa de apresentações, trocaram abraços e beijos efusivos desde o primeiro momento. Quando suas mãos se encontraram, entrelaçaram os dedos.

— Eu sou sua fã — disse a modelo e atriz para o presidente.

— E eu virei seu fã hoje. Você estava linda na avenida — ouviu de volta. — Quero que você visite o Palácio da Alvorada. Lá é muito lindo. Lugar ideal para uma mulher inteligente e simpática como você.

Foram muitos beijos e abraços. Havia jornalistas no camarote. Uma repórter, deslocada de Brasília para o Rio especificamente para cobrir aquela noite, sentiu-se à vontade para perguntar se os dois estavam namorando.

— Estamos? — respondeu o presidente da República virando-se com uma pergunta para Lilian Ramos.

Profissional, a modelo se saiu bem.

— É melhor deixar em aberto — respondeu.

Ato contínuo, foram à sacada do camarote, porque passava uma nova escola e queriam sambar. Posicionados na avenida, logo abaixo de onde estavam os dois pombinhos, os fotógrafos dos jornais sacaram suas máquinas para alvejar a credibilidade da imagem presidencial. Itamar e Lilian ergueram os braços, felizes. *Flashes*, sorrisos. Os fotógrafos se entreolharam e perguntaram, uns aos outros, se haviam visto a mesma coisa. Todos responderam afirmativamente. "Mais fotos, presidente", pediram. "Mais fotos, levantem os braços de novo." O casal recém-formado ergueu os braços por mais tempo, sambou por mais tempo e os *flashes* espocaram por mais tempo também.

Lilian Ramos tinha se convertido em sensação do Carnaval carioca, mesmo sem ganhar o estandarte de ouro: ao levantar os braços, exibiu-se ao natural para todos que puderam ver. Fotografada sem calcinha, em público, ao lado do presidente brasileiro, a imagem correria mundo. Os jornalistas haviam percebido tudo. Embriagados de alegria momesca, Itamar, seus ministros e assessores não perceberam nada.

Um burburinho começou a tomar conta do espaço reservado à *Liesa*, controlada pelos bicheiros. A notícia da modelo sem calcinhas, de mãos dadas com o presidente da República, começava a se espalhar. Mas não havia máquinas fotográficas digitais ainda, nem *smartphones*. Ninguém podia confirmar a suposição. Sem imagens, tudo se resumia a rumores. Os repórteres fotográficos garantiam ter visto o que viram, mas as provas só viriam depois de revelados os filmes, dali a algumas horas. O ministro da Justiça, Maurício Correa, abraçou o embaixador José Aparecido. Ambos tinham copos de uísque nas mãos. Gritaram marchinhas antigas e caíram juntos num sofá. O ambiente começou a pesar.

— Bebi demais, Itamar. Vamos embora para o hotel, Itamaaaar! — pedia o ministro da Justiça, segundo o relato feito a mim pelo próprio Correa.

— Só quando o Mauro disser que é a hora — decretou o presidente.

O secretário-geral esperou dar quatro da madrugada de segunda-feira para anunciar o fim do Carnaval e o começo da ressaca presidencial.

— Venha conosco para o Hotel Glória. Estamos num ônibus presidencial. De lá mando um carro oficial deixá-la em sua casa — ofertou Itamar a Lilian.

— Só vou se a minha irmã for junto — anunciou ela. Era mais uma facilidade logística do que pudor (ou despudor).

Itamar estendeu a oferta de carona à irmã de Lilian Ramos e aos jornalistas presentes. Bêbado, Maurício Correa sentou no fundo do ônibus e não parava de gritar: "Itamaaaar! Itamaaaar!". A modelo e a irmã sentaram juntas numa dupla de poltronas. Ao descerem na porta do Hotel Glória, o presidente entrelaçou as mãos dela nas mãos dele, imbuiu-se de coragem e perguntou quase implorando:

— Fica?

— Não vim com essa intenção — respondeu Ramos. — Estou cansada, quem sabe amanhã? Você me liga?

Assim combinaram, daquela forma foi feito. A modelo e atriz, porém, convidou uma equipe da *Rede Globo* para assistir ao seu telefonema para o presidente da República depois que acordou. Nele, marcaram de jantar a sós no hotel e Itamar dissera ter retardado a volta para Brasília só para estar com ela. O xaveco presidencial tinha sido testemunhado pelos repórteres televisivos. Tudo muito bom, tudo muito bem, mas realmente a agenda oficial tornou-se inviável a partir das 19 e 30 da segunda-feira carnavalesca. Reproduções das fotos de Lilian Ramos sem calcinha, ao lado da figura que encarnava a presidência da República, chegaram ao Hotel Glória. Seriam publicadas em todos os jornais na manhã seguinte. O jantar foi desmarcado e o regresso a Brasília, antecipado. O escândalo levou Itamar Franco a um princípio de depressão. Não houve ministro que não tivesse ido ao Rio que não aproveitasse o episódio para reclamar dos colegas que ali estiveram. As fotos ganharam o mundo. TVs e jornais dos Estados Unidos, da Europa e da Ásia estamparam-na. Nos dez dias seguintes, aquele seria o assunto nacional.

No regresso da intrépida caravana presidencial à capital, eles levaram na bagagem um problema moral a resolver; o país tinha a vergonha alheia com a qual lidar e eu precisava encontrar um filão disposto a se abrir para me ajudar a contar as histórias mais recônditas daquela aventura carnavalesca. Apostei em Maurício Correa. O ministro da Justiça curtia uma tremenda ressaca moral. De volta à sua casa, tomou um passa-fora memorável da esposa. Fomos almoçar na Quarta-feira de Cinzas no *Lake's Baby Beef.* Encontrei-o com um olhar triste, cabisbaixo, lamuriante.

— Lulinha, meu filho, eu não podia ter misturado as bebidas. Tomei cerveja no avião, na van, até chegar ao camarote. Lá, bebi uísque. Bebi demais. E não jantei, comi pouco. Aí, deu-se tudo isso. Que vergonha, rapaz!

— Acontece, ministro. Isso acontece.

— Pode acontecer com qualquer um, mas não podia ter acontecido comigo. Sou ministro da Justiça, pô! Dei vexame. E aquela mulher sem calcinha? Aquela va-ga-... Deixa para lá. Você não sabe o problemão que estou tendo também. Não é só o Itamar não. Eu estou ferrado em casa.

— Problemas? O senhor? Por quê? Não vai me dizer que pegou a irmã da Lilian Ramos? Ela também estava lá...

— Que é isso! Não, isso não, graças a Deus. Meu vexame lá foi a bebedeira mesmo. Mas quando cheguei em casa, minha mulher, vou te contar... Minha mulher está quase me pondo para fora de casa. Porque ela veio me cobrar por estar andando com mulheres como essa Lilian Ramos, aí trouxe histórias do arco-da-velha para discutir a relação comigo. Imagina, anos e anos, décadas de casamento. E ela vem me apertar por isso.

— O senhor já pulou a cerca, ministro?

— Uma vez... Vá... Ah! Deixa para lá. A minha mulher pegou o meu carro embaixo de um bloco, numa dessas quadras 400. Ela sabia que era o meu carro. Ela desceu, furou os quatro pneus, depois fui dormir uma semana sob varas no sofá da sala!

As quadras 400, no Plano Piloto de Brasília, são aquelas em que os prédios obrigatoriamente têm apenas três andares e, em geral, não possuem elevadores. Na prancheta de Oscar Niemeyer e Lúcio Costa, estariam destinadas à moradia de funcionários públicos de escalões intermediários da máquina pública.

— E o presidente? — segui meu interrogatório de apuração.

— O Itamar? Um desastre, um desastre para ele, coitado. Está deprimido, com vergonha. Falei para ele: "Itamar, não fique assim não. Você é muito melhor do que isso. Seu governo vai ser um sucesso. Você é um homem honesto. Quando sair daquele palácio, tendo feito o sucessor, todo brasileiro vai bater palmas para você com as bandas da bunda".

Não contive o riso. Nunca havia escutado a expressão "bater palmas com as bandas da bunda". Ele perguntou por que eu ria. Fui sincero.

— Ministro, a expressão "bater palmas com as bandas da bunda" é inédita em meu vocabulário. Como tenho um problema de raciocínio literal, fico imaginando o exercício necessário para alguém executar esse movimento.

O ministro da Justiça então se levantou, já aos risos, mais leve, e começou a bater palmas com as mãos enquanto jogava os quadris compassadamente para cima e olhava sobre o ombro. Estava coreografando a expressão "bater palmas com as bandas da bunda". Lembrou-me um pouco as imitações do desempenho de John Travolta em "Nos Embalos de Sábado à Noite".

O comportamento ministerial desanuviou o ambiente. Saímos do restaurante por volta das 17 e 30, cheios de licor de pêssego na cabeça. A ajuda fora essencial para a recomposição da aventura de Itamar na Marquês de Sapucaí. *Veja* sairia no fim da semana seguinte com a capa "O X da questão" aposta sobre a foto de Itamar Franco e Lilian Ramos sambando no camarote da Liga das Escolas de Samba do Rio. Ela, sem calcinha. A letra "X", maiúscula e em vermelho, tapava o que a modelo e atriz não se preocupara em esconder naquele domingo de Carnaval.

Meses depois, em dezembro de 1994, Maurício Correa foi indicado para a vaga do ministro Paulo Brossard no Supremo Tribunal Federal. Aprovado por unanimidade na sabatina e no plenário do Senado, tornou-se um ministro muito querido pelos demais integrantes da Suprema Corte. Presidiu o STF entre 2003 e 2004, quando se aposentou. Morreu em 2012, de infarto fulminante. Algumas vezes, depois da aposentadoria, encontrei-o durante as compras dominicais num supermercado da QI 13 do Lago Sul. Sempre que isso ocorria, parávamos para um café com lembranças dos tempos idos e das aventuras passadas.

*   *   *

— Aceitei o emprego na *Folha da Tarde*. Vou morar em São Paulo. Você retomou a sua vida, seu casamento. Vocês estão bem. Vou viver a minha vida em São Paulo, é melhor para todos nós.

De volta de Pisa, na Itália, depois de passar também alguns meses em Paris, estudando francês, Patrícia — que já não seria mais "a minha amiga do *Zero Hora*" — comunicou-me dessa forma a decisão de não mais morar em Brasília. Eu trabalhava a reconstrução de meu relacionamento com Cristina, que começara a dar aulas numa universidade privada de Brasília. Rodolfo, nosso filho, estava ambientado à cidade. Fomos conversar durante uma caminhada no Parque da Cidade. No intervalo de hora e meia passamos um ano em revista. A racionalidade se impôs e pareceu sábia a todos nós. Viveríamos o presente.

* * *

A noite da terça-feira, 29 de março de 1994, merece ser inscrita nos livros de História do Brasil como data marcante da biografia política nacional. Foi o momento inaugural de 20 anos de normalidade democrática, quando candidatos à Presidência expunham suas vidas e suas ideias ao crivo da opinião pública, submetiam-se ao julgamento dos eleitores e os derrotados aceitavam o veredito das urnas, deixando os vitoriosos governarem. Como rezam as normas democráticas, as oposições também são uma escolha das urnas. Duas décadas depois, o saudável hábito que também se construía a partir daquele jantar informal em Brasília terminaria conspurcado. Chegará o momento de falar desses tempos sombrios no curso dessa saga, mais à frente.

Fernando Henrique Cardoso despia o terno formal de ministro da Fazenda e vestia as inúmeras fantasias de candidato a presidente naquela noite. Segundo uma pesquisa do instituto *Ibope*, Luiz Inácio Lula da Silva, do PT, detinha 37% das intenções de voto ao se fechar o mês de março. O neocandidato FH, do PSDB, 19%. Leonel Brizola, PDT, surgia com 10% e Orestes Quércia, do PMDB, 6%. O resto era traço.

— Vamos homenagear o Collor — anunciou o já ex-ministro da Fazenda ao chegar à casa dos amigos onde jantaria, no Lago Norte. Chegava do Ministério, onde aguardara a publicação do ato de sua demissão e passara detalhes do serviço para o sucessor Rubens Ricúpero.

Fernando Henrique dizia querer render homenagens ao ex-presidente que caíra por *impeachment* ao se servir da primeira das três doses do uísque *Logan* que regaria sua madrugada. *Logan* era a marca escocesa predileta do ex-presidente e da turma alagoana que o bajulava. Feliz e relaxado, FH tirara o paletó, afrouxara a gravata e abrira o colarinho. Seguiu no tom de galhofa:

— Como dizia o ex-ministro Gama e Silva, tudo o que um ministro da Fazenda precisa no fim do dia é de uma dose de uísque na mão e de um adulador do lado.

Luís Antônio da Gama e Silva foi um advogado paulistano. Reitor da Universidade de São Paulo, exerceu o cargo de ministro da Justiça entre 1967 e 1969, num dos períodos mais duros da ditadura militar. Foi nomeado pelo general-ditador Costa e Silva. Gama e Silva redigiu e assinou o Ato Institucional nº 5, o AI-5, responsável por cassar políticos, perseguir artistas e intelectuais (como FH, por exemplo) e exilar muitos opositores do regime ditatorial.

Só Fernando Henrique Cardoso, para quem as pessoas estão realmente felizes e completas quando se incluem como vítimas nas piadas que contam *("você conhece o caráter de alguém a partir da qualidade das autopiadas que ele conta", dizia, já presidente da República)*, para citar no ato de estreia da sua campanha um presidente cassado e um ministro que funcionara como mata-borrão das boçalidades dos ditadores brasileiros.

A felicidade era explicável e projetava o otimismo de quem assumia o desafio de vencer uma eleição presidencial, inimaginável apenas alguns meses antes, porque sabia ler os cenários e observar as nuvens da política como raríssimos outros. Além disso, ele regia com autoridade e firmeza a equipe de economistas que deixara na Fazenda tocando o Plano Real. O programa de estabilização da inflação e de troca da moeda ganhara nome e norte naquelas últimas semanas. A genial invenção da Unidade Real de Valor *(URV, uma "moeda" composta por uma cesta de índices variáveis)* fora implantada com sucesso. O país experimentava uma queda da inflação real, palpável, perceptível a olho nu, e conhecia detalhes do mecanismo de funcionamento do plano, enquanto operava com duas moedas. Em paralelo, o governo conquistava credibilidade entre empresários e atores externos, deixando claro não estar embalando novos congelamentos de preços e salários ou confiscos de dívidas e calotes de títulos, como fora feito no nosso desairoso passado econômico.

— Vou ser presidente porque o Plano Real vai dar certo e os brasileiros vão descobrir as vantagens de se viver num país estável, sem inflação e com perspectiva de futuro — disse Fernando Henrique antes de abrir o tempo regulamentar para que outros falassem naquele convescote agradável que só terminaria às 3 horas da madrugada seguinte. Estava falante. — Vão me acusar de quê? De ser intelectual? Sou intelectual, mas não sou cretino. Quero ser o presidente do Brasil porque acho que sou o mais bem preparado entre todos os que estão na disputa. O Maluf também pode exercer a Presidência, por exemplo. Mas eu sou o melhor, eu conheço esse país.

No dia seguinte àquele jantar, uma provação mais desafiadora estaria à mesa do sociólogo, que encarnou muito bem o papel de ministro da Fazenda por dez meses e ganhara uma plataforma poderosa para pedir votos. No campo macroeconômico as coisas andavam às mil maravilhas. A moeda a ser lançada, o Real, nasceria mais valorizada do que o dólar, num Brasil com taxas inflacionárias que poderiam se aproximar dos índices de países escandinavos, se a teoria dos economistas alojados no governo desse certo. No campo macropolítico, ele celebrara com Itamar Franco um pacto de vida. Um não trairia o outro por mais dúvidas que um tivesse das boas intenções do outro. "Ele precisa de mim e eu, dele", dizia FH aos interlocutores mais próximos quando lhe perguntavam da relação com o presidente. Mas no ringue de seu próprio partido, o PSDB, as coisas não iam bem.

O governador do Ceará, Ciro Gomes, estava em Brasília e se dizia indignado com o lançamento de Fernando Henrique. Detentor do cargo eleitoral mais relevante do partido até ali, afilhado político de Tasso Jereissati, ex-governador e presidente do PSDB, Ciro pedira uma reunião partidária. Marcaram uma catarse. Reservaram uma sala privativa no *Lake's Baby Beef*, na QI 9 do Lago Sul, e para lá acorreram os tucanos de mais longa e mais colorida plumagem. Além de Ciro,

Tasso e FH, estavam lá Sérgio Motta, secretário-geral da sigla e um dos mais íntimos amigos de Fernando Henrique, os deputados Arthur da Távola e José Serra e os senadores Mário Covas e José Richa.

Por meses a fio, Tasso Jereissati cozinhara na cabeça de Lula e de muitos petistas a poção mirabolante de que, em 1994, o PT e o PSDB poderiam estar juntos numa chapa presidencial. Lula para presidente, Tasso para vice. A alquimia improvável não era ideia da cabeça do ex-governador cearense, mas, sim, fruto de um ardil desenhado pela cúpula tucana para conservar o candidato do PT com a língua e as ações sindicais sob controle, enquanto o Plano Real ganhava tração. Dera certo. Em razão disso, Ciro Gomes defendia que o sucesso da estabilização econômica poderia ser vendido como patrimônio partidário e, por isso, o candidato do PSDB deveria ser Tasso.

— Por que Fernando Henrique? Por que São Paulo? Vocês são uns vendidos à cabeça mesquinha do capital econômico paulista e isso não vai dar certo. O Brasil é maior do que a Avenida Paulista e não é correto dar todo o poder político ao mesmo grupo que detém o poder econômico — disse Ciro à cúpula tucana.

O governador do Ceará falava com a rispidez que lhe é peculiar. Deu, inclusive, murros na mesa. O próprio Ciro Gomes narrou o episódio para mim, anos depois, numa das intermináveis conversas que tivemos durante campanhas políticas. Segundo ele, ali no *Lake's Baby Beef* nascera a incontornável ojeriza que adquiriu aos integrantes paulistas do PSDB.

— Ciro, cala a boca. Você não sabe de nada — teria cortado Sérgio Motta, usando também a sem-cerimônia que se tornou marca característica da persona pública dele, um ex-militante de movimentos de esquerda que soube se transformar em empresário de sucesso. — Ou você está conosco, agora, ou vai estar do outro lado, sempre. A hora é do Fernando, ponto. O partido vai trabalhar pelo Fernando, para o Fernando, porque não tem sentido nenhum a gente pegar o cavalo que vai ganhar a corrida e guardá-lo na baia para pôr qualquer outro na pista.

— O Tasso passou por ridículo nas conversas com o PT? Por que a precedência é sempre de vocês? O Tasso tem voto, eu tenho voto. Não se pode pensar com a cabeça de São Paulo o tempo inteiro — contestou Ciro, segundo a versão dele.

O clima era tenso. Todos puderam falar. Nem sempre todos ouviam. Ao escutar que o candidato a vice-presidente certamente sairia do Nordeste, e do PFL, Ciro Gomes decretou encerrada a participação dele na reunião marcada a pedido dele mesmo.

— Para mim, deu. Vou embora. Senhor candidato a Rei, Fernando Henrique Cardoso, estarei no Ceará, fazendo a campanha de Tasso Jereissati para o governo. Se você for lá, eu o receberei muito bem. Se não for também, ok, não fará falta. Até logo.

O governador do Ceará deixou o restaurante batendo portas e sem falar com os jornalistas que o esperavam do lado de fora do *Lake's*. Dirigiu-se direto ao setor de hangares do aeroporto *Juscelino Kubitschek* e voou de volta para Fortaleza. Na contabilidade de Sérgio Motta, escolhido coordenador da campanha e dono de um senso de autoridade ímpar, não era defecção que valesse um telefonema sequer.

— Deixem ele ir. O pior que poderia fazer seria se aliar ao PT e, para isso, ele ainda não está louco o suficiente. Seria um suicídio político no Ceará. O Ciro é tipo que só se cria no Ceará. Desculpe, Tasso, mas é isso — ponderou Motta, deixando claro porque consolidaria em breve o apelido de Serjão. Era um homem sem papas na língua, tratorava quem passava à sua frente, nunca admitia deixar de ter a última palavra. Direto, às vezes grosseiro, tinha uma personalidade magneticamente adorável.

* * *

Eduardo Oinegue chamou a mim e a Expedito Filho para uma reunião fechada na sucursal brasiliense de *Veja*. Teríamos de definir a cobertura da eleição presidencial daquele ano. Era mais ou menos óbvio que Expedito fosse designado o principal repórter na cola de Fernando Henrique. Durante toda a formulação do Plano Real, havia sido dele a maior coleção de furos no processo. A excelente relação que mantinha com o então ministro abriu-lhe as portas de todos os gabinetes da Fazenda e do *Banco Central* para ouvir bastidores e checar inconsistências de apuração. Ele fora o autor da reportagem em que a revista contara o passo a passo da nomeação de FH para Czar da Economia. Além de não ter essa relação profunda com o candidato do PSDB, eu não tinha contato algum com o petista Lula. Quando chegara a Brasília, em 1991, o candidato do PT já havia deixado a cidade. O mandato de deputado Constituinte terminara. Hábil como poucos na arte de administrar vaidades intrínsecas de uma equipe onde havia alces demais dividindo a primazia de macho alfa no mesmo bosque, Eduardo sentou-nos no sofá de dois lugares na lateral de sua mesa e girou a cadeira em nossa direção. Pôs os pés tamanho 47 sobre a mesa, como era comum fazer, esticou o corpo para trás, mandou a secretária fechar a porta e começou por mim.

— Lula, vamos definir a partir de vocês dois toda a cobertura eleitoral de 1994. Cada um de vocês cobrirá um dos dois principais candidatos pelo Brasil e pelo mundo, se eles forem ao exterior. É claro que a aposta que a gente faz é que Fernando Henrique vai ser eleito, as coisas caminham por aí, apesar de isso não estar claro nas pesquisas. E é claro que quem tiver feito a cobertura do presidente eleito, terá mais fontes. Consequentemente, se posiciona melhor na revista.

Em 1989, Eduardo Oinegue fora o principal repórter na cola do candidato Fernando Collor. Com a vitória do homem a quem estava encarregado de seguir Brasil afora, tornou-se chefe da sucursal de Brasília a partir de 1990. Era um dote como aquele que estava em jogo naquela conversa.

— Quero cobrir o Lula — atalhei.
Expedito sorriu, mas permaneceu em silêncio.
— O Lula? Tem certeza? — insistiu sem muita convicção Eduardo.
— Claro, né Eduardo. Primeiro, porque era isso o que vocês esperavam ouvir, apesar de não saberem se eu diria. Segundo, porque tenho uma curiosidade intelectual tremenda por conhecer o Lula,

por entrar no "sistema PT", conhecer aquilo por dentro. E vocês sabem que não sou petista, ao contrário: fui filiado ao PSDB em 1988, 1989. Votei no Covas para presidente, no primeiro turno. Mas quero mergulhar na campanha do Lula para conhecê-lo melhor. Ele me parece uma liderança fascinante.

— Gordinho, você vai viajar para os piores lugares, terá de passar parte da semana em São Paulo e vai levar patada de todo jeito. É isso que você quer? — Era Expedito, saindo de seu mutismo.

Eu detestava o apelido "gordinho".

— *Speed*, não tem sentido a gente trocar. Você tem todas as fontes na tucanada — respondi, chamando-o pelo apelido que usávamos nos momentos em que estávamos realmente bem na relação competitiva que cultivamos. Tinha esperança de desarmá-lo com o meu cinismo.

— Fechado então. Expedito, FH. Lula, Lula. Comecem a fazer suas programações. A cobertura começou.

— Eu já tenho a minha. Semana que vem, no domingo, 1º de maio, haverá um Congresso Nacional do PT aqui em Brasília. Quero trabalhar o fim de semana. É a melhor forma de fazer fontes e conhecer o Lula — avisei.

— Façam o que for preciso. Sem preocupação com custos — liberou Eduardo.

*　*　*

Domingo, 1º de maio. Brasília tinha virado um grande acampamento de militantes do PT naquele fim de semana. O Congresso do partido, ante a perspectiva real de vitória presidencial de Lula, conforme apontavam as pesquisas de opinião, transformou-se numa espécie de reunião temporã da *União Nacional dos Estudantes* (*UNE*). Delegações de todos os estados, de todas as capitais do país. Sindicalistas dos mais diversos setores. Todos os parlamentares petistas haviam permanecido em Brasília e Lula chegara com a cúpula nacional da sigla.

O plenário da Câmara dos Deputados fora emprestado ao partido, e nele se davam as principais deliberações. Na noite anterior, eu virara a madrugada num jantar no qual me apresentei ao próprio candidato, aos coordenadores da campanha. Estava atrasado, tomando café em casa, e esperei para ver a largada e as primeiras voltas do Grande Prêmio de Fórmula Um de Ímola, na Itália. Assisti em choque à batida de Ayrton Senna no muro de proteção do autódromo. Nos primeiros minutos não se podia ter noção da gravidade do acidente. Saí para o Congresso antes de o helicóptero de socorro retirar o piloto brasileiro do bólido de sua *Williams* destruída. Ouvi pelo rádio a informação da seriedade dos ferimentos e dos prognósticos ruins. Zonzo, entrei na Câmara pela chapelaria, no subsolo, e subi as escadas de mármore branco do Salão Verde, pensando nas cenas absurdas da batida. Encontrei o deputado José Dirceu dando uma entrevista. Esperei que concluísse e, pela amizade que tínhamos e porque não estava a apurar nada em específico ali, puxei-o para dar a informação do acidente com Ayrton Senna. Não havia notícia de morte ainda.

— Problema dele, Lula. Quem está na Fórmula Um sabe os riscos que corre. Além do quê, o Senna é um brasileiro que alcança tudo lá fora, mas não tem nenhuma história de olhar para os problemas do Brasil real. Ele é descolado da realidade.

— Zé, por favor, não fala isso por aí. Se o Senna morrer vai ser uma tragédia para o país, vai ser uma tragédia que impactará tudo e todos. Vocês vão ter de enaltecer o Senna.

— Não vai morrer, companheiro. Tem todo o aparato médico lá.

Despedimo-nos. Ele foi para a Liderança do PT. Eu, para o Espaço Cultural da Câmara, onde havia um gabinete reservado para o presidente da Câmara e para o secretário-geral da Mesa, Mozart Viana. Conhecendo os caminhos pelos quais as portas se abriam, entrei no gabinete de Mozart e liguei a TV que ele tinha lá. Era o exato momento em que o locutor Galvão Bueno anunciava a morte do piloto, tricampeão mundial de Fórmula Um, um herói nacional. "Lamento dizer. É uma notícia muito triste para todos. Lamento dizer. Ayrton Senna da Silva está morto."

Há momentos que, de tão dramáticos, tornam-se inesquecíveis instantaneamente em nossa memória auditiva. A morte de Senna era daquele tipo. Subi as pequenas escadas de mármore negro que levam do Espaço Cultural para o Salão Verde da Câmara. José Dirceu estava novamente dando entrevista. Havia mais luzes, mais cinegrafistas, mais repórteres. Não percebi burburinho de perguntas. Não era um quebra-queixo costumeiro. O ar estava pesado. As faces, contritas. Inclusive a do deputado petista.

— É um dia muito doloroso para todos nós — dizia ele.

Não demorei meio segundo para entender o que se passara entre nossos dois encontros naquele mesmo salão, ele sempre cercado de jornalistas.

— Ayrton Senna era um herói brasileiro. As vitórias dele simbolizavam a perseverança do nosso povo. O partido vai se pronunciar oficialmente — disse Dirceu.

Quando as luzes de TV foram desligadas e os *flashes* dos fotógrafos pararam, ele me fitou. Sabia que meu olhar estava a observá-lo como a dizer: "não acredito nisso, não acredito no que ouvi". Permanecemos sérios. Estendi a mão para ele.

— Fez certo.

Telefonei para Paulo Moreira Leite, o redator-chefe de *Veja* que estava em Brasília porque também desejava cobrir o Congresso Nacional do PT. Alcancei-o no hotel. Falei da morte de Senna, que ele já sabia. "E daí?", perguntou-me. "Hoje é domingo." Argumentei que a morte de Senna nos obrigava a fazer uma edição especial da revista. Ele disse que não, que algo como aquilo sairia muito caro. Insisti. Eu era aficionado das corridas de automóveis. Torcia mais até por Nelson Piquet do que por Ayrton Senna. Idolatrava Gilles Villeneuve enquanto viveu e correu. Tinha profunda admiração pelo estilo de Keke Rosberg. Não gostava de Carlos Reutman nem de uma figura ascendente nos *grids* daquele ano chamada Michael Schumacher. "Pode ser", aquiesceu PML. "Vou ligar para o Mário Sérgio e te dou retorno. Liga em dez minutos."

Esperei os dez minutos.

— Vamos fazer a edição extra da morte do Senna. Vá para a sucursal, avise o Oinegue, chame quem puder ir para lá. Vamos distribuir os trabalhos. Claro que a maior parte será feita por São Paulo — informou-me Paulo Moreira quando liguei.

Como era esperado, o impacto da morte de Ayrton Senna abateu todo o Brasil. Na sucursal, coubera-nos fazer rebarbas da apuração mais sofisticada, técnica, para aquela edição extra que mandaríamos à gráfica às 22 horas do domingo. A única coisa realmente relevante a fazer em Brasília era entrevistar Nelson Piquet, o outro tricampeão brasileiro da categoria, que mora na cidade. Pedi para ir. Piquet marcou comigo às 18 horas em sua casa. Morava numa espécie de fazenda urbana a 45 quilômetros do prédio da revista na capital. Cheguei um pouco antes. Temia atrasos. Esperei encontrar um ambiente de contrição. Nada. Era uma tarde abafada de domingo. Ele me recebeu na sala. Perguntei-lhe se ficara chocado com as cenas do acidente e a morte do piloto brasileiro. Os dois nunca foram amigos. Ao contrário, protagonizaram alguns dos melhores momentos de rivalidade nas pistas de F1 em todos os tempos.

— Não, não fiquei chocado. Quem decide correr na Fórmula Um sabe que isso pode acontecer. O Ayrton certamente sabia que isso podia acontecer. É lamentável para o esporte, mas ele tinha consciência que isso estava no horizonte dos possíveis acontecimentos.

A partir daquela resposta, estabeleci um bloqueio emocional a tudo o mais que Nelson Piquet falaria. Em síntese, contudo, ele repetira o pragmatismo de José Dirceu antes da notícia de que o acidente fora fatal. Tão perto, tão longe.

*   *   *

Sabia que a *Folha da Tarde* dedicaria longo espaço à morte de Ayrton Senna. Além de tricampeão mundial, ele era paulistano. O jornal, um vespertino ligado à *Folha de S. Paulo*, tinha a circulação intimamente ligada à cidade de São Paulo. Quando regressei à sucursal para escrever o depoimento de Piquet, aproveitei para ligar para Patrícia. Eu iria acompanhar os funerais e o enterro de Ayrton Senna. Quem sabe a encontraria? Um tema integralmente externo à política poderia ser o argumento plausível para nos unir de novo numa cobertura — daquela vez, imaginava, como amigos. Poderíamos testar se o tempo e a distância tinham operado o que pactuamos — a três — deixar que o tempo e a distância operassem. Consegui o número geral da redação da *Folha da Tarde* e liguei para lá. Falei com três pessoas antes de conseguir ser atendido por ela.

— Oi. Há quanto tempo! Você ainda existe? — respondeu ela ao pegar o telefone já sabendo quem estava do outro lado da linha.

— Sim. Na vida. E você? Muito trabalho com a morte do Senna?

A conversa seguiu por aí até que eu disse que iria a São Paulo dali a dois dias. E que, em razão da cobertura da campanha de Lula, passaria a ir todas as semanas. Convidei-me para um café. Ela me disse que estava morando no Paraíso, um bairro paulistano. O apartamento, que dividia com duas amigas, era próximo à Avenida Paulista. Marcamos o café. Não foi apenas um café.

— Apaixonar-se é um ato político — disse a ela quando me despedi. — Carece de coragem e de loucura.

Voltei para Brasília dias depois e, em semanas, separei-me de Cristina pela primeira vez. Silvânia Dal Bosco, repórter de *Veja*, tirara longas férias junto com a amiga com quem dividia apartamento e ofereceu-me as chaves para que me mudasse temporariamente para lá. Aceitei. Morei na casa de Silvânia enquanto Cristina esperava o início das férias escolares de junho para voltar ao Recife com nosso filho, Rodolfo. Dividia-me entre a culpa pela separação e a expectativa por tudo o que poderia vir. Foram semanas intensas.

Havia ainda a Copa do Mundo. A Seleção Brasileira estreara bem. Melhor que isso, jogara bem toda a primeira fase. Melhor ainda, passara pelos Estados Unidos nas oitavas de final num 4 de Julho americano. No dia 9 de julho, o Brasil jogaria as quartas de final contra a Holanda. Patrícia estava indo para Brasília. Seria o primeiro jogo que veríamos juntos naquela Copa que, enfim, parecia ter engatado para o nosso lado. Organizei tudo para assistir ao jogo com ela, a sós. Ela não chegou, a Seleção venceu numa das partidas mais sofridas da história das Copas: perdera o voo, disse-me. Nunca quis acreditar. Encontramo-nos à noite. Pela primeira vez, experimentamos certa frieza onde antes só havia planos e entusiasmo. Quatro dias depois, assistimos separados por duas cidades a vitória sobre a Suécia. Um a zero. Iríamos a uma final de Copa do Mundo pela primeira vez desde 1970. Rodolfo faria quatro anos numa festa no sábado, véspera da final. Eu iria para o Recife. Eu e Patrícia assistiríamos a Brasil x Itália distantes. O tema da festa de meu filho, claro, era a Copa. Empolgação geral. Pela primeira vez desde que eles haviam deixado Brasília, reencontrava Cristina e Rodolfo. Vimos juntos o jogo e a disputa de pênaltis, que deu o tetracampeonato mundial à Seleção. O clima mudara em tudo. Fomos os três, juntos, celebrar pelas ruas do Recife.

— Vamos tentar novamente? — pedi a Cristina no fim da noite.

— Vamos — aceitou ela, depois de uma longa conversa sobre condicionantes.

Patrícia esperava um telefonema durante as comemorações do título brasileiro. Não dei. Ela jamais entendeu. No dia seguinte, quando liguei para a redação da *Folha da Tarde*, ela entendera tudo antes de escutar o tanto que tentei falar. Desligou com frieza. "Não me ligue nunca mais", ordenou.

Cristina e Rodolfo voltariam a Brasília no fim das férias. Eu retornei para nosso apartamento na Superquadra 206 Norte naquele mesmo dia. Entrei no avião da *Transbrasil* estacionado no aeroporto dos Guararapes e o som ambiente tocava Frank Sinatra. Naqueles tempos, os aviões tinham música boa a embalar os embarques. *My Way* era a faixa, versão do show do *Carnegie Hall*, em 1974. Estava definitivamente incorporada à trilha sonora de minha vida.

* * *

Saí do Recife, de volta para Brasília, poucas horas antes de a Seleção tetracampeã regressar ao Brasil. O desfile dos campeões com a Copa do Mundo nas mãos começaria pela capital pernambucana. De lá, seriam recebidos no Palácio do Planalto e, depois, seguiriam para o Rio de Janeiro. Dias intensos se anunciavam, e a tensão dos problemas da vida privada se dissiparia quando mergulhasse de cabeça na rotina de trabalho.

A festa nas ruas recifenses e nos eixos Estrutural e Monumental, as maiores avenidas brasilienses, fora catártica para um povo que esperava havia 24 anos por aquela celebração. Uma reportagem do correspondente da *Folha de S. Paulo* em Washington, Fernando Rodrigues, que cobrira o campeonato mundial de futebol para o jornal, informava o pouco comum e abusivo embarque de uma carga monumental de eletroeletrônicos e eletrodomésticos no avião fretado da companhia aérea *Varig*, que trazia de volta os jogadores, a comissão técnica e os familiares dos campeões brasileiros. Alertado pela reportagem da *Folha* e intrigado com as insistentes reuniões que a *CBF* tentara manter sobre o desembarque do escrete nacional e o desembaraço das bagagens, o secretário da Receita Federal, Osiris Lopes Filho, tomou suas providências.

Auditor de carreira da Receita, advogado, homem de palavras duras e desprovido de sutilezas, Osiris estava aposentado aos 54 anos e aceitara o convite de Itamar Franco para assumir a Receita Federal no mesmo dia em que Fernando Henrique Cardoso virara ministro da Fazenda. "Para mim, a melhor política tributária é o *Jornal Nacional* e imposto bom é imposto velho", avisou ele ao ministro que entrava. Fernando Henrique, que escutara o deputado José Serra falar muito bem do secretário, pediu que explicasse a frase. Osiris não se fez de rogado: "Temos poucos fiscais. Se escolhermos bem os alvos que serão fiscalizados, gente do *high society*, grandes corporações, empresas cujas marcas têm alto impacto na população e jogadores de futebol e artistas, vamos sempre gerar notícia sobre ações do Fisco. Aí o povo passa a temer a Receita e parece que temos milhares de fiscais", disse, explicando a primeira parte do raciocínio. "E imposto velho é bom porque a gente sabe como cobrar, o contribuinte sabe como pagar, e só erra quem quer sonegar. Esse negócio de fazer Reforma Tributária exige um tempo de ajuste em que a Receita pode errar e a arrecadação cai. Por isso, imposto bom é imposto velho", completou. Ficou no cargo por toda a gestão de FH na Fazenda.

Como estavam só de passagem por Recife e Brasília naquele dia de festa, os jogadores da Seleção somente precisariam desembaraçar no Rio de Janeiro as bagagens trazidas dos Estados Unidos. Havia uma determinação prévia, exarada pela Receita, para que todos os passageiros do voo do troféu levassem suas bagagens de mão ao pousarem no Rio e regressassem ao Galeão no dia seguinte, ou até dois dias depois, a fim de supervisionarem a vistoria de suas cargas e pagarem os impostos devidos — se fosse o caso. Como deferência, o secretário Osiris Lopes Filho permitira até que o desembaraço fosse efetuado por um representante dos jogadores mediante autorização simples assinada por eles. Deu tudo errado.

Eu e Eduardo Oinegue fizemos hora na sucursal de *Veja* depois que o cortejo de carros do Corpo de Bombeiros com a delegação da Seleção Brasileira se dirigiu para o aeroporto Juscelino Kubitschek. Tínhamos um jantar com o secretário da Receita, Osiris Filho, e a mulher dele, Malvina. O casal chegou pontualmente às 21 e 30 no *Mitsubá*, restaurante japonês que ficava dentro do *Hotel Naoum*. Ofereceram-nos um dos cubículos reservados nos quais se entrava sem sapatos e era necessário sentar no chão de pernas cruzadas. Osiris tinha 1,87m; eu, 1,85 e Eduardo, 1,92. Malvina não era uma mulher baixa. Recusamos, ante o potencial desastre que poderia ocorrer. Acomodamo-nos a uma mesa. Pedimos *sunomono, missoshiro* e um combinado de *sashimis*. Quatro saquês, também. O secretário levava consigo um telefone celular daqueles modelos pré-históricos, que pareciam um tijolo. Não tínhamos terminado as entradas quando a *hostess* do restaurante interrompeu a conversa, dizendo que havia um telefonema para Osiris no balcão do bar. Ele foi até lá. Ao regressar, disse-nos que o secretário-geral da Presidência, Mauro Durante, aguardava uma ligação sua. "Querem ver que vão pedir para que eu libere a bagagem dos jogadores?", disse-nos, antes de começar a discar o número 211-1804 do celular que levara à mesa. "Osiris, você não vai liberar nada", decretou Malvina. "Claro que não", respondeu o secretário, ainda esperando ser atendido do outro lado. Não o preocupava ter dois jornalistas como testemunhas.

— O Mauro, por favor — pediu ao ouvir uma voz dizer "alô" do outro lado.

— Quem deseja falar? — escutou de volta sem reconhecer com quem falava.

— Osiris.

— Ô Osiris, tudo bom? É o Hargreaves — voltou a responder a voz. Era o ministro da Casa Civil, que estava por acaso na mesa do colega Durante, ainda àquela hora no Palácio do Planalto. — O Mauro não está aqui agora, mas sei o que ele quer falar com você. Parece que está havendo um problema com os jogadores e a Receita no desembarque lá no Rio. Eles estão ameaçando jogar as condecorações no chão e não desfilar nas ruas se as bagagens não forem liberadas. Dá para liberar?

A conversa era testemunhada por mim e por Eduardo, além da mulher do secretário. Do outro lado da linha Henrique Hargreaves falava com tranquilidade, porém alto o suficiente para que ouvíssemos. O volume do celular estava no máximo.

— Não posso fazer nada. Já mandei o encarregado deixar a bagagem lá no aeroporto, proteger com uma rede para ninguém mexer e só vistoriar amanhã. Não dá para liberar — respondeu Osiris. — O que tiver de ser liberado, será liberado. O que tiver de pagar imposto, vai pagar imposto.

Eram 12 toneladas de bagagem extra, acima do limite permitido, que os jogadores, seus familiares, a comissão técnica e os dirigentes da CBF traziam para o Brasil. Estimulados por Ricardo Teixeira, queriam conquistar o direito de entrar no país com toda aquela mercadoria sem que fossem respeitados os trâmites alfandegários legais. O lateral Branco, que fizera o gol decisivo na vitória por 3 a 2 contra a Holanda e pusera a Seleção nas semifinais, tinha 12 mil dólares em mercadorias. O limite de compras para cidadãos brasileiros, no exterior, naquela época, era de 500 dólares. O técnico Carlos Alberto Parreira tentava entrar em território nacional com uma televisão de cinco mil dólares, por exemplo.

Àquela altura, com o impasse legal, os campeões mundiais de futebol tinham deixado o avião fretado, estavam em pé na pista do Galeão, tinham retirado de seus pescoços as medalhas de mérito esportivo concedidas por Itamar Franco na passagem pela capital federal e, liderados por Romário, diziam que não desfilariam pelas ruas do Rio. "Tome aqui, confisque a Taça do Mundo também", desafiou Branco dirigindo-se ao chefe da fiscalização do Galeão, Belson Martins. Disse aquilo e entregou o troféu da Copa nas mãos do fiscal.

— E se os caras não quiserem desfilar no Rio por causa disso, Osiris? O que eu faço? — perguntou o ministro da Casa Civil.

— Problema deles, Hargreaves. Não podemos agir de forma diferente com esse pessoal. Não quero atrapalhar a festa. Eles podem voltar amanhã ao aeroporto para liberar as bagagens.

A bateria do celular acabou — aqueles celulares antigos tinham baterias fraquíssimas. O secretário da Receita levantou e foi ligar para o ministro da Casa Civil do balcão do bar do restaurante. Com um gesto, Eduardo pediu que eu o acompanhasse. Afinal, estávamos ouvindo e anotando tudo mesmo. Osiris conseguiu ser atendido de imediato pelo ministro em nova ligação.

— A situação está se complicando. Terei de comunicar isso ao presidente — disse Hargreaves.

Osiris combinou de ligar dali a cinco minutos para saber a posição de Itamar. Ficamos no bar, papeando no balcão, enquanto esperamos aquele tempo. Novo telefonema.

— O presidente estava vendo todo o rolo pela televisão e disse a ele o que você me disse. Ele ouviu.

— E?

— E disse que não entendia as coisas como você entende. Como ficamos?

— Como eu disse — encerrou Osiris.

Desligaram tensos um com o outro e sem nada resolvido. Já passava das 23 e 30 horas. A Seleção não saíra para o desfile nas ruas do Rio. Ricardo Teixeira, presidente da CBF, telefonou para o ministro da Casa Civil. Estava descontrolado. Argumentava que os jogadores não desfilariam e que haveria grande confusão. Aos gritos, passou o telefone para o fiscal da Receita no Galeão, Belson Martins. O funcionário público jamais imaginara falar diretamente com o homem a quem cabia coordenar a ação de todo o governo. Era um superior de seu superior, o secretário da Receita. Na escala da hierarquia de governo, a conversa toda era uma heresia. Hargreaves não disse nem para liberar, nem para segurar as mercadorias dos campeões. Informou ao barnabé que entraria em contato com o ministro da Fazenda, Rubens Ricúpero. E entrou. Passando por cima da autoridade de Osiris, o embaixador Ricúpero, que ficara no cargo de Fernando Henrique na Fazenda, ligou direto para o posto do Fisco no Galeão. Quando o fiscal Belson o atendeu, sabendo que estavam todos sendo atravessados naquele procedimento por um monumental abuso de autoridade, falou logo: "ministro, acabei de liberar o pessoal. Liberei tudo". Ricúpero apenas respondeu "ainda bem, era o que tinha de ser feito".

Enquanto o fiscal da Receita no aeroporto do Galeão e o ministro da Fazenda se falavam, Osiris voltava para a sua casa no Lago Sul com a esposa, Malvina, dirigindo seu carro. Chegou em casa por volta de meia-noite e 40 e soube que as cargas do voo da seleção haviam sido liberadas sem o pagamento do imposto devido. Telefonou para seu imediato na Secretaria e comunicou que ia se demitir. Em seguida, ligou para Mauro Durante, o secretário-geral da Presidência que o indicara para o cargo.

— A preocupação de Itamar era liberar logo tudo. Entenda, secretário, os jogadores são heróis nacionais. Não podem devolver as medalhas, não podem fazer abaixo-assinado contra o governo. Seria a desmoralização do presidente — tentou explicar Durante.

— Mauro, isso mostra que temos concepções de Estado completamente diferentes. Aí fica difícil. Estou fora — devolveu Osiris.

— Fora como?

— Fora do governo.

O secretário da Receita encerrou o telefonema com o Palácio do Planalto, redigiu o esboço de uma carta de sete parágrafos em que justificava sua demissão ao ministro da Fazenda e ligou na mesma madrugada para Eduardo Oinegue, contando o desfecho da conversa que se iniciara durante nosso jantar. Eduardo me ligou.

No dia seguinte, o chefe da sucursal de *Veja* amanhecia na casa de Osiris para fazer uma deliciosa reportagem sobre o passo a passo da decisão do secretário que era odiado por empresários, corporações e sonegadores em geral. Abri minha agenda de compromissos naquela manhã atrás do conteúdo real da portentosa carga trazida dos Estados Unidos pelos campeões mundiais de futebol e, sobretudo, pelos cartolas da CBF. Entre os 12 mil quilos de mercadorias não vistoriadas pela alfândega por ordem palaciana, estava até uma microcervejaria completa. O dono dos equipamentos era Ricardo Teixeira. Ele instalou a traquitana cervejeira em um bar, *El Turf*, localizado no *Jóquei Clube* do Rio de Janeiro.

O episódio não respingou na campanha de Fernando Henrique. O candidato oficial fora preservado, apesar de toda a lambança ter ocorrido entre a República de Juiz de Fora e parte da turma que deixara na Fazenda. Já fortemente entusiasmados com a candidatura tucana, os donos do capital viram na demissão de Osiris Lopes Filho motivos de regozijo: odiavam-no por seus métodos duros e por suas ações espalhafatosas.

O PT não soube transformar o escândalo do "voo da muamba", como se popularizou toda a confusão em torno da liberação das bagagens da Seleção e dos cartolas, em capital eleitoral. Ao contrário, a candidatura de Lula, que tentava pela segunda vez se eleger presidente, mergulhara numa crise justo naquela semana. Candidato a vice-presidente na chapa do PT, o senador José Paulo Bisol, do PSB, foi acusado de apresentar emendas superfaturadas ao Orçamento da União para beneficiar o município de Buritis, em Minas Gerais, na divisa com o Distrito Federal. Ali, ele possuía uma fazendola. A acusação era falsa, mas Bisol foi defenestrado pelos próprios petistas. O deputado Aloizio Mercadante assumiu a candidatura a vice-presidente.

Uma pesquisa do *Instituto Gallup*, fechada no dia da final da Copa do Mundo, apontava empate entre Lula e Fernando Henrique. Ambos tinham 30% das intenções de voto. Em 30 dias, o petista caíra sete pontos e o tucano subira 15 pontos percentuais, de acordo com o *Gallup*. Era o ponto de virada.

* * *

Na primeira semana de agosto, o candidato do PSDB à Presidência ultrapassou o do PT. O Plano Real, a bem-sucedida troca de divisas ocorrida no Brasil, a inflação declinante, a valorização da moeda brasileira ante o dólar e até o tetracampeonato mundial de futebol, tudo aquilo explicava a ascensão vertiginosa de Fernando Henrique.

A aposta contra o Real, a ausência de um programa de governo que tranquilizasse os setores mais conservadores e a desastrada troca do candidato a vice na chapa petista eram motivos suficientes para arrumar culpados para a caminhada ladeira abaixo de Lula. A imprensa, de forma geral, contudo, fazia uma cobertura enviesada daquela campanha. Inclusive nós, em *Veja*. Havia uma clara torcida pelo tucano, manifestada no tom da cobertura, na escolha das pautas, na divisão desproporcional do espaço concedido a cada candidato. O único momento em que se verificou algo diferente foi no início de setembro de 1994, quando, involuntariamente, o ministro Rubens Ricúpero baixou a guarda, teve uma conversa absurdamente antirrepublicana captada por microfones de um canal de satélite alugado pela *Rede Globo* e pôs em risco ao menos a vitória de FH em primeiro turno.

Sim, vencer em primeiro turno era cenário que passara a ser considerado plausível diante do avanço vertiginoso do ex-ministro da Fazenda.

Depois de conceder uma entrevista ao *Jornal Nacional*, ao vivo, dos estúdios da emissora em Brasília, Ricúpero permaneceu na TV para ser entrevistado pelo jornalista Carlos Monforte para o *Jornal da Globo*, que iria ao ar depois das 23 e 30 horas. Enquanto o ministro esperava o início do outro telejornal, Monforte fez sala para ele. Estavam dentro do estúdio de gravação e os microfones do canal de satélite *Brasilsat* estavam abertos. Quem tinha antenas parabólicas pôde capturar a conversa.

Mantido sob sigilo do *off* jornalístico, o diálogo não teria nada demais. Era apenas uma troca de opiniões e informações entre uma fonte privilegiada e um bom repórter. Captado desastrosamente, disponível para ser ouvida por quem não possuía o estômago dos jornalistas de Brasília e divulgado no calor de uma campanha eleitoral, contudo, foi o suficiente para incinerar o patrimônio de Rubens Ricúpero — sua respeitabilidade conquistada na sociedade — e iniciar uma crise política rapidamente debelada no núcleo da campanha tucana.

MONFORTE: E o IPC-r *(Índice de Preços ao Consumidor em Real, um dos principais índices de mensuração da inflação semanal naqueles tempos)*, como está? Fica esse mesmo índice ou acaba logo tudo de uma canetada só?

RICÚPERO: Não, não. Agora em setembro ele cai, viu? Eu não vou dizer, porque eu não quero anunciar. Mas eu já sei que, na primeira quadrissemana, o IPC-r já caiu muito.

M: Mas então fala isso, pô.

R: Mas é que não anunciamos antes. Não dá para anunciar agora, senão o pessoal do PT vai dizer que nós... Daqui, quem sabe, a semana que vem eu deixo divulgar. Mas vai cair. Eu sei que vai, porque eu tenho os dados.

M: Mas por que o IPC-r virou essa loucura? Deu essa derrapada?

R: Eles fizeram um tremendo erro metodológico. Eles botaram todo o aluguel de uma vez só, inclusive o aluguel que tinha aumentado antes do período. O Pastore *(Affonso Celso)* deu uma entrevista mostrando isso lá em São Paulo. Mas é difícil, porque se você mexesse no IPC-r iam dizer que estava manipulando.

M: É.

R: Há uma tese também, um grupo que diz que o IBGE é o covil do PT.

M: O quê?

R: O covil do PT.

M: O que é o covil?

R: O IBGE.

M: Ah é?

R: Eu não sei se é verdade. Mas tem gente que está convencida disso. O pessoal daqui diz que não e tal. O pessoal aqui é meio ingênuo. Eu não excluo a hipótese de que tenha havido alguma coisa. Porque você vê, o IPC-r é o único que deu isso, né? É um pouco suspeitoso, não é verdade?

M: Mas não adiantou de nada, né? Fernando Henrique até cresceu nas pesquisas. Os juros deram uma subida de novo?

R: É porque estava havendo aquela suspeita. É um pouco preventivo, é uma freada no ônibus para dar uma arrumada.

M: Mas será que precisava?

R: Havia sinais. Com essa história de IPC-r, de reajuste, o pessoal queria fazer greve, então tinha de dar uma pancada. Eu vou dar outra com o negócio da importação. Isso não é brincadeira. Vou fazer um troço firme.

M: Não é importação de carro? É importação de tudo?

R: Eu estou cheio de reservas, pô. Para mim é ótimo.

M: Importação de quê, sobretudo? Vai baixar tudo? Vai liberar tudo?

R: Não. Tudo não digo. Mas, enfim, em grande parte, tudo o que é bem de consumo. Vamos fazer uma coisa grande.

M: Bem de consumo o que? Televisão, geladeira, esse negócio todo?

R: O que você menciona. Tudo de consumo durável. Porque é o único jeito que você tem de garantir que não vai (*sic*) faltar esses produtos. Esses caras... Você está jogando aí é com bandidos. Esses caras...

M: Esse negócio de IPC-r baixando, eu acho muito importante falar.

R: Eu vou te prometer o seguinte: se eu conseguir convencer o pessoal, na segunda-feira eu te dou uma primazia. Eu preciso conversar com ele, com a equipe econômica, senão eles me matam. Você me entende. Esse pessoal tem toda aquela corporação de economistas. É um negócio complicado. Vão perguntar: por que você proibiu a divulgação naquela vez, a primeira quadrissemana, que era ruim, e agora que é bom, divulga? Vão perguntar. Que no fundo é isso mesmo: eu não tenho escrúpulo. O que é bom a gente fatura; o que é ruim, esconde.

M: Agora, ministro, uma curiosidade minha. O senhor andou batendo no PSDB.

R: Dei umas porradinhas e parei né? É por causa do Gustavo Franco *(diretor do Banco Central na época)*. Se eu não tivesse feito isso, ele teria sido demitido. Toda vez que há um troço desse, é preciso reequilibrar. Porque você viu: começava a vir o Tribunal Eleitoral, não sei o quê. Então, para mostrar absoluta isenção, eu dou um cacete nele. Porque senão ficam questionando a minha isenção, né? A única forma que eu posso provar o meu distanciamento com o PSDB é criticando o PSDB.

M: E o negócio da gasolina, também não é um pouco precipitado não? Falar que pode baixar o preço, e tal?

R: Eu falei para criar um pouco de... Você sabe... Estava todo mundo falando do IPC-r e tal... Eu faço um clima, diversão. Faço essas coisas um pouco por instinto. Armo uma confusão. Não tenha dúvida, esse não é um país racional.

M: Uma das maiores fãs suas, talvez a maior, é dona Inês, minha sogra.

R: Ela me vê sempre. O pessoal de uma certa idade, em geral, gosta muito de mim. Eu tenho muito ibope com esse pessoal. Você pode ver se nesse fim de semana tem o negócio do *Fantástico*? Eu posso gravar também.

M: O *Fantástico* é com a Nereide Beirão. Eu falo com ela.

R: Pode falar. Estou disponível. Vou ficar aqui o fim e semana inteiro. Eu acho bom, porque nessa fase, meu caro, principalmente nessa fase, principalmente por causa dessa coisa do IPC-r, eu estou querendo ficar no ar o tempo inteiro. Eu não estou preocupado com isso, com essas coisas sobre o que vou fazer depois do governo Itamar.

M: Mas é para Roma, que você vai?

R: Assim seria melhor, porque eu descanso. Muito entre nós, para não parecer presunçoso: o Fernando Henrique precisa mais de mim do que eu dele. Porque eu vou terminar esse troço.

M: Não tenho a menor dúvida.

R: Que você não diga para outra pessoa: eu vou terminar esse governo, eu vou estar com índices, se tudo der certo. O problema vai ser ele, Fernando Henrique, explicar não me convidar. Você sabe, eu não digo isso, há inúmeras pessoas que me escrevem, que me procuram, que me dizem que vão votar nele por causa de mim. Aliás, ele sabe disso. O grande eleitor dele hoje, sou eu.

M: Não tenho a menor dúvida.

R: Por exemplo, para a *Rede Globo* foi um achado: porque ela, em vez de ter que dar um apoio ostensivo a ele, botam (*sic*) a mim no ar e ninguém pode dizer nada. Agora, o PT está começando a dizer, mas não pode. Eu estou o tempo todo no ar e ninguém pode dizer nada, não é verdade? Isso não aconteceu da outra vez, em 1989. Essa é uma solução, vamos dizer, indireta, não é?

M: Eu não tenho dúvida, porque muita gente vai votar nele só...

R: Eu ouço muita gente dizendo que não votaria nele por causa do PFL, mas vai votar por minha causa.

Um técnico fala ao fundo: Está tudo indo via satélite. Canal aberto. Qualquer coisa que vocês falam aí, o sinal está pegando e transmitindo.

R: Então já pegaram... Falamos demais...

R: *Respondendo ao seu celular, que toca dentro do bolso e ele atende. Era o repórter Alexandre Garcia, que estava em casa:* Oi, fala, diga. Tudo bem. Nós já estamos sabendo aqui. Então tá. Tchau. Olha, ministro, não é para falar mais nada. Estão pegando toda a nossa conversa na parabólica.

R: Deviam ter me avisado antes. A gente está conversando aqui há meia hora.

Eu estava na sede nacional do PT, em São Paulo, quando começaram a chegar as primeiras informações sobre o vazamento da conversa entre Rubens Ricúpero e Carlos Monforte. Lula, Aloizio Mercadante, o historiador Marco Aurélio Garcia, presidente do

PT paulistano, os jornalistas Ricardo Kotscho e Kennedy Alencar, assessores do candidato petista e alguns dirigentes partidários estavam numa reunião de definição de agenda.

— Acho que vocês terão uma boa notícia hoje — disse, pondo a cabeça numa fresta da porta da sala onde estavam.

— O Zé Dirceu acabou de me ligar para dizer isso. A fala do Ricúpero, né? — respondeu Lula.

— Exato.

— Vocês vão dar ao menos isso, Lulinha? A *Veja* não dá nada de minha campanha. É entrevista de Fernando Henrique na capa, é Plano Real, é entrevista do Ricúpero falando como o Real vai salvar o país e como Fernando Henrique é o pai dessa criança... — cobrou o candidato do PT.

Tinha razão. Internamente, nas reuniões da revista, eu mesmo cobrava o desequilíbrio.

— A *Veja* paga para você viajar o Brasil todo comigo e não dá uma linha sequer sobre o que a gente faz, sobre o que a gente vê. Quando acontece um problema em nossa campanha, como foi o caso do Bisol, matéria! E agora? Vão dar?

A cobrança de Lula era legítima. A irritação dele com os pesos e medidas diferentes da publicação da Editora Abril, que era o carro-chefe da mídia impressa nacional, idem.

Naquela semana, contudo, a capa de *Veja* traria uma foto soturna do ex-ministro da Fazenda com uma reprodução entre aspas da frase central de sua fala desastrosa captada pelo sinal via satélite da *Globo*: "Eu não tenho escrúpulo: o que é bom a gente fatura; o que é ruim, esconde". E a manchete: "A chocante conversa que derrubou Ricúpero".

O tom da reportagem era tão ácido contra o embaixador que sucedera a Fernando Henrique no ministério da Fazenda e vinha cumprindo papel central na campanha do tucano, que um repórter recém-contratado por mim para auxiliar a cobertura de economia em Brasília pediu demissão. Leonardo Attuch, jornalista que concluíra havia pouco tempo o curso de Jornalismo na UnB, era amigo de infância de Bernardo Ricúpero, filho do ex-ministro. Eu pedi que ele auxiliasse nossa apuração buscando bastidores da família Ricúpero. A mão pesada editorial daquela edição levou Attuch a pedir demissão na segunda-feira seguinte àquela capa.

Quanto ao PT, era reduzidíssima a margem de manobra para projetar viradas eleitorais.

Ciro Gomes deixou o governo do Ceará quatro meses antes do fim do mandato e aceitou o convite para ser ministro da Fazenda. Seria o sexto a ocupar o cargo durante o governo de Itamar Franco, um mandato curto de intensos e emocionantes 27 meses. Ciro não fora lembrado por Fernando Henrique, muito pelo contrário: o ex-ministro e candidato tucano sugeriu o então presidente do *Banco Central*, Pedro Malan, ou o economista Edmar Bacha para o cargo. Bacha era um dos pilares intelectuais do Real. Em último caso, FH faria ponte com Clóvis Carvalho, o xerife pessoal que deixara na Secretaria Executiva da Fazenda, para que virasse ministro-tampão. Itamar não quis e foi dele a ideia e o convite ao governador cearense. Ciro não pestanejou. Aceitou e sentou praça em Brasília.

* * *

O almoço estava marcado para o *La Tambouille*, restaurante francês considerado o fino da bossa naqueles meados dos anos 1990, em São Paulo. Mário Sérgio Conti pediu que eu chegasse à cidade em cima da hora. Nosso encontro estava marcado para as 12 e 45 horas. Acrescentou, ainda, de forma explícita, que eu não devia passar na sede da revista nem antes, nem depois da conversa que teríamos. Não sabia o assunto. Havia três semanas, dedicávamo-nos em Brasília a saber quem seria quem no governo Fernando Henrique Cardoso. Demarcávamos as fontes de cada um — Expedito Filho à frente, claro, pois o presidente eleito o adorava. O tucano vencera Lula, do PT, elegendo-se no primeiro turno, com 34,3 milhões de votos — 54,3% dos votos válidos para presidente, em 1994.

Cheguei antes do diretor de redação. Pedi um *carpaccio* de filé, um vinho do porto, um suco de tomate para esperá-lo. Em menos de 20 minutos, Mário chegou. Eu tinha uma vaga ideia do tema da conversa. Imaginava que ele sacramentaria a sucessão na sucursal de

Brasília, confirmando Expedito no lugar de Eduardo, como chefe da sucursal. Para mim poderia haver um novo projeto: mudar para São Paulo, de repente, ou assumir um dos postos de correspondentes no exterior. Em seu auge, *Veja* mantinha escritórios em Nova York, Washington, Paris, Londres, Roma, Tóquio e Buenos Aires.

A conversa começou com um relato meu sobre a cobertura da campanha presidencial. Ele me pediu para analisar criticamente o desempenho de nossa publicação. "A cobertura da campanha de Fernando Henrique foi excepcional", disse. "Conseguimos mostrar tudo." Porém, não deixei de falar exatamente o que era necessário. "Mas fomos desequilibrados. Lula sumiu na revista. Não cobrimos a campanha do PT. Eu praticamente não escrevi reportagens esses meses todos." Ele redarguiu. "Tínhamos o Plano Real para cobrir. O PT errou ao desprezar o Real." Retruquei. "Isso era exatamente o que o PSDB queria: falar do governo como apoio à campanha de Fernando Henrique." Calamos por alguns segundos. Passei por um escrutínio facial. Senti que todos os meus movimentos estavam sendo observados.

— O que você acha de chefiar a sucursal de Brasília? — Mário me perguntou.

Pela segunda vez recorreria à pouca idade para confirmar se queriam aquilo mesmo. Aos 21 anos fora convidado para comandar o escritório da revista no Recife. Agora, aos 26, o de Brasília. Um agravante estava posto à mesa: além de a importância relativa da sucursal brasiliense ser muito maior dentro da publicação, eu era o mais jovem de toda a equipe — dentre repórteres e fotógrafos.

— Acho que estou pronto, como profissional. Mas sou o mais novo de todos lá — respondi.

— É isso o que queremos. Mas dessa vez você não terá carta branca para mexer na equipe, ao contrário do que teve no Recife.

— Tem intocáveis?

— Tem. A equipe toda, a princípio. Expedito, principalmente.

— Ele sabe?

— Está sabendo agora. Expedito não tem perfil para chefiar. É um repórter espetacular.

— Concordo. Mas ele aceita?

— Vai aceitar. No futuro, se ele quiser, pode ser correspondente no exterior. Mas, pelo menos nos dois primeiros anos de Fernando Henrique, terá de ficar em Brasília. Ninguém terá mais fontes do que ele. Você tem a missão de se dar bem com ele.

— Eu me darei. Temos duas vagas de repórteres. Posso preencher?

— Pode, mas eu e o Oinegue aprovaremos.

— Ok. Eduardo vai para onde?

— Volta para São Paulo. Será editor-executivo.

As regras do jogo haviam sido modificadas. Depois de cobrir a candidatura derrotada à Presidência, eu ficara com o prêmio de herdar o comando da sucursal de Brasília de *Veja*. Acertamos que a troca de comando se daria na segunda semana de janeiro, tempo suficiente para que tivéssemos nos desincumbido das tarefas de cobrir a primeira posse presidencial efetivamente festiva em toda a história da capital que estreara como tal em 1960. Também seria a primeira vez que um presidente da República tomaria posse em 1º de janeiro, por força de uma lei de autoria de José Serra. Preocupado com execuções orçamentárias perdulárias e extemporâneas nos primeiros meses dos anos em que houvesse mudança de governo, ele conseguiu aprovar uma lei no Congresso, marcando as posses para o primeiro dia do ano no caso de prefeitos, governadores e presidente. Fernando Henrique Cardoso convocara uma festa como mandava o figurino: *black tie* nos salões do Itamaraty, a sede do Ministério das Relações Exteriores, cujo prédio é uma joia do gênio arquitetônico de Oscar Niemeyer. Brasília entrou em frisson por causa daquela posse presidencial.

Todos os homens convidados para o jantar da posse, no primeiro dia de janeiro de 1995, deveriam usar *smoking*. As mulheres, vestidos longos. Dois meses antes do evento marcado para ocorrer nos salões do Itamaraty, não havia mais *smokings* para alugar nem em Brasília. Nem em Goiânia, cidade a 200 quilômetros da capital. Raras vezes os alfaiates brasilienses receberam tantas encomendas. Indicado a ministro da Justiça, Nelson Jobim ajudou-me no aviamento de um *smoking* feito sob medida. Recomendou-me ao alfaiate dele, *Chicu's*, um maranhense que chegara à cidade em 1968. Pediu ao costureiro que me desse o mesmo desconto concedido a ele. Tanto Jobim quanto eu somos altos e largos, vamos dizer assim. Logo, a quantidade de pano necessária para cada terno ou *smoking* é um pouco além do padrão normal. "Não vou cobrar o pano extra", disse-me Francisco, o tal "*Chicu's*", ao tirar minhas medidas. "O ministro Jobim mandou dar a você o mesmo desconto que dou a ele: gasto o pano extra, mas vocês não pagam nada." Ajudou razoavelmente.

* * *

No dia 19 de dezembro de 1994, Pedro Collor morreu num hospital de Nova York. Foi vencido por um tumor no cérebro, metástase de um melanoma. As células cancerosas espalharam-se rapidamente pelo organismo dele. Passaram-se 40 dias entre o diagnóstico e a morte. Pedro tinha 42 anos. Na antevéspera do Natal fui a Maceió, para o enterro do homem que me dera a entrevista que fora o estopim do processo de *impeachment* por meio do qual o irmão, Fernando Collor, fora cassado e perdera a Presidência, em 1992.

O corpo do empresário pousou em Maceió, acompanhado pela mulher dele e pelos filhos, por volta das 14 horas do dia 22 de dezembro, transportado desde Nova York num voo fretado pela família. Mais de uma centena de pessoas o esperavam no aeroporto da capital alagoana. Alguns amigos de infância, alguns empresários, amigas de Thereza, funcionários da *Organização Arnon de Mello* e os irmãos Ana Luíza e Leopoldo aguardavam-no. Um cortejo silencioso percorreu os 30 quilômetros desde o aeroporto até a sede do grupo empresarial que Pedro comandou até ser declarado impedido pela mãe, em maio de 1992, quando se acendeu o estopim da deposição de Fernando Collor.

Dois velórios haviam sido montados. Um, na sede da *TV Gazeta*. Ali, uma Maria Thereza Pereira de Lyra Collor de Mello, devastada pela dor e pela agonia tão rápida quanto profunda que tomou conta do marido até matá-lo em menos de dois meses, localizou Leopoldo com o olhar e foi até ele.

— Seu irmão morreu sem rancor de nenhum de vocês. Você perdeu um grande irmão, um homem que poderia ter sido seu amigo para o resto da vida.

Sem palavras, o mais velho dos irmãos Collor de Mello abaixou a cabeça e chorou. Alguns repórteres se aproximaram. Balbuciou:

— Não falava com Pedro desde o início das denúncias dele. Estávamos afastados.

Ana Luíza chegou junto de todos e resolveu falar com os mais próximos.

— Nem depois dessa morte a família vai se unir. Ainda brigaremos muito por tudo isso, por essas empresas. Pedro era procurador da mamãe, que está em coma desde antes do *impeachment* do Fernando. Juntos, eles tinham 85% do controle das empresas. Não nos uniremos nunca mais.

Thereza abraçou os filhos, eles a acompanharam até o cemitério *Parque das Flores*, onde haveria uma missa de corpo presente. Foi tudo muito solene, foi tudo muito doloroso, foi tudo muito rápido.

— "Seja feliz, minha mulher. Seja feliz. Eu te amo" — foi o que ele me disse antes de morrer, Costa Pinto.

* * *

Houve intenso corre-corre atrás de convites para a posse de Fernando Henrique. Não davam para quem queria estar no espetacular prédio do Ministério das Relações Exteriores naquela noite de 1º de janeiro. Fui acompanhado de Cristina, minha mulher.

Havia meses, não falava com Patrícia. Não a via, estabelecêramos daquela forma. Ela havia aceitado um convite da revista *IstoÉ* e trocara a *Folha da Tarde* pela revista que era a nossa principal concorrente. Quando eu entrava no saguão do Itamaraty, diante da magnífica escada helicoidal que parece um furacão conduzindo do vão livre para o mezanino do prédio, demos de cara um com o outro. Ela subia com o pai, o deputado Paes de Andrade, reeleito para novo mandato na Câmara. Cristina estava comigo. O encontro foi inesperado. Olhamo-nos. Não nos falamos. Ela desviou o olhar. Paes veio em minha direção.

Cumprimentamo-nos. A festa foi longe. Celebrava-se de tudo ali, sobretudo o Real, o plano inimaginável que elegera o presidente da República.

Como assumiria a sucursal na segunda semana de janeiro, marquei uma conversa a sós com Fernando Henrique. Ele gostava de receber a todos e fingir que dava informações exclusivas a cada um de nós. Soube operar a imprensa como poucos. Quando cheguei ao gabinete presidencial, recebeu-me de pé ao lado da escrivaninha.

— Presidente, o Lula assume a sucursal de *Veja* na segunda-feira, no lugar do Oinegue — disse Ana Tavares, a secretária de imprensa da Presidência.

— Como? Nem barba ele tem — interrompeu FH, fingindo certa rispidez e alguma surpresa comigo. — Ponha-se daqui para fora. Um garoto imberbe não poderia nunca entrar num gabinete presidencial sem estar acompanhado de repórteres mais velhos.

O chiste tinha endereço certo. Sorri, argumentando que barba era o que não me faltava, fazia-a diariamente desde os 16 anos. A conversa xoxa rendera uma pequena reportagem. Escrevi-a. No fluxo determinado na revista, tudo o que se escreve na sucursal vai para o computador do chefe. Ele lê, muda se for preciso, complementa se tiver informações, e despacha para a sede em São Paulo.

Eduardo segurou o meu texto e deixou-o por último na planilha de despachos para a redação central. Já tarde da noite, em seu último dia no escritório brasiliense, abriu o meu texto e começou a mexer nele sem lê-lo todo. Eu o vigiava pelo vidro de seu aquário. Em certo ponto não suportei esperar e entrei.

— Você leu o texto até o fim?

— Não.

— Então por que está mexendo nele todo?

— Porque eu quero.

— Eduardo, não deve. As informações são minhas. Eu estive com o Fernando Henrique. Além do quê, cá para nós, eu escrevo melhor do que você.

Ao ouvir aquilo ele, enfim, parou de mexer no texto. Girou a cadeira em minha direção, encarou-me:

— Se isso fosse verdade, você estaria indo para São Paulo, como editor-executivo, e eu ficaria aqui tendo de responder a você como seu subordinado. Mas o que está acontecendo é o contrário e o chefe da sucursal de Brasília vai continuar tendo de responder a mim.

— Justo.

Calei-me. Ele fechou o texto. Saímos da sucursal para comer *hot dogs* com cerveja num posto do Eixinho Norte. Permanecia aberto 24h. Sem *glamour*, sem rancor.

CAPÍTULO 4

"A UTOPIA
DO POSSÍVEL"

Quarta-feira, 19 de julho. Não havia grandes notícias no horizonte seco e azul de Brasília. Estava no gabinete do ministro do Planejamento, José Serra. Era, de longe, a melhor fonte que eu tinha no governo. Ele me chamara.

— Lula, vou te contar uma história gravíssima. Você e a *Veja* têm de fazer algo. Mas nem de longe o seu nome pode passar perto dessa apuração — disse Serra, ao introduzir o assunto pelo qual me chamara. — O *Banco Econômico* está quebrado, o *Banco Central* tem de auxiliá-lo diariamente a fechar o caixa, essa conta está ficando enorme e a única saída é liquidar o *Econômico*. O Fernando *(falava do presidente, Fernando Henrique Cardoso)* não faz isso porque tem medo do ACM *(Antônio Carlos Magalhães, senador, ex-governador da Bahia, pai do presidente da Câmara dos Deputados, Luís Eduardo)*. E o Malan *(Pedro Malan, ex-presidente do Banco Central, ministro da Fazenda)* é fraco para decretar a intervenção.

A bomba tinha alto poder destrutivo. O *Banco Econômico* era a oitava maior e a mais antiga instituição financeira privada do país; tinha mais de 800 mil correntistas e completara 161 anos. Seu controlador era Ângelo Calmon de Sá, empresário baiano. Ele presidira o *Banco do Brasil* e fora ministro dos governos militares e de Fernando Collor. No plano político, o padrinho de Calmon de Sá era Antônio Carlos Magalhães.

O Plano Real fizera parar a roleta dos ganhos fáceis do sistema financeiro nacional, pondo uma cunha no mecanismo de quem girava o dinheiro do dia para a noite e se remunerava com aplicações lastreadas em títulos inflacionários. Quando a maré secou, quem estava nu pôde ser visto da praia. Era o caso de Calmon de Sá. Até aquela conversa, 65 bancos, corretoras e cooperativas financeiras haviam sido liquidadas ou sofrido intervenção nos primeiros meses de Plano Real. Nenhuma das instituições, contudo, tinha o porte do *Banco Econômico*.

— Como isso está ocorrendo?

— Você não vai entender os detalhes porque não conhece economia. Mas um repórter que conheça economia vai ficar chocado com a história: todas as noites o *Econômico* fica com o patrimônio a descoberto. Tem mais saques do que o volume de depósitos com os quais pode pagar. Para não quebrar, diariamente o *Banco Central* põe lá R$ 100 milhões, R$ 150 milhões, até R$ 250 milhões. É uma roleta-russa. Uma hora, arrebenta todo o sistema.

— Por que você quer denunciar isso, se é ministro desse governo?

— Justamente porque sou ministro do Planejamento. O Fernando é frouxo. Não está vendo o risco de empurrar isso com a barriga. Tem de fazer intervenção já. Eu não posso aparecer de jeito nenhum como fonte disso. Por isso, não pode ser você quem assinará essa matéria. Fernando e Ana Tavares sabem que nós nos damos bem. Às vezes, eles me cobram por informações que saem na *Veja*.

— Entendi tudo. Não aparecerá. Tem duas pessoas lá na sucursal que conhecem tudo de sistema financeiro, cobrem *Banco Central*, poderão apurar isso passando ao largo de seu gabinete. São o Felipe Patury e a Daniela Mendes. Você vai ter de falar com um deles. Vou pedir ao Patury que venha para cá agora. Por favor, fale tudo para ele. Conte todos os detalhes.

— Patury é filho do Luiz Romero Patury, que foi secretário da Receita do Sarney. Conheço ele, gosto dele. Ótimo repórter. O pai dele é um dos melhores homens públicos que já conheci. Uma pessoa espetacular. É *off* absoluto, diga a ele. Eu falo com ele.

Felipe não demorou 30 minutos para começar a conversar com Serra. Desobriguei-me do assunto. O caso *Banco Econômico* estava entregue nas melhores mãos possíveis. Foi um desbunde. Mário Sérgio concedeu-nos três páginas na edição seguinte de *Veja*, na editoria de *Economia & Negócios*, quase no fim da revista. Não tinha chamada de capa.

Sob o título "Zaibatsu baiano" Felipe narrava, de forma brilhante, a decadência do *Econômico*. Sabiamente, puxava para o início do texto um viés que poderia ser lido como favorável à instituição baiana: o empreiteiro Emílio Odebrecht, estimulado pelo *Banco Central* e antevendo as facilidades que possuir um banco traria para seu ofício de dono do maior conglomerado de construção civil, tentava reunir um grupo de outros grandes empresários para, juntos, adquirirem o controle do *Econômico*. Eles injetariam capital no negócio de Calmon de Sá. Paulo Cunha, do *Grupo Ultra* (gás), Max Feffer, do *Grupo Suzano* (papel e celulose) e Pedro Mariani, do *Grupo Mariani* (seguros) entrariam como sócios de Odebrecht no negócio. A injeção de capital seria capaz de tirar o banco baiano da lona. Caso desse tudo certo, Odebrecht passaria a ser banqueiro. Com base nessa revelação, coletada junto às fontes que tinha no *Banco Central*, Felipe Patury expunha ao mundo a agonia diária do *Econômico* para fechar o caixa, buscando ajuda no sistema chamado "redesconto" do *BC*, e como Calmon de Sá estava sem crédito em Brasília.

Na segunda-feira, 24 de julho, o *Banco Econômico* sofreu uma corrida dos correntistas contra seus caixas. Houve uma fuga vertiginosa de depósitos à vista, de investimentos de pessoas físicas e, sobretudo, de pessoas jurídicas, que se tornavam ex-clientes instantaneamente. A instituição de Calmon de Sá perdera definitivamente a credibilidade no mercado e precisou fechar as portas para evitar saques ainda maiores. O patrimônio do banco ficou a descoberto. Desde aquele episódio, digo que Patury é meu único amigo que já quebrou um banco estando fora dele.

Tive clientes, em minha encarnação de consultor de crise, mais à frente no curso dessa saga, que ajudaram a quebrar os próprios bancos. Repórter que quebrou banco, Patury é o único.

* * *

Até aquele início de crise bancária, os primeiros meses de mandato de Fernando Henrique Cardoso na Presidência da República transcorriam em inédita lua-de-mel entre o governante e a imprensa, entre o governo e a sociedade civil, e também entre governistas e oposicionistas no Congresso Nacional.

Luís Eduardo Magalhães, do PFL baiano, elegera-se presidente da Câmara dos Deputados e exercera o posto na condição de líder mal-disfarçado do Palácio do Planalto. Tentou negociar até a última hora com o amigo José Genoino para que o petista desistisse de enfrentá-lo em plenário. Genoino resistiu até o fim. Luís Eduardo avisara-o: se o PT mantivesse a candidatura, seria excluído da Mesa Diretora da Câmara. Como era a segunda maior bancada de deputados, os petistas tinham o direito de indicar ou o primeiro-vice-presidente ou o primeiro-secretário da Casa. Ficaram de fora, o que facilitou a vida do filho de Antônio Carlos Magalhães e a agenda de privatizações e de reformas que FH pretendia ver aprovadas pelos congressistas.

Aos poucos, a redação brasiliense da *Veja* ia sendo composta da forma como eu pretendia. Mônica Bergamo, uma das melhores repórteres com quem já cruzara numa redação, chegara de São Paulo. Fui buscar Gérson Camarotti no Recife, onde tinha acabado de concluir o curso de Jornalismo na Universidade Católica. Daniela Mendes e Felipe Patury, ambos indicados por Franklin Martins como "os melhores nomes da nova geração do *Jornal do Brasil*", tinham sido integrados à nossa equipe na transição de comando da sucursal. O *JB* estava decadente e aquela geração de Daniela e de Felipe precisava deixar a velha redação.

A concorrência também se acendia. Luciano Suassuna, meu amigo e com quem escrevera em coautoria "Os Fantasmas da Casa da Dinda", depois do *impeachment* de Collor, largou o posto de correspondente do jornal *Zero Hora* em Paris e regressou a Brasília para chefiar a sucursal de *IstoÉ*.

A vida privada se adequava ao ritmo das novas atribuições. No fim de fevereiro, Cristina descobriu que estava grávida de nosso segundo filho. Semanas depois, quando soubemos que seria uma menina, definimos o nome, mediante um critério bem particular.

— Tem de ser um nome de três sílabas e com uma única vogal — disse eu.

— Por quê? — quis saber ela.

— Porque foi assim que pusemos o nome de Rodolfo. Ro-dol-fo. As pessoas acham que é homenagem a algum parente distante, um ancestral. Não é. Nunca houve um Rodolfo nem na sua família, nem na minha.

— Tem de ser um nome doce.

— Bárbara. Bár-ba-ra. Atende aos critérios e é doce — apelei.

— Bárbara: sim, pode ser uma bailarinazinha linda.

— Fechado. Bárbara Vieira de Melo da Costa Pinto — topei.

— Isso. Aí Anco Márcio vai tripudiar mesmo. Vai dizer: "não é um nome, é um título nobiliárquico".

Anco Márcio Tenório Vieira, nosso colega de Universidade, um grande amigo da vida inteira, desde que nos conheceu tirava sarro em razão do excesso de sobrenomes que carregávamos.

* * *

Eram escassas as pautas que fizessem Brasília reviver os dias tensos, nervosos e agitados da época das denúncias de Pedro Collor e do *impeachment*, do atribulado governo Itamar, da CPI do Orçamento, da implementação do Plano Real. Parecia que tínhamos nos acostumado aos ciclos de crises. Mas elas não vinham. Em meio àquela seca de notícias, o jornalista Ancelmo Góis, chefe da sucursal de *Veja* no Rio de Janeiro, deu-me uma grande lição sobre como dispensar uma ideia ousada e extemporânea de quem faz pouco-caso da inteligência alheia. Encerráramos mais uma reunião de pauta sem produzir boas sugestões. Reduzi a termo a única proposta de apuração que me parecia plausível para tentarmos pôr nas páginas da revista uma boa apuração e mandei para Mário Sérgio e Eduardo Oinegue, na sede da revista, em São Paulo. Fui almoçar. Ao regressar, a secretária avisou: o Ancelmo, do Rio, ligou e aguarda retorno. Devolvi a ligação. Imaginei que ia pedir ajuda e falar de detalhes para a sugestão de pauta que fizéramos. Liguei para ele.

— Lula Costa Pinto! Estou subindo na mesa de minha sala para ficar de joelhos enquanto falo com você. Boa tarde! Aqui quem fala é An-cel-mo Góis!

Era daquele jeitão sempre divertido que ele atendia ao telefone.

— Você me ligou, diga. E aí? Mário te falou da pauta que enviamos? A sugestão é que vocês toquem aí no Rio, mas pode ser muito boa.

— Boa? É sensacional. Liguei para você por isso. É sensacional. O Mário me falou e eu combinei que te ligaria para agradecer a sugestão e também para dizer que acertei com ele uma coisa: essa pauta, de colocar duas duplas de repórter e fotógrafos morando nas favelas do Rio — uma, no Alemão, e a outra, na Rocinha — ocultas, para nosso pessoal se misturar aos traficantes, aos aviõezinhos, à vida na favela, enfim, e depois dizer como funciona a máquina de crimes do Rio de Janeiro, o Comando Vermelho, a associação com os bicheiros, essa coisa toda, é tão boa...

— Não é boa? — cortei.

— É... É tão boa, e isso certamente vai dar prêmio, que seria uma injustiça a gente fazer esse trabalho por aqui. Daí, Lula, eu combinei com Mário assim: durante dois meses você vem para cá, com o seu pessoal, assume a sucursal do Rio, infiltra dois repórteres e dois fotógrafos de Brasília aqui nos morros do Rio, e faz essa reportagem espetacular. Nesses dois meses eu vou aí para Brasília, com a minha turma, e a gente fica fazendo essa cobertura das coisas aí. Dessas coisas que teimam em não acontecer. Que tal?

— Ancelmo, entendi tudo. Desculpa, claro que você está certo.

— Lula, o Rio de Janeiro é para iniciados. Entrar no morro do Rio é um risco brutal. A gente não sabe se sai vivo lá de dentro. Mas a sugestão, teoricamente, é do grande caralho. Na prática, suicídio.

Ancelmo Góis sempre foi um dos mais competentes, dóceis e bem informados jornalistas do país. Naquele tempo, a equipe dele em Veja *era integrada por um dos melhores repórteres da cena carioca, Tim Lopes. Anos mais tarde, em 2002, quando trabalhava como produtor da* Rede Globo, *Tim foi sequestrado, torturado, assassinado e queimado numa favela carioca. Apurava uma reportagem para o programa* Fantástico *da* TV Globo, *em que se denunciaria o feirão de drogas na cidade.*

*   *   *

O ano de 1995 caminhava sem sobressaltos. No fim de abril, o deputado Paes de Andrade, pai de Patrícia, chamou-me para almoçar em sua casa. Ele não sabia que eu e a filha dele não nos falávamos já havia meses. Paes pretendia disputar a presidência nacional do PMDB e derrotar o candidato de Fernando Henrique, o deputado paulista Alberto Goldman. O cearense não admitia levar formalmente o PMDB para o governo. Goldman, por seu turno, queria aderir a qualquer preço.

— Meu filho, vou disputar a presidência do PMDB. Contra tudo e contra todos. O que você acha?

— Acho que deve fazer isso, mas o senhor tem fôlego para enfrentar a disputa contra o Planalto? Goldman é o nome do presidente. Ele quer formalizar a aliança com o PMDB. Vai massacrar o senhor.

— Tenho fôlego e tenho voto — respondeu ele, exibindo-me uma planilha de todos os convencionais peemedebistas e a tendência de voto de cada um deles. De acordo com aquelas contas, o pai de Patrícia venceria por uma margem folgada de 35 votos.

— Se essas contas estiverem certas, ótimo.

— A imprensa me apoia? Você acha que posso contar com algumas colunas a meu favor?

— Acho que a imprensa está precisando começar a bater no governo. Mas não sei se apoia o senhor.

— O Civita eu sei que não me apoia. Ele me odeia. Na verdade, ele detesta nordestino — devolveu o deputado cearense, atacando o dono da *Editora Abril*.

— Não é por aí, deputado — respondi sem muita convicção e querendo mudar de assunto. — Como está a Patrícia, aliás? Há tempos não falo com ela.

— Está bem, né? É sua concorrente. Está na *IstoÉ*. O ideal seria ela voltar para cá. Parece que o Luciano Suassuna, seu amigo, está tentando trazê-la para cá. Se você puder, ajude. Eu acho que vai ter uma vaga aqui, foi o que me disseram. Precisamos trazer sua amiga de volta.

Despedi-me rápido. Não sabia daquela novidade. Luciano jamais me dissera aquilo. Também não tinha por que fazê-lo. Deixei a possibilidade no terreno das conjecturas futuras.

Em maio de 1995 Patrícia voltara a morar em Brasília. Não nos encontramos nas primeiras semanas dela na cidade. Numa sexta-feira, as repórteres Daniela Mendes, Mônica Bergamo e Silvânia Dal Bosco marcaram de comermos algo no *Savana Café*, no fim da Asa Norte, depois de um dos fechamentos da revista. Chamaram-me para ir com elas. Lugar agradável, música boa, meia-luz. Fazia pouco tempo que sentara à mesa quando Patrícia entrou junto com Eliane Trindade, a amiga com quem morara em Pisa. Era mero acaso, disseram todos. Cumprimentamo-nos. Ela sentou conosco. Foi ficando e a nossa conversa foi engatando. As outras jornalistas tinham compromissos diversos, saíram cada uma delas a seu tempo. Permanecemos. Eu estava sem carro. Patrícia me ofereceu carona. Entramos no *Fiat Uno Mille* preto que era dela desde antes de ir morar em Pisa, depois em Paris, depois em São Paulo. Começamos a rodar pela cidade — Praça dos Três Poderes, Concha Acústica, Esplanada, Catedral. No som do carro tocava U2. "Zooropa" em modo de repetição. Eventualmente, deixávamos tocar "Until The End of The World". Às vezes parávamos para seguir conversa. Às vezes não parávamos. Viramos a noite daquele jeito.

Tudo havia mudado, e o peso passara a ser enorme.

No dia 13 de julho, Patrícia me telefonou na redação. Era uma segunda-feira. Precisava falar. Era sério e urgente, dizia. "Não posso esperar amanhã. Tem de ser hoje", avisou. "E precisamos de um lugar com privacidade." Reservei um quarto no hotel *Kubitschek Plaza*, onde poderíamos falar pelo tempo que quiséssemos sem que nos importunassem. Estava rolando uma Copa América no Uruguai e, naquela noite, o Brasil jogaria contra o Equador. Cheguei ao apartamento e liguei a TV, enquanto a esperava. Ela chegou depois do primeiro gol brasileiro. Venceríamos por 3 a 0.

— Estou grávida.

A melhor notícia que um homem pode ouvir da mulher que ama dividiu meu pequeno mundo, gelou minha alma.

— Certeza?

— Absoluta.

Por alguns minutos permanecemos abraçados, em silêncio. O som da transmissão da *TV Globo* era a única coisa que rompia aquela barreira. Segundo gol do Brasil.

— Não quero te pressionar a fazer nada. Precisava só te dizer isso. Vou ter esse filho. Sua mulher também está grávida. Não sei se a gente será um casal ou não, mas você precisava saber.

Trabalhávamos como adultos, ganhávamos como adultos, estávamos no centro do poder como adultos. Ela, 25 anos. Eu e Cristina, 26. Era preciso encarar aquele momento como adultos.

Os dias seguintes foram turvos. Na noite de 21 de julho fui para Pirenópolis com Rodolfo, Cristina e com minhas duas irmãs mais novas que nos visitavam em Brasília. A cidade goiana fica a 1 hora e meia de carro da capital, tem um casario setecentista bem preservado, algumas cachoeiras ao redor. No domingo, assisti em silêncio à final Brasil x Uruguai. Quando os uruguaios nos bateram nos pênaltis, 5 a 3, vencendo a Copa América em Montevidéu, reuni as últimas tralhas, pus tudo no carro e regressei mudo e reflexivo para casa. Não consegui pregar o olho. Na manhã seguinte, 24 de julho, ao mesmo tempo em que a reportagem "Zaibatsu baiano", de Patury, produzia a corrida bancária dos clientes do *Econômico*, chamei Cristina para uma conversa. Não tinha nada a ver com o tema institucional do dia — a quebra do banco baiano. Contei-lhe tudo. Dominava em silêncio, mas sentindo palpitações e falta de ar, o pânico que sentia ante a possibilidade de provocar alguma intercorrência na gestação de Bárbara.

— Quero ser o pai desses dois bebês. A única coisa que desejo ter, nesse momento, é força para segurar essa barra. Mas quero os dois bebês, porque sou pai dos dois. E é claro que sei que nosso casamento acabou aqui.

A fortaleza revelada por Cristina naquela hora espanta-me até hoje, quando relembro a tensão daquelas palavras, a rudeza daquela conversa duramente necessária. A maturidade se fizera instantânea naquele momento.

— Acabou aqui. Você sai, eu fico. Vou botar a cabeça no lugar, mas eu te aviso desde já: pretendo largar tudo aqui em Brasília e voltar para Recife. Vou retomar a minha vida lá. Só o que sei é que isso é o que quero.

Arrumei a mala com alguns ternos, camisas, dois pares de sapatos. Voltaria para pegar o resto dentro de alguns dias. Despedi-me de meu filho na sala — uma experiência difícil, um "até logo" rumo ao incerto. Sem saber para onde ir, dirigi até um hotel vagabundo que ficava perto da sucursal de *Veja*. Ficar ali me permitiria ir trabalhar a pé ou mesmo voltar andando de madrugada, algo raro em Brasília. Era um dos primeiros hotéis que adotara o conceito de *flat* em Brasília. Chamava-se *Garvey Park*. Enquanto dava entrada na recepção, desconfiei que se tratava de um pardieiro. O quarto tinha cheiro de mofo e possuía um carpete manchado. Como pegara uma unidade voltada para o poente, o ar-condicionado antiquado não conseguia vencer o calor. Garotas de programa circulavam pelo corredor. Depois que deixei a minha mala e enquanto me dirigia para a sucursal, recebi cartões com nome e telefone de duas moradoras do muquifo onde passaria a morar também. Sim, confirmado: era um pardieiro. Mas era o que eu podia pagar. A partir do momento em que tomara a decisão de me separar e de assumir os dois bebês que nasceriam em meses, cálculos financeiros não eram problemas que pudessem ficar em segundo plano. Fui andando até a redação, uma caminhada de 600 metros.

— O ministro Serra ligou — comunicou-me Vera, a secretária. Faltava pouco para as 13 horas. Eu não havia comido nada ainda.

— O quê?

— O ministro José Serra. Pediu para você ligar logo que chegasse.

— Ok, liga.

Raras vezes José Serra atendia a ligação na primeira tentativa, quando retornava. Ordinariamente, falava com ele todas as quintas-feiras. Estabeleci o hábito quando ele ainda era líder do PSDB na Câmara. Mantive-o quando assumiu o Ministério do Planejamento, com a posse de Fernando Henrique na Presidência. As secretárias dele, que eram as mesmas dos tempos de Câmara, puseram-me o apelido de "o compulsivo", dada a tenacidade com a qual não me resignava ante as negativas do ministro em me atender, quando ele não queria ou não podia falar. Serra era uma grande fonte. Sabia de tudo o que precisava saber. Interessava-se por ouvir também o que não precisava ou não deveria saber. Sempre fazia observações cortantes sobre a vida mundana. Daquela vez, era ele quem desejava falar comigo. Talvez quisesse comentar a corrida bancária ao *Econômico*. Muito provavelmente era aquele o assunto.

— Lula, você pode vir ao Ministério?

— Posso, mas me dê só o tempo de comer algo.

— Coma aqui. Peço sanduíches. Venha.

Devia ser algo realmente sério. Fui. Entrei pela portaria privativa. Os seguranças me deixaram subir pelo elevador reservado ao ministro. Quem sobe por ali desembarca praticamente no gabinete ministerial, que fica a oito passos da porta do elevador. Entrei sem bater. Cruzei com Doutor Pojo. Antônio Carlos Pojo, assessor parlamentar do Planejamento, um homem refinado, íntegro, fonte inteligente. Cumprimentamo-nos. Ele comentou a *debacle* do *Econômico*. O ministro me puxou e indicou que eu deveria sentar no sofá de sua sala, não em uma das cadeiras diante de sua mesa. Tão logo sentamos, duas *Cocas light* e uma porção de amendoins e pistaches foram servidos.

— Soube que você se separou. Saiu de casa. Isso é verdade?

Devolvi o copo com o refrigerante tendo bebido apenas meio gole. Eu não falara com ninguém. Não ligara para meus pais, não dissera a nenhum colega de redação que me separara. A hipótese de Cristina ter falado algo era absurdamente improvável. Tínhamos jantado juntos, uma vez ou outra, mas eles não se conheciam àquele ponto. Não tinham intimidade alguma. Eu dera entrada no *Garvey Park* e fora à *Veja*. Nunca soube como a notícia de minha separação chegara aos ouvidos do ministro do Planejamento antes mesmo de ser do conhecimento de Patrícia. Mas descobrir aquilo parecia secundário àquela hora.

— Serra, não sei como você ficou sabendo. Nem quero saber. Mas eu me separei, sim. Estou seguro do que fiz.

— Não faça isso. Volte para casa. Sua mulher está grávida.

— As duas estão grávidas.

A informação pegou-o de surpresa. Foi a vez de ele ficar sem resposta.

— Como duas?

— Há outra pessoa que vai ter outro filho meu. É a Patrícia Andrade, da *IstoÉ*, filha do Paes de Andrade. Mas, sim, ministro: eu decidi me separar, porque o casamento com Cristina acabou. Fomos maduros o suficiente para ter essa conversa. E não, não aceito que minha vida seja objeto de uma conversa nossa aqui.

— Eu prezo muito nossa amizade. Quero te dar conselhos.

— Já eu, prefiro fazer dessa forma que fiz. É doloroso, mas é mais sensato. Bem melhor do que ficar tendo casos por aí, sem assumir o que realmente se quer. Não vou manter um relacionamento de fachada.

O ministro sabia exatamente do que eu falava. Brasília toda descobriria do que eu falava, caso colocássemos aquela discussão sob escrutínio público. E eu não falava dele, para ele. Falava de toda a geração dele.

— Faça o que quiser, então.

— Estou fazendo o que se deve. Era só isso?

— Só.

Deixei o ministério do Planejamento naquela tarde e fui cuidar da vida. Havia muito a ser feito. Telefonei para o deputado Sigmaringa Seixas, que, além de minha fonte e amigo, era advogado e tinha escritório em Brasília. Pedi que fosse meu advogado.

— Só serei advogado consensual, do casal. Só farei uma separação se ela for da vontade de vocês dois. Não trabalharei com litígio nesse caso.

Sig assinou nossa separação consensual como advogado das duas partes. Em 2018, meses antes de ele morrer, reapresentei-o a Rodolfo. Cientista político, meu filho regressava de uma pós-graduação em Washington e estava estabelecendo um instituto de pesquisas e um núcleo de estratégias políticas em Brasília. Sigmaringa surpreendeu-se com a rapidez do passar do tempo e relembrou para ele os episódios da separação e como tudo correu bem, ante a delicadeza da situação.

* * *

Cristina permaneceu algumas poucas semanas em Brasília depois de nossa separação definitiva. O período foi apenas o necessário, a fim de fazermos a transferência de Rodolfo para uma nova escola no Recife, e também para ela encerrar as turmas nas quais dava aulas no *Centro de Ensino Universitário* da cidade, o *Ceub*, uma universidade privada. Naquele breve intervalo de dias, meu filho mais velho — o único já nascido àquele momento — conviveu conosco separados em definitivo e vivendo na mesma cidade. Tratamos de formatar, então, um padrão de relacionamento: a regra única era preservá-lo sempre e jamais permitir que construísse um fosso no convívio e na intimidade com qualquer um de nós.

Em um daqueles fins de semana, tendo permanecido no Distrito Federal, Rodolfo pediu para dormir comigo no hotel *Garvey*. Esconder dele o ambiente decadente daquele pardieiro foi um esforço e tanto, digno de um Guido Orefice, o livreiro de "A Vida É Bela", que floreou a atmosfera mortal e plúmbea de um campo de concentração para preservar a confiança do filho em meio à perversidade da guerra e da perseguição aos judeus.

Tão logo entrou pela primeira vez no exíguo e calorento *flat*, Rodolfo espalhou seus bonecos "G-I-Joe" *(marines de ataque das forças Seals americanas, muito em voga naqueles tempos)* e travamos uma batalha imaginária à temperatura da África subsaariana.

Noites de sábado, em geral, são opacas em Brasília. Em especial, isso ocorre quando sua vida social ou familiar está restrita. Aqueles dias eram assim para mim, restritos. Por óbvio, era escasso e pontual qualquer apoio vindo do Recife. Não construíra laço familiar algum conectando com novos núcleos familiares em Brasília. Quase como ideia fixa, repetia para mim a necessidade de consolidar o elo fraternal da fantasia que me ligava a Rodolfo. Premidos por essa urgência, iniciamos um diálogo transformado em *hit* inesquecível entre nós.

— Filho, você já viu um aeroporto de discos voadores?

— Não. Nunca, pai. Onde tem um? — quis saber ele.

— Só existe em Brasília. A posição geográfica da cidade é ideal para o pouso de aeronaves intergalácticas. Durante o dia o aeroporto de discos voadores fica escondido. À noite, ele se revela. Dizem que no passado, lá bem longe no tempo, um extraterrestre entrou nos pensamentos de um padre chamado Dom Bosco e o fez sonhar com a localização exata desse aeroporto de aeronaves espaciais: era Brasília.

— Sério? Quero ir lá. No aeroporto.

Corremos até o estacionamento, entramos no meu *Uno Mille* como se o carro fosse uma *Tie Fighter*, de *Star Wars*, e, ao cruzarmos o subsolo da Rodoviária Central e nos prepararmos para acessar a Esplanada dos Ministérios, pedi a ele para fechar os olhos.

— Só abra quando eu mandar — disse e acelerei. — Vai chegar um frio na barriga. Depois do frio na barriga vou fazer uma curva para a esquerda. Depois, outra curva e vou subir uma montanha lunar. De cima da montanha vamos saltar no pé de uma das naves. Só então você poderá abrir os olhos.

O frio na barriga era provocado pela descida em velocidade da Esplanada para a Praça dos Três Poderes, no ponto da pista em que passamos pelo túnel que liga os Anexos 2 e 3 da Câmara dos Deputados ao Anexo 4. Fiz as duas curvas e estacionei ao lado da cúpula do Senado Federal — uma das edificações do Congresso. A cúpula do Senado é a que fica "emborcada", virada para baixo. Um ponto de ligação de não mais que 30 centímetros de largura une a plataforma do Congresso à pista do Eixo Monumental. Desde 2013, em razão de distúrbios de manifestações feitas contra o Parlamento, essa passagem está obstruída. Em 1995 era livre. Passamos por ela. Rodolfo manteve os olhos fechados. Conduzi-o até a frente da cúpula do Senado, mandei que abrisse os olhos. Ele tinha 4 anos e seis meses. Soltou um gemido de espanto e de medo.

— Esse é um disco voador, filho — falei aos sussurros. — Se a gente falar assim, baixinho, os ETs não despertam.

— Pai, aqui é perigoso demais — cochichou-me, quase tremendo.

— É nada. A gente vence os ETs que vivem aí dentro. Vire-se pro outro lado. Vou te mostrar onde eles estão.

Meu filho deu um giro de 180º e passou a contemplar a Esplanada, os prédios dos ministérios com suas empenas enormes e largas e acima de cada uma delas, uma luz vermelha piscando.

— Está vendo aquelas luzinhas vermelhas?

— Sim. São os ETs?

— São os ETs. Eles piscam porque estão se comunicando. Usam uma linguagem chamada "Código Morse".

— Código Morse?

Seguiu-se à pergunta, toda uma explicação sobre Código Morse. Tirei os argumentos dos meus conhecimentos amealhados com a leitura de *Tex* — quadrinhos de *western* — e dos tempos em que assistia a *Daniel Boone* na TV.

— Vamos para a outra nave. Essa acabou de pousar, por isso está virada para baixo. Aquela lá está pronta para decolar: está virada para cima.

Peguei-o pela mão e nos dirigimos para a cúpula da Câmara dos Deputados, que fica voltada para cima. De acordo com o projeto descritivo de Oscar Niemeyer, é assim porque os deputados são mais vibrantes, mais acesos. Exuberante, a cúpula da Câmara parece mesmo uma aeronave circular pronta para alçar voo. Uma mancha de limo, enorme, lembrou-me uma fenda e me deu ideia para seguir no papo mágico.

— Olha aqui: o portal. Se você chegar muito perto... pare! — puxei-o pelo braço — se você chegar muito perto, será sugado para dentro da nave. E vira um ET piscante, igual àqueles colocados em cima daqueles menires.

Pronunciei aquilo rindo por dentro, lembrando de Obelix carregando rochas monumentais, e apontei as empenas dos ministérios. Rodolfo arregalou os olhos e me deu a mão. Voltamos em silêncio para o carro. Dirigi alguns metros à frente e estacionei entre dois blocos do extenso gramado central da Esplanada dos Ministérios. Descemos e começamos a caminhar.

— Olha lá, um ET piscando — apontei. — Outro, ali... e ali: olha a Grande Nave Retangular — indiquei com o dedo para ele olhar os letreiros iluminados de neon do *Conjunto Nacional*, que de longe pareciam piscar. — Está vendo o acender e apagar? É uma forma de comunicação. Lembra do Genius? — apelei para o jogo baseado em Contatos Imediatos do Terceiro Grau.

— Lembro! — gritou ele, assustado. — Eles podem fazer algo com a gente?

— Nunca, filho. Nunca. Vamos estar juntos sempre. Mesmo com você no Recife e eu aqui em Brasília. A gente pode se comunicar pela luz piscando, por telefone e pelo sentimento... Por aquilo que cada um sente no fundo do coração. E quando a gente sente na mesma linha, fala assim: na mesma frequência... A gente não deixa de se comunicar.

Abraçamo-nos, ficamos daquela forma um bom tempo. O céu estava limpo, o gramado seco, agosto ainda não havia começado, as chuvas não tinham voltado.

No domingo seguinte voltamos à Esplanada, à tarde. Rodolfo reconheceu as empenas dos ministérios, mas estranhou a ausência dos ETs piscantes.

— Cadê os extraterrestres? Eles foram embora? Eles vêm mais tarde?

— Virão, mas só à noite. Eu te trouxe aqui para a gente tentar estabelecer um contato enquanto eles dormem.

— Contato? Como?

— Com pipas. Olha aqui: trouxe uma pipa.

Exibi para ele uma pipa com rabiola colorida que havia comprado na feirinha da Torre de TV. Os olhinhos cresceram. Passamos horas levantando a pipa do gramado e desenhando riscos de linha no céu. A tarde se encerrou comendo pipoca doce na Praça dos Três Poderes. Eram adoçadas com a mistura de suco em pó ao milho — *Ki-suco*, em geral. Eram diferentes das pipocas doces que fazíamos em casa, ou daquelas que ele comia na casa das avós — ambas feitas com açúcar e chocolate em pó. Comer pipocas cor-de-rosa, por muito tempo, foi sinônimo de passeio a dois na Praça dos Três Poderes.

— Não chegue junto daquele pregador de roupas gigantesco — adverti.

— Pregador de roupas? Gigante?

— Sim, olhe ali. — Apontei o pombal da Praça, construído também por Niemeyer. É uma edificação feia, de concreto, composta por poleiros na parte interna. Centenas de pombos moram ali, há gerações. É um nojo e certamente a obra está infecta por fezes dos animais, por piolhos e por vermes.

— Ali moram muitos pombos. E pombos são os ratos dos dias de hoje. São nojentos, não são bonitinhos. Eles ficam ali porque são as nossas primeiras defesas quando os ETs quiserem conquistar a Terra.

As mentiras lúdicas forjaram nossa relação. Com o passar do tempo, lembrar delas virou piada interna na relação pai-filho.

*   *   *

O bebê que Patrícia esperava era menina — Júlia. Linda, luminosa, nasceu em fevereiro de 1996. Em setembro de 1995, antes do nascimento de Bárbara, eu e Patrícia passamos a morar juntos.

— Pat, toda essa história, vista de sua perspectiva, pode ser lida como uma grande história de amor. Vista da perspectiva da Cristina, pode ser uma grande tragédia. Só depende de como vocês vão lidar com isso ao longo dos anos — ponderou Daniela Mendes, repórter que trabalhava comigo em *Veja* e se tornou uma das melhores amigas de Patrícia desde os tempos do curso de Jornalismo na *Universidade de Brasília*.

Logo depois de regressar ao Recife, Cristina passou no concurso da Universidade Federal de Pernambuco. É uma das mais celebradas professoras titulares nas turmas de Jornalismo, Cinema, Letras, dentre outros cursos.

Mais rápido do que todos imaginavam, encontramos um ponto de equilíbrio para o novo perfil de nosso relacionamento. A rudeza da ruptura do casamento nunca turvou a maturidade com a qual criamos nossos filhos. Temos uma amizade profunda e um respeito mútuo pelo que nos tornamos. E, à guisa de formalidades, meu casamento com Patrícia tem sido, por décadas, tudo o que esperávamos dele.

*   *   *

Paes de Andrade venceu a disputa pelo controle do PMDB, superando Alberto Goldman por um voto apenas. A convenção partidária ocorreu na semana em que Patrícia anunciava a decisão de ir morar comigo. Na véspera do jantar em que celebraríamos nossa união, Fernando Henrique Cardoso pediu ao pai de Patrícia que o recebesse em sua casa. Pretendia convidar o PMDB para entrar formalmente na base de apoio a seu governo e chamou Paes para assumir qualquer cargo — "até o Ministério da Justiça, se desejar". Ao chegar, o presidente da República usou toda a simpatia que sempre foi sua característica e avisou ao anfitrião: "se for me servir uísque, quero o daquela garrafa que você guarda no armário, junto com os casacos que usa quando vai à Europa". Era um *Johnnie Walker Blue Label*, 50 anos de guarda em barris. FH não sabia exatamente o que tinha lá no guarda-roupa de Paes, mas sabia que os políticos da geração dele gostavam de guardar as melhores garrafas nos armários dos quartos — hábito de um tempo em que se vivia mais espartanamente, coisas de uma Brasília dos anos 1970, 1980. Acertou na mosca. Durante o almoço dos dois, Dona Zildinha me ligou. Estava aflita com a quantidade de jornalistas e fotógrafos do lado de fora de sua casa, no portão. Perguntou o que poderia fazer.

— Coloque-os na garagem — sugeri. — Mande servir pão de queijo, ofereça água e sucos. Dê comida, mas não dê notícia — brinquei. — Notícia só para mim. Quando Fernando Henrique sair, me avise que corro aí para saber como foi.

Paes demorou a perceber o que ocorria ao redor de si, no ambiente familiar. Só dois anos depois, quando passávamos férias em Fortaleza, deu-se conta de que as duas garotas tinham praticamente a mesma idade, o mesmo tamanho. "Zildinha, como pode isso? Parecem gêmeas", perguntou à esposa. "Paes, é que a Júlia é muito grande e a Bárbara, miúda. Só isso", respondeu a minha sogra. O episódio, dramático no calor dos acontecimentos, já ganhava contornos de capítulo na biografia de cada um de nós. Adolescentes, Bárbara e Júlia moraram juntas no Canadá, onde estudaram. Depois, passaram a morar juntas e sozinhas em São Paulo, durante os respectivos cursos universitários. Vivem juntas até o dia em que escrevo este livro, seguem em São Paulo. Compartilham o mesmo apartamento, as ambições profissionais, os problemas cotidianos. Formaram um núcleo familiar específico, de apoio mútuo e independente, ao qual chamamos de "núcleo paulista".

De alguma forma, que nem eu mesmo sei descrever como, Cristina, Patrícia e eu conseguimos estabelecer a melhor e mais madura forma de processar os momentos difíceis, de preservar a essência dos relacionamentos e de olhar para a frente. Somos todos próximos, somos amigos e somos sinceros uns com os outros. Formamos, juntos, uma família diversa.

* * *

O furacão iniciado com a reportagem de Patury sobre o *Banco Econômico* indo diariamente ao redesconto do *Banco Central* devastou o sistema financeiro brasileiro. Em duas semanas, tivemos de dar uma capa para Ângelo Calmon de Sá. A instituição baiana sofrera intervenção e se encaminhava para uma liquidação extrajudicial. "O barão da Bahia beija a lona" era o título da reportagem escrita como um epitáfio para a aventura de Calmon de Sá no mundo das finanças. O *Banco Mercantil* de Pernambuco e o *Banco Comercial* de São Paulo também sofreram intervenções na mesma semana embora passassem por situações díspares quando comparados com o *Econômico*. A ausência de coragem de Fernando Henrique Cardoso para intervir exclusivamente onde estava o problema, com medo das reações de ACM, levaram-no a liquidar também o tradicional banco pernambucano. Com a ajuda de Luís Eduardo Magalhães, presidente da Câmara, filho de Antônio Carlos e amigo de Calmon de Sá, contamos como nenhuma outra publicação os bastidores daquela intervenção financeira.

— Isso o que vocês vão fazer é muito ruim para a Bahia — disse ACM para Fernando Henrique num telefonema pouco antes de o *Banco Central* intervir no Econômico.

A rigor, o senador baiano não poderia saber o que estava por vir.

— O que o senhor acha que eu sinto? Também é muito ruim para o Brasil intervir num banco, ainda mais num banco do tamanho do *Econômico* — respondeu FH.

— Não tem uma solução que mantenha o banco na Bahia? — quis saber Antônio Carlos.

— Tudo foi tentado, senador — respondeu o presidente.

Depois, Fernando Henrique chamou o presidente da Câmara a seu gabinete no 3º andar do Palácio do Planalto. Ouviu dele um último apelo para que se certificasse de que a intervenção era a saída derradeira.

— Tentamos de tudo, não deu — justificou-se o presidente. Em seguida, ligou para o presidente do *Banco Central*, Gustavo Loyola, e o pôs na linha com Luís Eduardo.

— A única solução é a intervenção — assegurou Loyola. — Tentamos de tudo. Se não for assim, toda a diretoria do *Banco Central* vai sair.

Por meses a fio, quem tinha dinheiro depositado no *Econômico* não pôde sacá-lo. O limite de saques era de R$ 5 mil. Vários depósitos foram congelados. O temor de uma quebradeira generalizada de outras instituições paralisou o Brasil. Era o chamado "risco sistêmico". Instituiu-se o Programa Especial de Reestruturação do Sistema Financeiro, o Proer. A criação do Proer ocorreu porque as estruturas de um banco ainda maior do que o *Econômico* estavam prestes a ruir.

Arrastado pela desconfiança de correntistas e investidores, enredado numa teia de fraudes em balanços, o *Banco Nacional* também beijaria a lona. Pertencente à família Magalhães Pinto, de Minas Gerais, cujo patriarca fora governador mineiro, senador, chanceler dos governos militares e dileto apoiador da ditadura, o *Nacional* era o quinto maior banco privado brasileiro e patrocinava as aberturas do principal telejornal brasileiro. Não à toa, era o *Jornal Nacional*, da *Rede Globo*. Também se destacava no patrocínio esportivo — além de ter dado suporte financeiro a toda a carreira de Ayrton Senna, na Fórmula 1 *(o capacete de Senna tinha o emblema do banco e o boné que usava ao erguer os troféus depois das vitórias, idem)*, o *Nacional* patrocinava o *Fluminense* e o *Vasco*. Paulo Henrique Cardoso, único filho homem do presidente Fernando Henrique, era casado com uma das herdeiras da casa bancária dos Magalhães Pinto. Outro lote de instituições pequenas e médias sofreram intervenção naqueles dias. O *Banco Nacional* era o terceiro maior do país. Ter liquidado a corporação da família da própria nora aplacou as críticas de Antônio Carlos Magalhães a Fernando Henrique e foi argumento suficiente para dirimir os problemas entre eles, decorrentes da liquidação do *Econômico*. A crise bancária, contudo, abrira a temporada de grandes confusões do primeiro mandato do tucano.

*   *   *

Madrugada da sexta-feira, 17 de novembro de 1995. O relógio não havia marcado 4 horas e a redação da sucursal de *Veja* em Brasília ainda tinha bastante gente. Fechávamos uma reportagem de capa sobre a crise bancária e a força feita pelo governo de Fernando Henrique para que o *Unibanco*, da família Moreira Salles, comprasse o espólio do *Banco Nacional*, dos Magalhães Pinto. Assim como a dinastia arruinada da instituição falida, Walther Moreira Salles, patrono do *Unibanco*, tinha laços com a política. Mas eram laços à esquerda. O banqueiro fora ministro da Fazenda de João Goulart e chanceler de Getúlio Vargas, além de embaixador em Washington.

— Lula, Mário Sérgio quer falar. — Vera, a secretária, fora me chamar na copa, onde acabara de passar um café para nos ajudar a atravessar o resto da noite não dormida. Atendi em minha sala.

— Sabia que a *IstoÉ* já fechou e está indo às bancas já-já, com um furo desconcertante em cima da gente? — perguntou-me Mário.

— Não, não sei. Qual o furo?

— Grampearam o embaixador Júlio César dentro do Palácio do Planalto. O embaixador fazia *lobby* para uma empresa chamada *Raytheon*, que pretende vender os equipamentos para o *Sistema de Vigilância da Amazônia*, o *Sivam*. Um negócio de R$ 1,4 bilhão. O Fernando Henrique soube do grampo. Parece que vai mandar o Júlio César para a embaixada no México, num castigo de luxo. Um empresário e lobista, chamado José Afonso Assumpção, ligado à *Líder Táxi Aéreo*, está no meio do rolo. Ele representa essa *Raytheon* e também tentou envolver o ministro da Aeronáutica nesse *lobby*. E a Aeronáutica parece que vai comprar aviões por meio desse Assumpção, para o *Grupo de Transportes*

Especiais, que faz o transporte dos ministros e do presidente. O grampo está lá, todo publicado. Um baita furo! Que era para nós termos na *Veja* e não temos.

O diretor de redação da revista não só me comunicava do excelente trabalho de reportagem dos concorrentes, mas claramente cobrava-me por não tê-lo tido. Era hora de esfriar a cabeça e saber como Mário Sérgio sabia tanto a respeito da edição concorrente que nem sequer havia saído da gráfica.

— Há espiões nossos lá. Na gráfica da *Editora Três*. Assim como não duvido que eles tenham espiões em nossa gráfica. Consegui saber da antecipação da edição e de parte do conteúdo. É isso. Rodem a bolsinha aí. Virem-se. Temos 24 horas para reverter esse cacete.

— Ok, Mário. Faremos.

— Façam mesmo. Essa matéria tinha de ser nossa. A propósito: a sua mulher trabalha onde? Não é na *IstoÉ*?

— Você está insinuando algo, Mário?

— Não. Estou perguntando algo. Bem objetivo.

— Trabalha, sim. E ainda bem que foi você quem me ligou com a informação do furo da *IstoÉ*, porque o esquema de espionagem industrial funcionou aí em São Paulo. Imagina se eu te ligo, daqui, dizendo que a *IstoÉ* tinha uma baita reportagem exclusiva antes de ela ser publicada. Você ia me perguntar, do mesmo jeito, como eu sabia e ia querer saber se a minha mulher trabalhava na concorrência. A gente podia ter melado o furo deles, mas nunca mais você confiaria em mim. Estou certo? Estou tranquilo quanto a isso.

— Está certo. Calma! Roda a bolsinha na rodoviária. Vai atrás de tudo.

Patrícia trabalhara com afinco naquela reportagem. Fora um trabalho de equipe da sucursal brasiliense de IstoÉ *e ela evitava voltar para casa até para almoçar ou jantar. No fim do quinto mês de gravidez, com deficiências de ferro no organismo, por quase dez dias contornou temas que não fossem amenos comigo. Não atendia a ligações de trabalho em casa: os repórteres de* IstoÉ *iam até o nosso bloco, na SQN 105, e conversavam com ela enquanto circulavam pela quadra. Tudo para evitar que eu os ouvisse. A insinuação do diretor de redação de* Veja *foi ofensiva e insultuosa, mas zeramos o contencioso com o meu desabafo.*

A engenharia pessoal e profissional montada por nós, para conviver em paz em meio à guerra declarada entre as duas redações, estava longe de merecer insinuações maledicentes como aquela. Como só fui morar em Brasília por questões profissionais e a capital brasileira é uma cidade compartimentada, setorizada, árida para o convívio social, todos os meus grandes amigos pertenciam a um único circuito: redações. Quase todos, integrantes das equipes de cobertura política. Erguer paredões intransponíveis às inconfidências profissionais e permeáveis ao afeto exigia arte e dedicação. Ao soprar uma reflexão malfeita, Mário ofendeu-me profundamente. Ter reagido de pronto recompôs-me, e à nossa relação também.

Expedito Filho não estava mais na redação. Tinha ido para casa, dormir. Pedi para chamá-lo de volta. Fiz uma pequena reunião de pauta às 5 horas. Distribuímos tarefas. Amanheci na casa do ministro da Justiça, Nelson Jobim, que, segundo a *IstoÉ,* seria o detonador da ordem de gravar os telefonemas de Júlio César. Não era verdade, a concorrência expusera Jobim para esconder a verdadeira fonte deles. Avancei algumas casas com Jobim. Expedito, por sua vez, madrugara na casa da secretária de imprensa de Fernando Henrique, a jornalista Ana Tavares, e obteve com ela a reconstituição do passo a passo da denúncia dentro do Palácio. De lá, foram falar com o próprio FH no Alvorada. Avançamos mais algumas casas no tabuleiro. Corríamos contra o relógio, *IstoÉ* sairia antes, mas precisávamos reconstituir a história toda.

Por meio de suas fontes policiais — os agentes do baixo clero da Polícia Federal — Policarpo Jr. soube que o irmão do diretor-geral da PF, um agente chamado Paulo Chelotti, atuara no grampo. Eu sabia da amizade de Paulo Chelotti com o repórter Mino Pedrosa, que fora de *IstoÉ* e abrira uma agência de notícias chamada *Free Press* junto com o colega Augusto Fonseca. A *Free*

Press trabalhara na campanha de Fernando Henrique, em 1994, e tinha a missão de gerar pautas negativas contra a campanha de Lula, do PT. Eles eram pagos para lançar provocações destinadas a manter Lula ocupado, respondendo-as, enquanto o candidato tucano cuidava exclusivamente de suas pautas positivas relativas ao Real e à estabilização da economia. Os petistas caíam com facilidade em todas as provocações plantadas pelos adversários. Mino e Augusto haviam sido os repórteres que, em 1992, em *IstoÉ*, descobriram o motorista Eriberto França e fizeram-no falar — sacramentando o único grande furo que *Veja* tomara em todo o episódio do *impeachment* de Fernando Collor *(essa história está contada no vol. 1 de Trapaça)*. Vislumbrei a chance de uma certa vingança. Saí à cata de Mino Pedrosa. Encontrei-o na sede da *Free Press*, num prédio comercial decadente do Setor Bancário Sul de Brasília. Eram 9 e 30 da manhã. Ele tinha acabado de chegar. Nem esperei que ligasse o ar-condicionado. Joguei a tarrafa e não sabia o que podia pescar naquelas águas instáveis.

— Parabéns, caralho. Parabéns. Você saiu das redações, mas as redações não saíram de você.

— O que é que você está falando, Lula? Não fiz nada! — Mino disse aquilo e, sorrindo, ergueu as duas mãos para o alto como se eu o rendesse.

— Sei que você está por trás do furo da *IstoÉ* sobre o grampo no Júlio César. A revista já saiu lá em São Paulo.

— Sei de nada disso.

— Eu sei. O Augusto já me contou tudo. Ele disse que a ideia de grampear o embaixador foi sua.

Eu mentia descaradamente. Era blefe. Não tinha nem o telefone de Augusto Fonseca. O outro ex-repórter de *IstoÉ* despachava como assessor do *Instituto de Colonização de Reforma Agrária*, o *Incra*. Quem presidia o *Incra* era um ex-assessor palaciano de Fernando Henrique, Xico Graziano, que entraria na história como O Corvo.

— Filho da puta do Augusto! Porra! Por que ele te contou isso? — praguejou Mino, engolindo a isca. — A gente combinou de ficar calado, porra! O pessoal do PSDB ainda nos deve uma grana de campanha. Tem muito dinheiro envolvido nesse negócio da *Raytheon*, é *lobby* pesado sim. Não sei o que o Augusto te contou, mas eu vou te contar o que houve.

Ouvi o relato de Mino Pedrosa e corri para a redação para tentar localizar Augusto Fonseca. Antes das 12 horas estava diante dele na sala em que ocupava no *Incra*. Não sei por quais cargas d'água, Mino não o procurara. Eu dera sorte.

— Augusto, o Mino te colocou numa encalacrada. Segundo ele, foi você quem fez o grampo no Júlio César e expôs todo o Palácio do Planalto.

— Filho da puta! Mino sabe que não foi isso. Eu sabia o que estava rolando, mas não fiz grampo nenhum porque não sou disso e você me conhece — respondeu ele.

Outra isca mordida. Augusto contou a versão dele. A história começava a ficar redonda. Reunindo as apurações de toda a sucursal, machucados pelo furo de *IstoÉ*, conseguimos fechar quatro páginas de *Veja* com uma recuperação digna ante a concorrência. Também senti satisfação pessoal ao ter em desespero diante de mim, clamando por parcimônia ao descrever o papel deles na patacoada, a dupla de repórteres que três anos antes me impusera um doloroso revés pessoal, ao impedir meu acesso ao motorista Eriberto França *(passagem narrada no vol. 1 de Trapaça)*. Fui prudente ao tratar da participação deles no caso.

Augusto Fonseca, depois daquilo, trilhou um caminho de razoável sucesso no *marketing* político. Mino Pedrosa, por sua vez, criou uma espécie de agência de notícias, chamada por alguns inimigos de usina de dossiês. Fica em Brasília e fui vítima dele na minha encarnação de consultor de comunicação. Presta serviços para clientes variados. Seu ofício é atingir a reputação dos alvos determinados pelos clientes. Dissemina informações de qualquer tipo, qualidade ou origem.

Em síntese, o enredo da reportagem de *IstoÉ* expondo o escândalo *Sivam* e as gravações ilegais no gabinete de Fernando Henrique era o que segue:

Chefe do cerimonial da Presidência da República, o embaixador Júlio César dos Santos estava encarregado de filtrar quem seria recebido e quem não entraria no Palácio do Planalto. Também opinava sobre a agenda do presidente em viagens ao exterior ou na recepção de convidados estrangeiros. Funcionário de carreira do Itamaraty, desempenhara papel semelhante no governo de José Sarney. Homem ambicioso e bem relacionado no mundo dos negócios, sabia como unir as pontas entre governo e empresas privadas na hora de auxiliar a celebração de grandes negócios. A venda de equipamentos estratégicos — radares, aviões de rastreamento e peças de apoio — era um dos maiores negócios em curso com verbas públicas naquele momento. Fazer o projeto do *Sivam* ser aprovado no Congresso e incluí-lo no orçamento de 1996 era um dos objetivos dos lobistas da empresa *Raytheon*, que se considerava a favorita na corrida para fornecer o material com o qual o *Sivam* funcionaria — um negócio de R$ 1,4 bilhão. Entre os telefonemas grampeados estava o seguinte:

Júlio César, embaixador: Alô, como vai, comandante? Tudo bem?

José Affonso Assumpção, empresário ligado à *Líder Táxi Aéreo* **e representante da** *Raytheon* **no Brasil**: O problema é o *Sivam*. Aquele filho da puta do Gilberto Miranda *(senador pelo PMDB do Amazonas)* está sacaneando, atrapalhando tudo, ele não quer que o projeto saia, está criando dificuldades.

JC: Porra. Você já pagou aquele cara?

JAA: Ele está atrapalhando. Está criando dificuldades.

JC: É, tem que falar com o Sarney *(José Sarney, ex-presidente da República, naquele momento senador pelo Amapá e presidente do Senado)*. Ele é que manda no Gilberto.

JAA: Ouvi dizer que o Sarney também é contra.

JC: Deixa que eu falo com o Sarney. Eu vou à tarde no Senado e falo com ele.

Em outro diálogo, transcrito pela Polícia Federal, o embaixador palaciano Júlio César conversa com o amigo empresário José Affonso

Assumpção e combinam uma viagem a Las Vegas, paga pelo dono da *Líder Táxi Aéreo*. O objetivo seria aproximar a *Raytheon* do chefe do cerimonial da Presidência da República.

JAA: A nossa viagem lá do esquema está tudo ok, né?

JC: Tudo.

JAA: Porque você, de vez em quando, faz um *forfait* de última hora.

JC: Ah, recebi um fax aqui para a festa.

JAA: É, eu falei com a *Raytheon* que eu tinha combinado com você para ir, então claro que está incluído... E convidando você para os dois eventos que ela vai fazer.

JC: Em Las Vegas?

JAA: É, em Las Vegas.

JC: Está ótimo.

JAA: Um no domingo à noite e um na segunda à noite.

JC: Está bem.

JAA: Eu irei, talvez, uns três dias antes pela United. Você vai de *Learjet*.

JC: Perfeito.

JAA: Então em Miami eu estarei esperando.

JC: Não há dúvida.

JAA: Porque eu fechei um negócio muito grande com a *Raytheon*, daqueles aviões...

Havia outros diálogos no grampo. O chefe do cerimonial da Presidência da República tinha sido gravado, em seu ramal do Palácio do Planalto e no telefone de sua residência particular, ao longo de 22 dias. Para justificar o grampo, um agente da Polícia Federal *(desconfiava-se de Paulo Chelotti, irmão do diretor-geral da PF, Vicente Chelotti, e isso estava já nas reportagens de* Veja*)* inventara um enredo rocambolesco ligando-o a um possível cartel de tráfico de drogas. Um juiz federal autorizou as gravações a pedido de um delegado federal. Ambos, juiz e delegado, disseram-se, depois, enganados pelo agente federal. O ministro da Justiça, Nelson Jobim, recebera um drible naquela ação e não sabia de nada — quem entregou a ele as fitas e as transcrições das gravações foi o próprio presidente da República.

Na esteira da crise, Fernando Henrique Cardoso tirou o embaixador Júlio César dos Santos do Palácio do Planalto. Entretanto, manteve a indicação dele para a embaixada no México. Num dos telefonemas gravados, o diplomata avisava a um dos diretores da construtora *Andrade Gutierrez* que ia assumir a embaixada na capital mexicana. A *Andrade Gutierrez* estava se credenciando para executar uma obra de US$ 250 milhões no México. Na conversa, todos deixavam claro saber o valor real da proximidade entre a empresa e o representante do governo brasileiro.

O ministro da Aeronáutica, o brigadeiro Mauro Gandra, fora pilhado nas gravações recebendo favores de José Affonso Assumpção por intermédio de Júlio César. A Aeronáutica estava comprando aviões de representadas da *Líder*. Gandra também foi demitido.

Na terça-feira seguinte ao furo de reportagem da *IstoÉ*, o presidente revelava abatimento numa solenidade no Palácio do Planalto e fez um discurso citando o poema "O Corvo", de Edgar Allan Poe. Ele defendeu o *Sivam* no discurso, disse que não havia conluios em sua gestão e pediu: "vamos evitar que esse espírito de corvo volte a pousar no país, de ver podridão em tudo". A fala presidencial também poderia ser lida como referência aos discursos furibundos e eficazes de Carlos Lacerda, que, entre 1952 e 1954, converteu-se no maior opositor do presidente Getúlio Vargas. "Corvo" era o apelido de Lacerda, dono de uma retórica moralista, que "via podridão em tudo".

A fala palaciana era a senha para que seguíssemos apurando e virássemos o jogo contra a *IstoÉ* — expondo como nunca, até ali, um lado sórdido do Planalto de Fernando Henrique Cardoso.

Havíamos levantado, com precisão, a informação de que o ministro da Justiça fora enganado pelo diretor-geral da PF. Ele mesmo, o comandante da Polícia Federal, por seu turno, evitou abrir uma sindicância interna porque seu irmão, Paulo Chelotti, poderia ser flagrado como executor de um grampo telefônico ilegal. Tudo baseado numa investigação que não existia. Sabia-se que Fernando Henrique entregara a Nelson Jobim o prato feito das gravações ilegais e pedira para que seu ministro avaliasse o conteúdo. Jobim dissera que era grave. Mas quem levara o papelório inicial até o presidente — e por quê? Aquela pergunta não era respondida por ninguém dentro do Planalto. Havia um motivo. Ele seria desvendado aos poucos.

Policarpo Jr. pediu uma cartolina branca e pregou-a no vidro de minha sala-aquário na sucursal da revista. Pôs lá o nome "Paulo Chelotti" em um balão e "Augusto Fonseca" em outro. Puxou setas de lá para "Xico Graziano", no centro. Depois escreveu o nome "Mino Pedrosa" e colocou-o num balão entre Augusto e Chelotti, com setas saindo para ambos — de fato, Mino não tinha nenhuma conexão específica com Graziano. Mas puxou de Mino uma terceira seta apontando para "*IstoÉ*/Luciano Suassuna". Sim, os dois eram amigos e confidentes. Depois, fizemos uma linha fina em que se lia "Campanha 1994/ Xico Graziano/ Sérgio Motta". Sim, de novo: Serjão, o todo-poderoso ministro das Comunicações, o homem que pagava as contas de Fernando Henrique Cardoso antes de ele virar presidente da República e o amigo que dividia a propriedade de uma fazendola com FH em Unaí, interior de Minas Gerais, cidade próxima ao Distrito Federal, era o grande padrinho de Xico Graziano no Sistema Solar do Palácio do Planalto. Corri atrás do ministro das Comunicações, com quem me dava muito bem. Serjão achava, sempre, que me enrolava nas conversas. Eu deixava que ele pensasse daquele jeito, elogiando sua inteligência — que era, de fato, admirável.

No fim da tarde de quarta-feira, Sérgio Motta me atendeu em seu gabinete no Ministério. Sem saber o que eu ia falar, abriu a conversa com uma amenidade.

— Rapaz, recebi o brinde de fim de ano da *Editora Abril*. Uma pasta executiva de couro legítimo, elegantíssima. Linda. Cheira a couro, com meu monograma gravado em ouro. Agradeça ao Roberto Civita.

Eu não tinha noção daquele brinde. Em *Veja*, professávamos a separação entre Igreja e Estado. Notícia era Igreja. O setor de publicidade e de relações institucionais era o Estado (*sem aquilo a*

Igreja não rezava suas missas). Tratei de mudar de assunto refazendo o roteiro da notícia — a questão dos grampos no Palácio e as lacunas de apuração até o discurso em que o presidente citava o corvo.

— Sim, e daí? Quem é o corvo, Lula? Há um corvo. Quem é?

— É Graziano, ministro. É o Xico Graziano, a quem o senhor trata como um filho.

— Porra nenhuma. Por que você diz isso?

— Porque ele estava nas franjas de toda a apuração.

— Lula, o Graziano levou as degravações para o presidente, mas só... para ajudar... — enquanto falava, o ministro percebia a gravidade do que me dizia.

— Ele levou? Essa informação é nova, ministro.

— Foda-se, Lula. Fo-da-se!

— Ministro, o Graziano entregou as fitas ao presidente?

— Sim, mas para ajudar...

A ficha caíra. Ato contínuo, pediu à secretária para ligar para Roberto Civita, o dono da *Editora Abril.* Com o dedo indicador, ordenou que eu me mantivesse sentado na cadeira em frente à escrivaninha em que despachava. Quando a secretária disse que Civita, o meu patrão, estava na linha, o ministro colocou-o em viva-voz no telefone de sua mesa.

— Roberto! Roberto?

— Ô ministro Sérgio Motta, como vai? Como está? — quis saber Roberto Civita, com seu sotaque característico, anasalado, ítalo-americano de Manhattan.

— Muito mal. Muito mal. Estou com o Lula Costa Pinto aqui na minha frente e ele está concluindo que o Xico Graziano, o presidente do *Incra*, é o autor dessa maluquice desse grampo no Palácio do Planalto. Ele me disse aqui: o corvo é Graziano.

— Ministro, não sei dessa apuração. Hoje ainda é quarta-feira. Eu não me meto nas apurações da revista. O Lula está aí com você agora?

— Na minha frente, Roberto. Na minha frente. Quer saber o que vocês são? Vocês são imprensa marrom, Roberto. Marrom! Marrom da cor daquela pasta que você mandou para a minha casa, de brinde de Natal, e que eu vou devolver amanhã mesmo.

Não vou carregar comigo o nome da *Editora Abril* e da imprensa marrom que ela faz!

Do outro lado da linha fez-se o sinal característico de telefone desligado. Tum-tum-tum, cantou o sinal. Roberto Civita saíra da conversa. Eu me levantei.

— Ministro, já vou.

— Vá mesmo! — gritou ele. — Vá e não volte!

Saí e retornei à redação. Havia um recado do Mário Sérgio, quando cheguei: ligar com urgência. Devolvi o telefonema. Ele recebera um relato de Roberto Civita em relação ao ocorrido.

— Você não fala nunca mais com Sérgio Motta. Nunca mais. No momento, Serjão é *persona non grata* de *Veja*. Se entrar nas páginas, entra apanhando. E isso só muda quando ele pedir desculpas — ao Roberto e a mim. Depois, a você.

Escutei a determinação, ia cumpri-la à risca. Ainda assim, voltaria às boas com Serjão antes da morte do ministro, alguns anos adiante.

Naquela semana fechamos a capa "O corvo é Graziano". Uma imagem do presidente do *Incra*, sob luz escura, dava o ar de réu que queríamos conferir a ele. Xico Graziano perdeu seu posto palaciano, e a assessoria da *Free Press* de Mino Pedrosa e Augusto Fonseca, com as participações especiais de Paulo Chelotti entraram na mira da imprensa. Uma semana depois, déramos a volta na *IstoÉ* — a revista concorrente não podia contar a verdadeira história do grampo no Palácio do Planalto sem expor suas fontes.

* * *

Na última semana de dezembro de 1995, novo furo de nossa concorrência deixava o palácio presidencial em pânico, o *Banco Central* muito mal, atingia o senador Antônio Carlos Magalhães diretamente e revelava-nos, em *Veja*, que o reinado absoluto sobre as demais redações acabara. A repórter Sônia Filgueiras, da sucursal brasiliense de *IstoÉ*, publicava o conteúdo explosivo dos papéis contidos numa pasta cor-de-rosa encontrada pelo interventor do *BC* no *Banco Econômico*. Era um furo que perseguíamos e foi doloroso vê-lo na concorrência. Entre os papéis, a lista de financiamentos eleitorais efetuados por Ângelo Calmon de Sá a partir do Caixa 2 de sua instituição financeira ao longo dos anos. Na coluna "Governadores", cujas campanhas teriam recebido verbas irregulares do *Econômico* no decorrer dos anos, o principal nome era o de ACM. Faziam-lhe companhia Renan Calheiros, de Alagoas; Joaquim Francisco, de Pernambuco; Joaquim Roriz, de Brasília; José Agripino, do Rio Grande do Norte; e João Alves, de Sergipe. Entre os senadores, José Sarney, Alysson Paulinelli e Roberto Campos, embora Campos tivesse, na verdade, disputado uma cadeira de deputado federal. Havia ainda uma coluna de deputados federais — todos eleitos e com mandato — filiados aos partidos do espectro "liberal" do Congresso: PFL, PDS, PL.

O interventor do *Banco Central* no banco baiano descobrira a pasta rosa — era uma pasta simples, dessas que podem ser compradas em qualquer papelaria, rosa-salmão, com elásticos transversais em duas pontas — numa de suas idas ao banheiro na sala que ocupava durante a intervenção. Era a mesma sala usada por Calmon de Sá para dirigir a instituição familiar. A pasta não estava escondida ali. Alguém, provavelmente no início da manhã, pusera-a sobre a pia do banheiro para que fosse encontrada pelo interventor. Quando foi usar o lavatório, ele a encontrou e removeu-a para Brasília. Na capital, o conteúdo da pasta foi lido e interpretado, tendo sido classificado como "confidencial" e "explosivo". A classificação foi feita primeiro pelos analistas do *BC*. Depois, pela ala política do Palácio do Planalto. A existência da pasta foi comunicada ao presidente da Câmara, Luís Eduardo Magalhães, a fim de ele informar a ACM e negociar uma trégua nos ataques do senador ao Planalto. Funcionou até certo ponto. Depois, Antônio Carlos voltou à carga contra a liquidação do *Econômico*. Foi em meio a esse processo que o conteúdo da pasta rosa vazou para a *IstoÉ*. A crise política só foi contornada ao custo de concessões orçamentárias do governo para a banda liderada pelo senador baiano no Congresso.

O ambiente político na cidade estava pesado, e qualquer fagulha poderia incendiar o cenário. Marquei um jantar no restaurante *Piantella* com os deputados Miro Teixeira, Sigmaringa Seixas e Luís

Eduardo. Na porta, ao chegar, dei de cara com o senador Antônio Carlos Magalhães e com o jornalista Jorge Bastos Moreno, de *O Globo*. Pude escutar que Moreno falava com ACM sobre a pasta rosa. Ao me ver, enquanto eu já cumprimentava o senador, ele foi mais Jorge Bastos do que nunca:

— Senador, sabe com quem o Lula é casado? — perguntou.

— Não — respondeu ACM.

— Com uma das repórteres que trabalharam no furo da pasta rosa, na *IstoÉ*. A "Mombacinha" — disse ele, referindo-se a um apelido que usava para se referir a Patrícia, e que ela detestava.

A provocação fora motivo de um certo afastamento meu em relação a ele — por causa do episódio da ida de Paes de Andrade à sua cidade natal, Mombaça, no sertão do Ceará. A viagem a Mombaça ocorreu na primeira das 11 vezes em que Paes ocupou a Presidência da República, substituindo José Sarney em interinidades. De fato, Patrícia integrara o grupo que deu apoio a Sônia Filgueiras nas reportagens da revista. Citá-la ali era uma prova da imensa perspicácia de Moreno.

— Não sabia que você era casado com a Patrícia — espantou-se ACM já de frente para mim e segurando as duas lapelas do meu *blazer* num ato hostil. Sem disfarçar a contrariedade e falando com os dentes trincados, as bochechas avermelhadas, ameaçou-me e a Patrícia, bem a seu jeito: — Cuide de sua mulher.

Mais do que com os textos da pasta rosa, Antônio Carlos Magalhães irritara-se com Patrícia em razão de outro texto publicado por ela, em parceria com o jornalista Andrei Meirelles. "Projeto 'Painho'", uma reportagem extremamente ácida escrita por eles para demonstrar qual o mapa do caminho dos Magalhães para estabelecer algum controle sobre a política brasiliense, era o real motivo da ameaça dele. O senador falou aquilo, não esperou resposta, virou as costas para mim e abriu a porta do *Piantella* com força, como se quisesse anunciar a sua chegada ao restaurante. Conseguiu. Os clientes de todas as mesas se voltaram para a porta, e o burburinho, típico das casas de pasto lotadas, cessou por alguns segundos. ACM entrou cumprimentando algumas pessoas. Entrei atrás, contornei-o e sentei à mesa onde já estavam Miro e Sig. Luís Eduardo chegaria logo em seguida. Antes de vir sentar à nossa mesa, o presidente da Câmara foi até onde o pai jantava com Moreno e beijou-lhe a mão. O senador devolveu beijando-lhe a face. Antônio Carlos cochichou algo no ouvido do filho. Olharam para mim. Luís Eduardo bateu no ombro do repórter de *O Globo* e sentou-se onde o esperávamos.

— O que houve na porta? — quis saber.

— Coisas do seu pai. Não gostei.

Reproduzi o ocorrido.

— Deixa para lá, Lula. Ele é assim. Não tome como ameaça.

— Não é ameaça nem tenho medo dele, mas ele não pode fazer isso.

— Não fará mais. Ele gosta de você.

Miro a tudo ouvia. Pediu-me o bloco de anotação que sempre carrego no bolso interno do paletó. Dei. Ele escreveu um bilhetinho: "Sem cicuta". Dobrou o papel e ainda pôs: "De: Lula / Para: ACM" na frente. Chamou o garçom e pediu duas taças de champanhe. Quando ele a trouxe, Miro Teixeira pôs o bilhete na bandeja e mandou entregar tudo na mesa em que Antônio Carlos Magalhães jantava com Jorge Bastos Moreno. O senador recebeu o bilhete, leu, localizou-nos com o olhar. Miro me apontava por cima da cabeça. ACM amassou o papel e jogou-o no chão do restaurante. Estava enfezado.

Cicuta: veneno poderoso produzido pela planta conium maculatum, *nativa da Europa e do Oriente Médio. O filósofo grego Sócrates morreu ao ingerir uma taça com o veneno. Na Idade Média, arqueiros besuntavam as pontas das flechas com ele. Durante a Segunda Guerra, quando se iniciou a decadência dos exércitos de Hitler, os comandantes nazistas carregavam pílulas de cicuta e outras de cianeto. Tinham a orientação de ingeri-las quando capturados. Mortos, não falariam.*

*   *   *

Uma nova corrida maluca em busca de furos momentâneos se iniciava na capital da República. Pela primeira vez, o *Banco do Brasil* sistematizara uma lista com os 50 maiores devedores da instituição. A lista era sigilosa, e como tudo o que é confidencial, seria notícia se um jornalista pusesse as mãos nela. Depois de 1996, listagens como aquela tornaram-se corriqueiras e passaram a ser corretamente encaradas como direito natural dos cidadãos obtê-las, em razão do amadurecimento e da transparência da sociedade. Até ali, não. Um deputado do PT de Santa Catarina, José Fritsch, conseguira a lista. Não era um parlamentar dos grandes círculos de conversa. Felipe Patury entrou em minha sala com a novidade, dizendo que o petista tinha o rol de nomes que todos os jornalistas queriam publicar.

— Fala com ele, marca uma conversa. Vamos convencê-lo a dar isso para a gente.

— Já falei. Marquei uma conversa com ele para as 11 horas. Mas tem um problema.

— Qual? — quis saber.

— A Sônia Filgueiras marcou com ele às 10 horas… Junto com a Patrícia.

— A Pat?

— Sim.

— 10 horas?

— É.

— Puxa para as 9 horas. Eu vou junto com você. Onde será a conversa?

— Gabinete dele no Anexo 3 da Câmara.

— Vê se ele pode às 9 horas.

Felipe saiu de minha sala, negociou com um assessor a antecipação e voltou em poucos minutos. Marcamos 9 e 30 horas, pois o deputado tinha uma agenda antes.

No dia seguinte, chegamos às 9 e 15 e esperamos a agenda anterior sair. Os gabinetes do Anexo 3 são mais modestos do que os do Anexo 4. Não têm sequer toaletes individuais — os banheiros são coletivos, no corredor. As divisórias do Anexo 3 são de madeira e não chegam até o teto. Para que o ar-condicionado do cubículo seja compartilhado, as divisórias são abertas cerca de 30 centímetros em cima. Assim, quase tudo o que se conversa no gabinete reservado dos deputados vaza para a sala de espera. E vice-versa. Fui pronto para isso, e para falar baixo.

Ao entrarmos, Felipe me apresentou e iniciamos um papo genérico sobre a situação econômica e o mercado financeiro. Com os olhos, localizei uma pasta azul-claro sobre a escrivaninha do parlamentar do PT e a sigla de duas letras: *BB*. Era a lista. Quando faltavam três minutos para as 10 horas escutei duas vozes femininas dando bom dia às secretárias do gabinete. Eram Patrícia e Sônia. Olhei para José Fritsch, fiz um gesto para chamá-lo para perto de mim e falei quase no ouvido dele:

— Deputado, sei que o que tem aqui nessa pasta é uma lista, e nós queremos ela — disse sem subterfúgios.

— Você e todo mundo, mas não posso vazá-la — respondeu ele.

Continuamos a conversa ao pé do ouvido. Felipe ficou em silêncio com a testa franzida e um semblante um pouco assustado. Como a expressão é um clássico dele, não sabia se o susto era coloquial ou especial.

— Olha aqui: sei que duas repórteres da *IstoÉ* acabaram de entrar. São ótimas jornalistas. O senhor pode querer entregar essa lista para elas...

— Não, não... — antecipou-se ele.

— Mas olhe só: a *IstoÉ* não é nada diante de *Veja*. Nada. Somos muito maiores do que eles. A *Veja* é a maior revista do país, o veículo de comunicação de maior credibilidade. Se esse furo for publicado em outro lugar, você, que vazou, ficará vulnerável a reações e a ataques. Nós garantimos uma proteção a isso. E só nós garantimos. Agora, se isso vazar para a *IstoÉ*, saberemos quem deu. E seremos impiedosos com isso.

— Você... Está me chantageando?

— Não. Dizendo o que vai acontecer.

Naquele momento percebi que Felipe estava, de fato, com uma agonia especial. Aquele método, contudo, era uma tática necessária na guerra em que estávamos metidos. Saí do gabinete com a lista e prometi entregar cópia ao deputado do PT no dia seguinte. Ou seja, ele ficara sem os originais. Fiz isso, mas o dia seguinte era sexta-feira e a *IstoÉ* estava fechada. Saímos do gabinete e cumprimentamos a minha mulher e Sônia Filgueiras simpaticamente. Despedi-me do deputado do PT.

Publicamos a lista de devedores sozinhos naquele fim de semana e ela nem era tão boa quanto se pensava. Não eram dívidas consolidadas. A brutalidade que expus no diálogo com o deputado petista era, na verdade, uma prevenção contra a ameaça de tomar novo furo da revista concorrente. E entre as repórteres daquela antessala estava Soninha, que nos driblara com a pasta rosa do *Banco Econômico*. Seria devastador para mim. Enquanto caminhávamos para o local onde deixamos o carro estacionado, Felipe, que havia estudado com Patrícia na *UnB*, não se conteve:

— Você é louco? E se a sua mulher descobre a forma como você arrancou essa lista?

— Um dia eu conto, mas precisava fazer isso. A concorrência não podia nos vencer de novo. Às vezes me sinto tão ruim, que acho que sou desagradável.

— Eu não faria isso.

— Sei disso. Mas conto a ela depois.

Saí da Câmara, naquela manhã, começando a refletir sobre meu tempo na revista e naquilo em que me havia transformado. Cruzara uma fronteira, sentia isso.

* * *

Se havíamos perdido a primazia da notícia, era necessário trabalhar dobrado em busca de furos que expusessem os bastidores do poder. A missão parecia ser ainda mais difícil numa quadra em que o presidente da República encantava os caciques da política, os xamãs do mercado financeiro e as cúpulas das redações.

Fui jantar com o deputado Delfim Netto. Queria ouvi-lo sobre cenários, pedir ideias para chacoalhar a nossa cobertura. Com discrição, claro. Se abrisse a alma e falasse de minhas inseguranças profissionais com Delfim, ou mesmo com José Serra, dois ótimos conselheiros, porque sabiam todos os caminhos do mal em Brasília, em menos de dois dias eles cometeriam indiscrições em São Paulo. Serra e Delfim falavam dia sim, dia não, com os diretores de redação de *Veja*, Mário Sérgio e Tales Alvarenga, e com Elio Gaspari, que deixara a *Editora Abril* havia pouco tempo para criar uma coluna em alguns jornais brasileiros.

— Será difícil emplacar algo forte contra o governo, contra o Fernando. A agenda dele é a agenda correta. E denúncia, no Fernando, não pega. Ele parece ser todo forrado com teflon. Nada cola nele — disse-me Delfim, construindo uma metáfora apropriada. Na mesma hora criou outra, antagônica: — Já o Maluf, coitado, tem um ímã dentro do corpo. Ele está andando na rua, a merda aparece lá na outra esquina e, ao vê-lo, sai de todos os bueiros e se junta para cobri-lo dos pés à cabeça. Não é com denuncismo que vocês vão pegar o Fernando Henrique, é com inteligência. E isso dá trabalho.

Fui decantar a conversa com Delfim durante o Carnaval de 1996. Júlia, minha primeira filha com Patrícia, nascera poucos dias antes do sábado de Carnaval. Eu ficaria na cidade durante o feriadão. Regressaria para a redação na Quarta-feira de Cinzas, depois de uma quinzena fora. Estava decidido a mudar várias peças na sucursal. Sentia que, apesar de ter na redação o melhor repórter para apurar os bastidores palacianos, a lógica não se confirmava. Decidi demitir Expedito Filho. Era o único nome que fora mantido por ordem expressa de Mário Sérgio Conti quando ele me convidou para assumir a sucursal de Brasília. Expliquei para o diretor de redação da revista os motivos da minha decisão. Ele aceitou e pediu que comunicasse a Tales Alvarenga, seu adjunto, e a Eduardo Oinegue, editor-executivo. Procurei ambos e obtive o *nihil obstat* para a demissão. A partir dali poderia renovar minha equipe e introduzir oxigênio na redação. Ainda estava em São Paulo quando Paulo Moreira Leite, redator--chefe, chamou-me para uma conversa em sua sala.

— Você vai demitir o Expedito?

— Vou. Conversei com Mário...

— Não vai.

— Vou. Já acertei tudo com Mário, Tales, Eduardo.

— Não vai. Reverti isso com Mário Sérgio. Não podemos abrir mão do melhor repórter que temos.

— É o melhor repórter, Paulo, mas talvez ele esteja me boicotando, porque sempre sonhou com a cadeira em que estou sentado. E não a tem. E não aceita tê-la perdido para alguém que é 10, 12 anos mais novo do que ele.

— Não vai demitir. Ele fica. Ponto final.

— Paulo, se ele não sair, eu vou terminar saindo.

— Ok, você é quem sabe. Reconstrua as pontes e o pacto com ele.

— Não dá.

Deixei São Paulo atordoado com aquilo. Se não podia remontar a minha própria equipe, não fazia sentido insistir na permanência na revista. Minha história em *Veja* começava a chegar ao fim. De volta a Brasília, uma semana depois, marquei um almoço com Franklin Martins. Jornalista mais experiente, de uma lucidez analítica excepcional, Franklin era o chefe da sucursal de *O Globo* na capital. Meses antes de ser convidado para substituir Eduardo Oinegue na chefia da *Veja*, recebera de Merval Pereira o convite para ir para *O Globo*. À época, era Merval quem chefiava a sucursal brasiliense do jornal da família Marinho. Narrei o contexto para Franklin e pedi:

— Tem uma vaga de repórter para mim em *O Globo*?

— Você? Repórter? — espantou-se ele.

— Sim, Franklin. Quero voltar a fazer o que mais sei: apurar. Quero ter menos responsabilidade sobre o conjunto de uma redação. E o cristal com a revista trincou na hora em que não pude fazer o que eu queria.

— Vou falar com o Merval. Ele nunca engoliu sua resposta negativa ao convite dele. E agora é o diretor de redação do jornal.

Horas depois, no começo da noite, Franklin me ligou e pediu que fôssemos tomar um café numa birosca próxima à sucursal de *O Globo* no Setor Comercial Sul. Fui.

— Tenho resposta para você. O salário é o mesmo que você tem hoje na chefia da *Veja*, sem o carro e sem o adicional de viagens *(eu tinha direito a duas passagens para o exterior, por ano, para qualquer destino, e mais US$ 2.500,00 que podia usar sem prestação de contas quando viajasse de férias).* Em compensação, temos um Plano de Participação nos Resultados no qual você entra na condição de "editor". Esse ano, relativo a 1995, recebemos o equivalente a 17 salários. Ou seja, o 13º e mais quatro salários extras, na conta. Mas isso é variável. Topa?

— Topo.

— Você não vai chefiar nada, nem ninguém. Vai ser repórter. Uma espécie de repórter especial, como o Moreno, mas terá de fazer plantões — um fim de semana por mês, folgando às segundas-feiras depois do plantão.

— Topo.

— A estrutura de um jornal é completamente diferente da estrutura de uma empresa como a *Abril*. Você tem concorrência interna também e o arquivo do jornal não te entrega as pesquisas mastigadas e bem feitas como o Dedoc *(Departamento de Documentação)* da *Abril*. Queremos que você venha, mas é para vir na paz. Topa?

— Começo quando?

— Quando você quiser.

— Em abril, pode ser? Comunico a minha saída à *Veja*, terei de tirar umas férias vencidas e, no final de abril, começo em *O Globo*.

— Então comece em maio, depois do feriado do dia 1º.

— Feito.

Fui a São Paulo comunicar a minha decisão a Mário Sérgio, a Tales, a Oinegue. Paulo Moreira Leite soube por eles. Não abri espaço para mudanças no que decidira. Estava me sentindo moído, pressionado, derrotado. Liguei para Elio Gaspari e perguntei se podíamos jantar. Ele já soubera de minha decisão. Disse que reservara uma mesa no *Massimo*. Na verdade, não reservara: ele tinha uma mesa cativa no melhor restaurante de São Paulo, que ficava na Alameda Santos. O *chef* Mássimo Ferrari marcou época na culinária paulistana. Foi um jantar pantagruélico. De entrada, seis franguinhos de leite assados. Éramos apenas dois à mesa. "Chamo isso de Entradas à Dom João VI", disse Elio, rindo.

"Dom João tirava esses franguinhos de letra." Em seguida, uma sopa fria de tomates e pimentões — um *gaspacho*. Pães e pastas. Uma massa. Uma carne. Um risoto. Durante aquela aventura gastronômica, vinho. Ainda haveria uma sobremesa e café com biscoitos. Enquanto comíamos, Elio desancava a *Veja* pelos erros que enxergava na publicação e explicava por que Roberto Civita escolhia tão mal seus executivos. Também me dava conselhos sobre como agir, uma vez que iria para um jornal com cultura corporativa e relações de poder bastante diferentes daquelas que conhecera na *Editora Abril*.

— Bote na cabeça o seguinte: todos os meses você tem de ter ao menos uma reportagem especial de domingo como manchete do jornal. Você tem de dar ao menos seis furos muito bons no ano — uma média de um furo a cada dois meses, que é factível. Esses seis furos estão na contabilidade das 12 especiais. Toda semana, ou quatro vezes por mês, ao menos um texto seu tem de ser o melhor do jornal. Não espere ouvir a pauta de alguém — ligue para a redação toda manhã, fale com o editor, com o subeditor, com quem estiver como pauteiro, e diga o que você fará e como você pode ajudar a edição do dia. Se você fizer isso, não será mais um repórter no meio da redação. Será "o" repórter do qual o jornal não poderá abrir mão.

Eram conselhos especiais, sábios, que eu não tivera tempo ou interesse para escutar enquanto Elio foi repórter especial de *Veja* depois do regresso dos Estados Unidos. O que ele me dissera valia por toda uma estratégia de ocupação de espaço para a realidade inteiramente nova que me esperava em *O Globo*. Findo o jantar, perto das 23 horas, levantei e dei um abraço agradecido em Elio. Desci o pequeno patamar onde ficava a mesa dele e esbarrei na primeira mesa da parte mais baixa do restaurante. Paulo Moreira Leite, o redator-chefe que fora o estopim da minha decisão de deixar a revista, jantava com uma fonte. Cumprimentei-o friamente.

Uma frase dita por Fernando Henrique em seu discurso de posse martelava em minha cabeça. Eu a transpunha para a minha vida naquele momento. "Governar é a utopia do possível", disse o sociólogo que virara presidente da República. Fui feliz na revista, realizei coisas que pareciam impossíveis, utópicas. Mas os dias de leveza e felicidade haviam sucumbido à necessidade atávica de fazer política corporativa. Fora vencido. A *Veja* ficara para trás.

CAPÍTULO 5

"O ASSASSINO INVISÍVEL"

Comecei a trabalhar em *O Globo* numa quinta-feira, 2 de maio. O dia era atípico, mas em jornais o tempo se conta por períodos de 24 horas mesmo, não por semanas, como nas revistas. Franklin Martins recebeu-me muito bem em sua sala na sucursal. Pretendia ir almoçar com Jorge Bastos Moreno. Conhecia o temperamento dele e sabia que precisávamos pactuar alguns limites para a felicidade mútua. Perguntei a que horas Moreno costumava chegar à redação.

— Moreno não vem hoje — disse-me Franklin.

— Doente?

— Não. Está no Rio. Ele ficou muito incomodado com a sua vinda para cá. Vocês vão disputar o mesmo terreno, na cabeça dele.

— Franklin, o Moreno tem a vida consolidada aqui dentro, claro que não vou brigar com ele, porque não sou doido.

— Sei disso, mas você sabe como ele adora disputar espaço e ser paparicado. Ele vai sossegar. Vai ganhar uma coluna.

— Uma coluna?

— Sim. A sua vinda para cá terminou dando a ele uma coluna. O Merval está comunicando isso a ele agora — disse-me o chefe da sucursal de Brasília de *O Globo*, referindo-se ao então diretor de redação do jornal.

Não fiquei exatamente feliz com a recepção. Disputar espaço era tudo o que não desejava naquele momento. No dia seguinte, Moreno chegou cedo. Já estava na sucursal quando eu entrei. Era incomum que fosse trabalhar às sextas-feiras.

— Luís Costa Pinto! — saudou-me no momento em que cruzei a soleira da porta. Ele estava na mesa onde costumava sentar, no fundo da sala ocupada pelo jornal num andar inteiro no Edifício Oscar Niemeyer, Setor Comercial Sul. — É uma honra para esse jornal ter você nos nossos quadros. Aqui somos todos iguais, aviso logo — disse começando a sorrir.

— Moreno! Bom dia...

— ... Mas eu sou mais igual do que os outros. Então, tenho novidades — anunciou, chamando-me à sua mesa de trabalho e já rindo abertamente.

— Eu sei que você vai ganhar uma coluna.

— Sabe, é? Em breve estará pronta. Sairá todos os sábados, na página 3.

A página 3 é a página nobre do jornal *O Globo*. É a primeira a ser lida quando se vira a capa do jornal. Mas os sábados são sempre os dias menos nobres dos jornais. É o dia mais curto de uma edição, porque grandes furos para o domingo são a aposta — exceto aquilo que não seja possível segurar.

— Sei, Moreno. Parabéns!

— Vai se chamar nhénhénhém.

— O quê? Isso é horroroso.

— É uma ironia com o Fernando Henrique, que usou essa expressão. É a cara dele. E a coluna vai trazer os melhores bastidores do Planalto, do Congresso, com meu jeito.

O então presidente Fernando Henrique Cardoso dizia que a oposição a ele promovia um "nhenhenhém" verbal para acusá-lo de ser um sociólogo vendido ao neoliberalismo. Isso ocorreu quando FH enviou as primeiras reformas liberalizantes para o Congresso. A expressão marcou boa parte do primeiro mandato dele. Virou chacota.

— Jorge Bastos, vamos ser amigos?

— Amigos, somos. Eu adoro você. Aliados, claro: trabalhamos no mesmo jornal e o que nos importa é entregar furos ao negócio do Doutor Roberto. Aliás, ele e o João Roberto mandaram eu te dar as boas-vindas, eles não te conhecem ainda. Sempre que vou ao Rio falo com eles. Um dia, quem sabe, apresento você a eles. Mas seremos adversários internos. Isso é bom para o jornal.

— Moreno...

— Costa Pinto, é melhor o jogo ter regras. Vamos fazer assim?

Fizemos. Seguimos amigos e aliados. Quando Moreno morreu, em 2017, aos 63 anos, estávamos afastados. Morava no Rio. O tempo e a distância não haviam curado maledicências disparadas por terceiros, uma pena. Era uma mente tão venenosa quanto inteligente.

*   *   *

— Sou um rolete de cana já chupado. Não dou ibope para escândalo nenhum, por que você se deu ao trabalho de vir até aqui falar comigo? Imagina o que a imprensa podia descobrir se, de repente, abrisse a vida dos donos do *Banco Econômico*, do *Banco Nacional*, do pessoal do *Sivam*, como abriram a minha vida e como bateram no governo do Fernando? Prefiro continuar minha rotinazinha aqui em Maceió.

Foi dessa forma que Paulo César Farias, o PC, respondeu às primeiras perguntas que fiz — "Então, como está, PC? Há quanto tempo! Como vê a vida daqui para a frente?" — quando sentamos para almoçar na quinta-feira, 20 de junho de 1996, na confortável casa em que viveria a partir dali. Era uma fortaleza de 1,5 mil metros quadrados de área construída no bairro Alto das Mangabeiras, zona norte de Maceió. A casa ficava no centro de um terreno que ocupava um quarteirão inteiro, cercado por uma muralha de três metros e meio de altura e espessura de 45 centímetros. Um belo e bem cuidado jardim francês, um gramado com uma pista de paralelepípedos que conduzia até a porta principal e um pequeno coreto compunham a parte externa da residência. Os vizinhos chamavam de mansão. Por dentro, uma surpresa que atraiu a minha atenção tão logo entrei: o projeto arquitetônico reproduzia, em menor escala, o saguão do *Maksoud Plaza*, o hotel paulistano que fora uma espécie de quartel-general de Pedro Collor durante o processo de denúncia e de formulação dos ataques que levaram ao *impeachment* de Fernando Collor, em 1992. A casa tinha dois andares, era toda retangular, um átrio no térreo tinha o pé-direito triplo e, no andar superior, havia um corredor circundando todos os cômodos. O corredor dava para o átrio do térreo — exatamente como no *Maksoud*.

— PC, você reproduziu o projeto do *Hotel Maksoud* em sua casa? — perguntei tão logo entrei.

— Sim. Sempre gostei de lá. Pedi aos arquitetos que fizessem algo que me lembrasse aquilo.

Identifiquei telas nas paredes cobertas com lençóis brancos. Não eram todas, mas algumas. Algumas esculturas em cima das mesas também estavam cobertas.

— Vai pintar a casa? Fazer reforma? — quis saber, ao menos retoricamente.

— Não, Lula. Mandei cobrir para receber você. E não mexa nisso. São obras que tenho, mas essas eu não declarei à Receita. Não vou mostrá-las a você, senão você citará isso no texto.

— Duvido que tenha algo realmente valioso — provoquei sorrindo.

— Tem.

Caminhei até um dos quadros que não estava coberto: Djanira. Outros dois, também sem lençóis: Cícero Dias.

— E esses? Por que não cobriu?

— Esses estão declarados. Você já me trouxe problemas demais nessa vida, Costa Pinto. Demais! Deixe-me falar do futuro, porque o passado é passado.

Só então nos abraçamos, apertamos as mãos e sentamos à mesa. Paulo César Farias obtivera, dias antes, o livramento condicional e esperava conquistar dentro de semanas a liberdade absoluta. Voltaria a Brasília na semana seguinte para depor na Justiça Federal em um processo contra a ex-ministra da Economia, Zélia Cardoso de Mello. Ela era acusada de ter recebido, por meio das empresas de PC, uma propina paga por empresários do setor de transportes interestaduais de passageiros para autorizar aumento de passagens durante o congelamento do Plano Collor, em 1990. Seria o primeiro regresso do ex-tesoureiro de campanhas de Collor à capital da República depois do *impeachment*. Condenado pela Justiça em 1993, dois dias antes da divulgação da sentença ele fugira do Brasil a bordo de um bimotor pilotado pelo ex-sócio, Jorge Bandeira de Mello. Voaram até o Uruguai, de lá para a Argentina. Bandeira se escondeu em Buenos Aires e PC Farias conseguiu voar para Londres. Na capital britânica, foi localizado pela Interpol. Fugiu de novo, sendo capturado em Bangcoc, na Tailândia. Cumpria pena desde dezembro de 1993 num presídio alagoano. Foi o único acusado no processo que levou à cassação de Collor a puxar cadeia.

Já eu, estava ali porque seguia os conselhos de Elio Gaspari. Depois do primeiro mês ambientando-me à redação de *O Globo*, fazia a primeira reportagem especial para ser publicada num domingo, com chamada de capa. Vencida a etapa do diálogo sobre a iconografia da pecelândia, sentamos à mesa. Ele mandou que servissem uma dose de *Logan* para cada um de nós. Havia água *Perrier* sobre a mesa e iscas de peixes fritos — manjubinhas — e dois casquinhos de caranguejo.

— Vamos comer sururu. Você gosta?

— Claro!

Sururu é um prato de mariscos ensopados muito comum em Pernambuco e em Alagoas. Apimentado na medida certa, acompanhado de farinha torrada, é uma iguaria cujo sabor tem escassos concorrentes. Prefiro o sururu sem coco, como aprendi a fazer no Recife. O daquele dia era à moda alagoana, com raspas de coco seco. Depois de saber o cardápio, perguntei: "então, como está você, PC? Há quanto tempo! Como vê a vida daqui para frente?" Foi aí que ele respondeu com toda a ironia que lhe era peculiar, ligando passado e presente, como está registrado no começo dessa novela, a quinta do resumo ora proposta para contar em episódios quase burlescos a vida como ela é — ou, por outra, como ela foi:

— Sou um rolete de cana já chupado. Não dou ibope para escândalo nenhum. Por que você se deu ao trabalho de vir até aqui falar comigo? Imagina o que a imprensa podia descobrir se, de repente, abrisse a vida dos donos do *Banco Econômico*, do *Banco Nacional*, do pessoal do *Sivam*, como abriram a minha vida e como bateram no governo do Fernando? Prefiro continuar minha rotinazinha aqui em Maceió.

Havia um tanto de ressentimento na sala, e não era dirigido a mim. Era direcionado àqueles aos quais ele se referia como "elite" nacional.

— Imagina se o Fernando..., falo do Collor, ok?, imagina se o Fernando desse US$ 6 bilhões para ajudar a salvar o banco do cossogro dele. O que iam dizer?

A referência era ao processo de liquidação do *Banco Nacional*, cujo presidente, Marcos Magalhães Pinto, era pai de Ana Lúcia Magalhães Pinto, casada com Paulo Henrique Cardoso, filho de Fernando Henrique Cardoso. O *Banco Central*, atendendo a determinação de Fernando Henrique, viabilizara a compra do espólio do *Nacional* pelo *Unibanco*, da família Moreira Salles. Para executar a operação, o *BC* permitiu a criação de uma linha de crédito especial para o *Unibanco* no valor de US$ 6 bilhões. De fato, um absurdo e uma ousadia, só possíveis porque havia enorme condescendência da imprensa e daqueles aos quais PC chamava de "elites" para com Fernando Henrique.

— Quisemos fazer tudo muito rápido, de uma só vez, de um golpe só, e metemos os pés pelas mãos. Esquecemos de fazer a articulação com o Congresso. Não demos bola para isso. O governo Fernando Henrique, na prática política, parece muito com o governo do Sarney. Nós achamos que não precisaríamos do Congresso, pois tínhamos conseguido eleger o Fernando com o discurso da antipolítica, e erramos. Daí veio o *impeachment*.

Era uma leitura de conjuntura política válida para quem olhava para trás, naquele junho de 1996. Se retornasse ao Brasil vinte anos depois, seguia uma avaliação conjuntural perfeita para analisar 2016, 2019, 2020.

— O que você vai fazer da vida, PC? — perguntei.

— Vou me candidatar a deputado federal em 1998. Minha condenação judicial não me cassou os direitos políticos. Vou virar deputado.

— Você acha que consegue?

— O Augusto *(irmão dele, deputado federal naquele momento e por mais duas legislaturas depois daquela conversa)* vai ser candidato a prefeito de Maceió neste ano. Tem chance. Fizemos uma pesquisa com o *Vox Populi*, qualitativa e quantitativa, muito profunda. As pessoas acham que paguei um preço muito alto por tudo e que sempre fui leal ao Fernando *(Collor)*. Peguei cana calado, acham-me injustiçado. E acham que a união da família Farias é algo que dá orgulho a todos. O projeto está todo sendo arrumado.

Ao longo do almoço, e também depois dele, enquanto tomamos sorvete de canela com bolo de rolo e bebemos uma bagaceira — conhaque português, excelente para fazer bater um suadouro no clima da Zona da Mata alagoana —, ele esmiuçou os planos familiares.

PC estava convencido do sucesso eleitoral de Augusto na empreitada rumo à Prefeitura de Maceió. Luiz Romero Farias, que fora secretário-executivo do Ministério da Saúde no governo Collor, já tocava com bons resultados uma revendedora *Fiat* da família, chamada *Blumare*. Seria dele o comando editorial do jornal *Tribuna de Alagoas*, que pretendiam lançar nas ruas dali a um mês. O periódico fora o pretexto encontrado por Pedro Collor para romper em definitivo com PC, sentindo-se ameaçado no micropoder de seu quintal alagoano. Cláudio Farias, outro irmão, fora secretário de Energia e de Meio Ambiente no Estado e tocaria outros negócios da família, como uma fazenda de cocos e uma empresa de reflorestamento. Quanto a ele próprio, dedicar-se-ia à *holding* familiar e à *Tratoral*, a revenda de tratores que fora a origem dos grandes negócios familiares.

— PC, o Pedro morreu. A Thereza está morando aqui. O Collor está lá, morando em Miami, curtindo a vida...

— Vai para o Taiti, disseram-me. Está na Austrália, vai para o Taiti.

— Quem?

— O Fernando.

— Ah, isso. E você, remontando a vida. Aqui, esperando essa permissão judicial para voltar ao seu dia a dia. Só você pagou algo por todo aquele processo. Não bate uma raiva, um rancor dos outros, não?

— Eu não tenho raiva de ninguém, não tenho rancor. Deixe-me viver minha vidinha. Aprendi com os erros. Erramos muito. Dá para consertar.

— Não tem raiva nem de mim?

— Rááá! Nem de você, Costa Pinto, nem de você. Talvez até escreva um livro de memórias. Estou reunindo documentos, papéis, anotações para isso.

— Um livro? Você mesmo escreverá?

— Tenho falado com o Mário Sérgio, pode ser...

— O Mário Sérgio Conti, da *Veja*?

— Sim, o Mário Sérgio. Temos conversado. Talvez ele aceite ser o meu *ghost writer*. Quem sabe?

A conversa seguiu até umas 16 e 30. Depois, acompanhei PC Farias até a *Blumare*, onde ele tomaria um café de fim de tarde com o irmão, Luiz Romero. De lá, seguiriam para a reunião com a redação do jornal da família, em fase final de montagem. Despedi-me dele na concessionária onde havia estado na tarde anterior, para constatar que Paulo César Farias era tratado com reverência e idolatria pelos funcionários.

Tinha a minha reportagem especial para o jornal de domingo, com chamada de capa. "PC, um homem sem amarguras e pronto para a política", era a linha do que escreveria.

Domingo, 23 de junho de 1996. Era o primeiro plantão que coordenava na sucursal de *O Globo* em Brasília. Entre as minhas atribuições, cuidar para que o jornal não tomasse furos da concorrência e potencializar as reportagens especiais publicadas no dia considerado nobre dentro das publicações — justamente o domingo. Estava sentado à mesa do secretário de redação, Luiz Antônio Novaes, quando tocou o ramal dedicado à redação central no Rio. Em dias normais, aquele ramal era de uso exclusivo para contatos entre os editores e executivos que ficavam na sede e Novaes, coordenador das operações na capital e braço direito de Franklin Martins no jornal.

— Lula, aqui é a Patrícia Andrade. Estou no aquário hoje. Olha só, o PC Farias morreu e...

— O quê?

— O PC morreu, foi assassinado em Maceió.

— Quem fala?

— É a Patrícia Andrade. Você não me conhece, estou hoje no plantão aqui no Aquário. Precisamos fazer essa cobertura.

— Olha só: você me liga dizendo ser a Patrícia Andrade, mesmo nome de minha mulher, vem com essa história de que assassinaram o PC no dia em que o jornal está circulando aí no Rio, já, com uma especial minha sobre os planos de PC Farias para o futuro... Quem está tentando fazer essa sacanagem comigo? Isso é brincadeira, né?

— Não. Sou a Patrícia...

— Olha só, passa o telefone para alguém que eu conheça.

Aquário: em redações, depois da passagem de consultores catalães pelas empresas brasileiras de mídia, tornou-se uma moda cara e pouco eficaz. Fez a cabeça de muitos dos donos de veículos antes da ruína de seus negócios nos anos 1990 e 2000. Era a palavra pela qual designávamos as salas de comando onde ficavam confinadas as cúpulas das redações. Em geral, estruturas envidraçadas instaladas como ilhas no meio de salões que abrigavam jornalistas e editores de arte por todos os lados.

Ao ouvir tudo o que eu disse, Patrícia Andrade, jornalista que depois se tornaria roteirista de rara competência, desligou o telefone. O acaso pusera nela o mesmo nome e profissão de minha mulher. Culpa do acaso, ora. Em três minutos tocou o telefone da sala de Franklin Martins. Atendi. Era Ali Kamel, então editor-executivo de *O Globo*.

— Lula, a Patrícia Andrade tentou falar com você... É verdade, meu caro: o PC foi assassinado e o *Jornal Nacional* vai dar um plantão em mais alguns minutos falando isso.

— Ali, como? Morreu?

— Ele e a namorada foram encontrados mortos numa casa de praia. Sua reportagem, hein? Nada mais atual... Olha só: larga tudo aí e vai para Maceió. Pega um fotógrafo para ir com você.

— Quem vem segurar o plantão?

— O Franklin vai definir isso. Vai cuidar da viagem.

Eu e o repórter fotográfico Ailton de Freitas pegamos o único voo daquele domingo, direto de Brasília para Maceió, junto com outros 35 ou 40 repórteres, fotógrafos e cinegrafistas que iam cobrir o velório e o enterro de PC Farias. O último jornalista com quem Paulo César falara fora eu. No voo também havia um agente e um delegado da Polícia Federal. O caso não estava com eles, mas o ministro da Justiça determinara o acompanhamento das investigações pela PF. As teorias conspiratórias já se engendravam e é claro que a tese de queima de arquivo era plausível. Afastei-me da chacrinha formada no corredor do avião pelo ajuntamento de homens e mulheres da imprensa, um frisson! Recolhi-me na última poltrona antes do banheiro, ao lado de uma janela e fiquei matutando sobre os caminhos que me haviam levado a Maceió naquela semana para ter aquela conversa derradeira com PC.

Ao pousar, estava decidido a estruturar a minha cobertura do velório no formato — brilhante — como Elio Gaspari escrevera sobre os *Mamonas Assassinas* no enterro dos integrantes da banda no início de março. A tragédia da queda do avião que matou todos os jovens músicos do grupo emocionou o país. Elio, sensível àquilo, produzira no velório dos *Mamonas* um dos textos mais delicados que já lera. Claro que os personagens eram distintos, os músicos da banda de Guarulhos eram heróis improváveis de uma vida que só tinham começado a viver e PC era vilão de uma vida que talvez preferisse não ter vivido, ao menos daquela maneira. Mas a estrutura do que queria escrever mimetizaria o texto magistral de Elio.

O batalhão de jornalistas desembarcou, distribuiu-se em táxis e corremos todos para a sede da *Tratoral*. A empresa, líder do grupo empresarial da família Farias, ficava às margens da BR 101 em seu trecho urbano, logo na entrada da capital alagoana. Chegamos por volta de 17 horas e o corpo de PC já estava lá, num ataúde de mogno claro. Ao menos duas centenas de pessoas se encontravam no local. Todos os irmãos de Paulo César estavam ali. Os filhos Ingrid, de 15 anos, e Paulinho, de 13, também. Os garotos haviam regressado no dia anterior, num voo Zurique-Recife. Estavam morando na Suíça e iniciavam naquele momento um período de quase três meses de férias. Órfãos de mãe *(Elma Farias morrera de infarto em 1994)*, tinham sido matriculados como internos no colégio suíço enquanto o pai cumpria pena. Fui ao encontro de Luiz Romero. Ele tinha os olhos cheios de lágrimas. Abraçamo-nos. Ele chorou. Os Farias sempre foram emotivos. Cumprimentei Carlos Gilberto, engenheiro agrônomo, que morava em Petrolina e era responsável por uma enorme fazenda no perímetro irrigado do Rio São Francisco. Não trabalhava nos negócios da família. Augusto Farias também me abraçou. Mais frio, não chorou.

— Conseguiram, Lula. Mataram ele.

Pouco antes das 11 horas da manhã do domingo, 23 de junho, véspera de São João, uma das festas mais populares do Nordeste, os seguranças de Paulo César Farias arrombaram a porta do quarto onde ele tinha ido dormir na madrugada anterior com a namorada, Suzana Marcolino da Silva. É esse, ao menos, o início da versão oficial para o crime. O empresário pedira para ser despertado às 10 horas, pois desejava caminhar na preamar. Estavam na casa de veraneio na praia de Guaxuma, litoral norte de Alagoas, a 40 minutos do centro de Maceió. Como PC não respondia, os seguranças, todos policiais militares curtindo folga de seus quartéis, decidiram forçar a entrada no quarto. Segundo eles, PC estava deitado de barriga para cima na cama, com um pijama de seda azul-claro. Um dos braços estava sobre o colchão. O outro, largado fora da cama. Suzana estava do seu lado, camisola estampada, coberta por muito sangue do peito para baixo. Uma perna dela estava reta e o pé tocava o chão. A outra, cruzada sobre o colchão. Um revólver da marca Rossi, calibre 38, estava em cima das coxas da mulher, que tinha 28 anos. Os dois mantinham um relacionamento havia pelo menos um ano, quando Suzana foi levada ao presídio onde PC cumpria pena por uma entregadora de marmitas. Ele pedira à cozinheira, que preparava com zelo suas refeições, que o apresentasse alguém disponível para encontros íntimos. A marmiteira, atendendo-o, levou Suzana até ele. O empresário se apaixonou pela morena bonita, de olhar selvagem e ambicioso e corpo perfeito. Cobriu-a de presentes — um Fiat Tipo 0 km, uma boutique numa galeria de lojas na Avenida Jangadeiros Alagoanos, Zona Sul de Maceió, viagens ao exterior às quais ela ia sozinha. Próximo de ganhar um salvo-conduto que lhe permitiria voltar a se deslocar para onde quisesse, tentado a reencontrar algumas paixões do passado e tendo descoberto que Suzana o traía — inclusive com um dentista do ABC paulista, com quem ela estivera dois dias antes do reencontro fatal em Alagoas — Paulo César planejava pôr fim à relação com a garota de programa. Apressados em divulgar que o irmão fora vítima de crime passional, homicídio seguido de suicídio, praticado pela namorada, os Farias e a Polícia Civil de Alagoas geraram, na verdade, muitas suspeitas e desconfianças. Ao revés do que pretendiam, a afoiteza de uma versão redonda para explicar um crime surpreendente conferiu credibilidade às teorias conspiratórias de queima de arquivo e de que o assassinato seria apenas um novo embuste para auxiliar outra fuga de PC para o exterior. As semanas seguintes fizeram a onda de boatos ser intensificada. Jornais, revistas e TVs atiravam para todos os lados. Alguns veículos passaram a patrocinar teses que explicassem os crimes. Os dias que estavam por vir justificavam o adágio popular: "são tempos em que vacas desconhecem bezerros". Eu tinha voado para Maceió com uma mala de mão, duas mudas de roupa apenas. Ficaria na capital alagoana pelos 45 dias seguintes.

Com base na frase de Augusto — "conseguiram, Lula. Mataram ele" — puxei um a um os irmãos para conversar e saber o que ocorrera. Rogério, o mais tosco, prefeito numa cidade litorânea, rejeitou meu convite. Não tive coragem de abordar os filhos naquele momento. A minha vontade era abraçá-los e cuidar deles. Houve cenas de jornalismo explícito, disputa por posições entre os cinegrafistas, exagero de aproximação dos fotógrafos. Tínhamos pouco tempo para apurar os textos e mandar para os jornais. O fechamento da maioria das edições era às 20 horas, podendo se estender até um segundo clichê *(segunda edição, fechamento retardatário)*, com condições para ser baixado às 23 horas. O delegado responsável pelas apurações do crime fora até o velório junto com o secretário de segurança de Alagoas, Rubens Quintella. Aquilo facilitava o nosso teatro de operações. A reportagem que desejava fazer só podia ser apurada na madrugada, quando a maioria fosse embora e o silêncio se impusesse. Dali até o enterro, na tarde seguinte, no cemitério Campo das Flores, teria muito trabalho pela frente.

A maioria dos jornalistas enviara os textos para as sedes de seus veículos, em Brasília ou São Paulo, Rio, Belo Horizonte, Porto Alegre e Recife, e correra para os hotéis. Estava decidido a ficar no velório por toda a madrugada. Rudolfo Lago, repórter do jornal gaúcho *Zero Hora*, ficara comigo. Tínhamos transmitido nossos textos de dentro da sala privativa que PC ocupava quando ia à *Tratoral*. Ela nos fora franqueada por Augusto. Por volta das 21 horas o telefone celular de Rudolfo começou a tocar. Ele estava distante do aparelho, um *Startac* cinza, apelidado de "tijolão". Pesava quase 500 gramas. O repórter do *Zero Hora* largou o copo d'água no garrafão do bebedouro e correu em direção a seu telefone, que perturbava o silêncio do velório. Era Marcelo Rech, àquela época editor-executivo do jornal em Porto Alegre.

— É o PC Farias, Marcelo. Tenho certeza. Claro que é careca como o PC, Marcelo. Porque é o PC. Sim, Marcelo, tem os bigodes do PC — dizia Rudolfo.

A voz alta do repórter do *Zero Hora* atraiu a atenção dos irmãos Farias que seguiam no recinto. As respostas enfáticas de Rudolfo deixavam claro que Rech não acreditava no enredo improvável daquele assassinato.

— Não, Marcelo, não é um boneco do PC. Marcelo, você acha que somos um bando de trouxas e estamos aqui sendo enrolados pelos irmãos Farias?

Ao ouvirem aquilo, Luiz Romero e Augusto sentiram-se provocados. Fizeram menção de ir ao encontro do repórter da publicação gaúcha. O jornalista, por sua vez, caminhava em direção ao caixão onde jazia o empresário.

— Marcelo, ok, estou aqui. Já toquei nele. É o PC. Não é um boneco. O bigode é de verdade, Marcelo. Não, Marcelo, não vou mais discutir com você. Não sou um idiota, Marcelo, não estamos sendo enganados pelo PC e por seus irmãos numa farsa. O Paulo César Farias morreu, sim, Marcelo, e vai ser enterrado amanhã. Até logo, Marcelo, leia o que estará publicado no jornal.

Abracei Rudolfo e tirei-o da cena daquele espetáculo tão real quanto grotesco. Tudo era verdade, mas nos sentíamos a protagonizar uma peça bizarra cujo enredo fora traçado por um louco. Levei meu colega para a capoeira fora do salão da loja de tratores. Ali havia uma mangueira e batia uma brisa agradável. A passagem nunca saiu da minha cabeça.

O resto da noite transcorreu como eu imaginava. No dia 25 de junho *O Globo* trazia em sua capa e nas suas páginas 3 e 4 alguns dos textos que mais me orgulham de ter escrito em minha passagem pelo jornal carioca, pelo grau de dificuldade da apuração, pelo planejamento e por ter tido de ditar palavra a palavra dos textos, por telefone, para a coordenadora de cobertura política da sucursal brasiliense, Helena Chagas. Naquela época a conexão à internet era precária. Tínhamos de abrir os bocais dos telefones, enganchar grampos com fios múltiplos nos polos dos microfones dos fones dos telefones analógicos, solicitar conexão digitando comandos nos *laptops*. No caso de *O Globo*, era um *laptop* desenvolvido exclusivamente para a publicação e chamávamos de "marmita". A tela tinha apenas seis linhas. Um horror. E todas as tentativas de conexão haviam falhado até o *deadline* de envio. Liguei em pânico para Helena e pedi a ela: senta e anota. Ela anotou. Eu ditava até as vírgulas e os pontos. Do outro lado da linha, Helena interrompia a recepção para responder a um ou outro repórter. Em outros momentos, perguntava se o detalhe descrito era aquele mesmo.

— Helena, por favor, só anota. Teremos de fechar as duas páginas — pedi à coordenadora de cobertura política de *O Globo*.

— Rapaz, tenho de tocar outras coisas na sucursal. Vou passar a missão para outra pessoa.

Chamou então Valdo, o teletipista, e pediu que ele prestasse atenção no que eu passaria e anotasse ponto a ponto como se fosse um telex ou um telegrama sendo ditado. Valdo cumpriu o dever com maestria. O texto das reportagens:

'Fantasmas' homenageiam PC Farias
A ausência mais evidente no enterro do empresário foi a dos políticos que receberam ajuda do esquema de corrupção

Luís Costa Pinto,
Enviado especial a Maceió

Às 15h de ontem o corpo do empresário Paulo César Farias, o tesoureiro de campanha do ex-presidente Fernando Collor, baixou à sepultura especial L7 na Quadra 02 do Cemitério Parque das Flores, em Maceió. Não era mesmo um sepultamento comum. No caixão de mogno claro e brilhante, forrado com rendas brancas e enfeitado com cravos igualmente brancos, jazia o homem que na campanha eleitoral de 1989 ajudou Collor a se tornar presidente da República. Por sua atuação, foi também pivô dos principais escândalos financeiros e de tráfico de influência que acabaram ejetando o mesmo Collor do Palácio do Planalto, em setembro de 1992. PC vestia um terno preto e usava uma discreta gravata, também preta, com algumas estampas em vermelho. Era da grife francesa Hermès, ícone do novo-riquismo que marcou o curto período do Governo Collor em Brasília. A gravata foi escolhida pelo irmão Luiz Romero Farias.

"PC gostava de viver bem"
O detalhe acabou sendo o símbolo de uma era que está se extinguindo. Existe no enredo da morte de Paulo César Farias uma profusão de outros detalhes que marcam o episódio. A água que ele tinha na cabeceira a seu lado, na noite em que morreu, era uma garrafinha Perrier, a água francesa que, como as gravatas Hermès, marcaram os anos de Collor na Presidência da República. O uísque que ele bebericou antes do seu último jantar, no sábado, foi um Johnnie Walker rótulo azul, 60 anos.

— O Paulo era um homem de detalhes, caprichoso, gostava de viver bem. Consumiu aquilo de que mais gostava na sua última noite — diz o irmão Luiz Romero Farias.

Pouco mais de 600 pessoas foram ao cemitério assistir ao enterro de PC Farias. Número próximo a esse passou pelo velório do seu corpo, na sede de sua loja de tratores, entre o início da noite de domingo e começo da tarde de ontem. Eram parentes, amigos, amigos de parentes, funcionários e populares. Com raras exceções, políticos e empresários que um dia admiraram, outro dia temeram e, depois, execraram Paulo César Farias, não compareceram. Os funerais do ex-tesoureiro de Fernando Collor poderão passar à História, portanto, mais pelas ausências do que pelas presenças. Não estava lá, por exemplo, o ex-presidente Collor, autoexilado em Miami (EUA) e atualmente passeando entre a Austrália e o Taiti com a mulher, Rosane, o filho Arnon Affonso e um casal de amigos. Collor, para cuja campanha presidencial, em 1989, PC Farias arrecadou US$ 100 milhões, limitou-se a telefonar para o deputado Augusto Farias (PPB-AL), irmão do morto, dando suas condolências e justificando a ausência.

Também não estavam lá a ex-ministra da Economia, Zélia Cardoso de Mello, nem o atual ministro do Planejamento, Antônio Kandir, cujas contas de hospedagem e gastos com refeições na Academia de Tênis, em Brasília, nos primeiros meses do governo Collor, o ex-tesoureiro de campanha bancou. Somados, esses gastos chegaram a US$ 240 mil. Ausentes notáveis também eram os empresários Luiz Adelar Scheuer, presidente da Mercedes-Benz do Brasil, que deu US$ 120 mil ao esquema montado por PC no governo do amigo, e Wagner Canhedo, dono da Vasp, que recebeu US$ 3 milhões do empresário alagoano para injetar na empresa aérea. Igualmente ausentes, os ex-governadores de Pernambuco, Joaquim Francisco, e de Alagoas, Geraldo Bulhões, cujas campanhas foram alavancadas com dinheiro da pecelância.

— Eu não entendo como morre um homem desses. Pode ter errado muito na vida, mas tinha um espírito bom. E por que está pagando tudo sozinho, Deus meu? E os políticos que cercavam ele a toda hora? — perguntava-se no velório a arrumadeira Helena Souza, há 20 anos funcionária da Tratoral, loja de tratores de PC em Maceió.

Os muito vivos, ou os apenas espertinhos, faltaram ao velório e ao cemitério, mas o corpo de PC varou a madrugada de segunda-feira embalado pelos fantasmas. Choraram seu destino, até o início da manhã de ontem, seu amigo Jorge Bandeira de Mello, o comandante Bandeira, dono das assinaturas do fantasma José Carlos Bonfim. Um cheque do Banco Rural assinado por Bandeira, em nome do inexistente Bonfim, pagou no dia 5 de abril de 1991 um Fiat Elba para o ex-presidente Collor. A ex-secretária Rosinete Melanias — dona do jamegão que emitia cheques em nome de outro fantasma, Flávio Maurício Ramos, e que, assim, pagava contas para Rosane Collor, Cláudio Humberto Rosa e Silva e Cláudio Vieira, secretário particular do ex-presidente — telefonou dando os pêsames. Disse que estava rezando desde a hora em que soube do ocorrido. Não foi de corpo presente despedir-se do ex-patrão para não enfrentar a imprensa. O motorista Roberto Carlos Maciel, braço direito de Paulo César Farias em Brasília, acusado de intimidar as testemunhas que deporiam contra o chefe, e depois liberado dessa imputação, também velou o ex-patrão.

— É muita tristeza. Por que só ele paga? — lamentava-se Roberto Carlos, pensativo, numa conversa com o amigo Jorge Bandeira.

PC pensava escrever um livro de memórias

Todos os seis irmãos de PC — além de seus dois filhos, Ingrid e Paulo César — sofriam bastante. A morte foi inesperada e pegou de surpresa a família num momento em que o empresário pensava dar a volta por cima. Ele iria pôr em circulação, dentro de um mês, seu jornal "Tribuna de Alagoas". Também vinha dedicando bastante tempo à costura da candidatura do irmão Augusto Farias à Prefeitura de Maceió. Pensava em escrever um livro de memórias do calvário, do cárcere, da vida enfim. Já tinha até escolhido como *ghost writer* o diretor de redação da revista "Veja", Mário Sérgio Conti.

— O Paulo e o Mário estavam se falando bastante. Chegaram a construir uma relação de confiança mútua. Há um mês o Paulo me falou que escreveria esse livro e queria que o Mário Sérgio Conti fosse o *ghost writer*. Mas disse que ainda não tinha perguntado a ele se aceitaria — contou Luiz Romero Farias.

Junto com o caixão de PC baixaram à sepultura 26 coroas de flores. A maior parte delas fora encomendada pela família. As demais vinham de grupos e famílias de usineiros de Alagoas e uma era da diretoria regional da Fiat em Recife. A família Farias ainda vai encomendar a lápide para o túmulo do irmão mais querido.

— O Paulo passou rápido, viveu só 50 anos incompletos. Mas viveu e morreu do jeito que sempre sonhou continuar vivendo: em liberdade — disse Augusto Farias, o irmão deputado que quer ser o próximo prefeito de Maceió.

Um segundo texto foi publicado na mesma página 3, cercado com uma moldura dupla. Era aquilo a que chamávamos de *feature* em *O Globo*. Ou seja, um detalhe destinado a humanizar a reportagem publicada. Ei-lo:

Reportagem coordenada

O coveiro da maldição do *impeachment*
Com sua pá, José Viana enterrou Pedro Collor,
que arruinou a vida de PC

O coveiro José Eduardo Viana, alagoano de Maceió, tem 48 anos e já viu muita coisa na vida. Enterrou os homens mais importantes de seu estado. Há 16 anos trabalha no Cemitério Parque das Flores, o maior de Maceió. Há um ano e meio foi ele quem abriu e fechou a cova onde está enterrado Pedro Collor. Ironia máxima do destino, ontem foi a vez do coveiro Viana sepultar Paulo César Farias, o ex-tesoureiro de campanha de Fernando Collor, irmão de Pedro. PC teve a sua vida arruinada pelas denúncias de Pedro.

Pai de oito filhos, José Eduardo Viana recebe um salário mínimo por mês e ganha outros R$ 50 por fora para manter limpas as covas de algumas famílias grã-finas da cidade. Também foi ele quem enterrou Arnon de Mello, pai de Fernando e de Pedro Collor, e o senador Teotônio Vilela, político cuja biografia de luta contra a ditadura militar contribuiu para a redemocratização do Brasil.

— Não acho ninguém bom, nem ninguém ruim. Na morte, todos são iguais. Nem achava Pedro Collor certo, nem PC errado. Agora está todo mundo enterrado e fui eu quem enterrou os dois — disse, olhando para baixo, o coveiro Viana.

Na sua função de abrir e fechar covas, Viana não faz relação entre as mortes de todas as pessoas envolvidas de alguma forma no esquema de corrupção do governo Collor. Sequer pensa no assunto, apesar de em Alagoas algumas dessas mortes serem apontadas como obra do Além em razão dos rituais de magia negra que se dizia ocorrerem na Casa da Dinda, a residência do ex-presidente Collor. Mas se Viana não se ocupa em fazer comparações entre as mortes, a coincidência entre várias delas já é hoje um tema muito discutido, não só pela população de Alagoas: também entre políticos e estudiosos do esquema de corrupção do Governo Fernando Collor.

Jeffrey Hoff, um estudioso que ganhou bolsa de estudo da Fundação Fullbright para investigar o esquema de corrupção do Governo Collor, faz uma relação entre as mortes de PC Farias e do ex-governador do Acre Edmundo Pinto. Ambos morreram antes de prestar depoimentos. Afirma ainda que merecem esclarecimentos a morte do empresário Gilberto Miranda, da locadora GM que prestava serviços a Fernando Collor; o incêndio na Assembleia Legislativa do Acre poucos dias após o depoimento de Jácomo Trento; a morte do ex-presidente da Cohab[3] do Acre; e, ainda, a de Elma Farias, mulher de PC, e de Luiz Calheiros Neto, o testa-de-ferro de PC na Bahia. Elma e Calheiros morreram dormindo em Brasília, aparentemente de problemas cardíacos. Elma estava inconformada com a prisão do marido e Calheiros acabara de prestar depoimento no inquérito na PF, acusado de formação de quadrilha. Uma série de coincidências. (LCP).

Enterrados PC e Suzana, mergulhamos na escuridão. Até a terça-feira, três dias depois do crime, ninguém vira fotos da cena com a qual os seguranças diziam ter se deparado. Conjecturávamos em

---

[3] Companhia de Habitação Popular.

torno daquilo que víamos rabiscado no *story board* dos desenhistas a serviço da Secretaria de Segurança Pública local. O secretário de Justiça de Alagoas, Rubens Quintella, um advogado criminalista já idoso que construíra fama de impiedoso, autorizara a lavagem do quarto onde ocorrera ou o homicídio seguido de suicídio, ou o duplo homicídio. Também permitiu que o colchão e os lençóis fossem queimados. Os peritos da Polícia Civil alagoana não fizeram teste para detectar a presença de pólvora nas mãos dos seguranças de Paulo César Farias. A corroborar a hipótese de Suzana ter matado o namorado rico e depois ter se matado, o rápido rastreamento da posse do *Rossi* calibre .38: ela mesma comprara o revólver da dona de uma boate de beira de estrada no agreste alagoano. Além disso, praticara tiro ao alvo em latas de óleo. A prática havia sido testemunhada por vizinhos. Havia pólvora nos dedos da namorada de PC. Por fim, às 2 e 54 da madrugada, antes de morrer, Suzana Marcolino ligara de seu celular para o dentista Fernando Colleoni, com quem jantara na quinta-feira, antes do crime no restaurante *Carlota*, na Rua Sergipe, bairro de Higienópolis, em São Paulo. Ela deixara um recado na secretária eletrônica de Colleoni, um profissional mal saído dos 30 anos e com fama de *latin lover* entre os amigos paulistanos. "Eu te encontro em qualquer lugar, em outra vida. Amor... Fernando... É Suzana...", escutava-se na gravação logo divulgada pelos policiais.

O exame de rigidez cadavérica revelava que PC Farias morrera ao menos duas horas antes dela. O corpo de Suzana estava quase dois graus mais quente que o dele quando ambos foram encontrados. Os dois estavam alcoolizados. Paulo César Farias tinha 1,09 microgramas de álcool em cada mililitro de sangue. A namorada, 0,99. Os parâmetros médicos indicam que uma dosagem acima de 0,5 micrograma de álcool por mililitro de sangue provoca tonturas e falta de equilíbrio em qualquer pessoa. Estudar brevemente e compreender largamente técnicas de medicina legal faziam-se necessário naquela cobertura. Eu começava a achar tudo de uma morbidez engraçada.

Uma briga entre legistas atiçou a imprensa, leitores e telespectadores e transformou as apurações do assassinato de PC Farias e a morte de

Suzana Marcolino numa espécie de *reality show* da medicina legal. De um lado, Fortunato Badan Palhares, professor da *Universidade de Campinas — Unicamp* (SP), famoso desde o fim dos anos 1980, quando auxiliou o grupo de arqueólogos forenses que descobriu ossadas de desaparecidos políticos no cemitério de Perus, em São Paulo. Do outro, George Sanguinetti, professor da Universidade Federal de Alagoas (Ufal), um gogó disposto a chancelar qualquer teoria, desde que lhe concedessem espaço em veículos de mídia. A revista *Veja* apadrinhou Badan Palhares. A *IstoÉ*, Sanguinetti. As emissoras de TV *Bandeirantes* e *Manchete* (naqueles tempos, a segunda maior audiência), Sanguinetti. A *Rede Globo*, Badan Palhares. Em *O Globo* eu preferia acreditar mais nas credenciais científicas do professor da *Unicamp*. O jornal não se sentiu à vontade e, no início da segunda semana daquela corrida maluca atrás da notícia e contra boatos, enviou dois outros repórteres para me auxiliarem na cobertura em Alagoas. Eles cresciam os olhos para as teorias do catedrático da *Ufal*.

* * *

Os responsáveis pelas investigações viram-se convertidos em personagens centrais de uma trama novelesca nacional e comportavam-se como tal. Cada um dos legistas tinha seu próprio motorista. Os delegados, idem. Isso para não falar das autoridades que eram, de fato, autoridades: secretários, governador do Estado e diretor-geral da Polícia Federal. Deslocavam-se tresloucadamente a 120, 140 km/h pelas ruas da capital alagoana. Alguns dos prédios para os quais se dirigiam ficavam dentro de bairros de ruas tortuosas. Nós, jornalistas, tínhamos de correr atrás deles e vivenciávamos perseguições dignas de filmes policiais hollywoodianos.

Desde o dia do velório de PC, contratara para nos transportar nos deslocamentos um taxista de praça, morador de Rio Largo, localidade da periferia de Maceió, que tinha dirigido para mim nas 36 horas que passara na cidade na semana anterior ao assassinato do empresário. Chamava-se Eduardo Saraiva. Tinha um emprego público estadual, ao qual comparecia bissextamente e onde recebia salário com regularidade. A sinecura fora-lhe dada por um deputado da Assembleia

Legislativa. Era também um sujeito que sabia se virar em tempos de eleição: recebia para votar múltiplas vezes. Contou-me que na eleição municipal de 1988 votara nove vezes para prefeito — quatro delas numa cidadezinha chamada Messias, cinco outras, em Maceió. Ele possuía um kit disfarce com perucas de duas cores, bigodes e cavanhaques postiços, oito títulos falsos, além do seu original, e camisas de diferentes padronagens para enrolar os mesários. Como pagamento pelo crime eleitoral que cometera naquele ano específico, recebera 400 litros de gasolina. Pretendia, em 1996, obter o décimo título eleitoral — nove falsos — e aumentar seu ticket-corrupção para 600 litros de combustível. Gostara de ser apresentado por mim ao clã Farias, na semana anterior ao assassinato, porque via neles contratantes em potencial. "Respeito os Farias. Não são violentos, dão duro na vida, não são arrogantes", disse-me ao me levar de volta para o aeroporto quando encerrei a última entrevista dada por Paulo César. Personagens como aquele existiam e faziam bons pés-de-meia nos tempos anteriores à criação das urnas eletrônicas e da checagem de identidade do eleitor por meio de biometria.

A situação mudara a partir do velório e do enterro de PC, sobretudo durante o início das investigações que ocorreram na esteira do crime na praia de Guaxuma. Eduardo Saraiva voltou a dirigir para mim. O líder do clã estava morto. Augusto já era uma candidatura incerta para prefeito da capital alagoana. O taxista se viu tendo de suportar a tensão maluca de um jornalista que se sentia cobrado diuturnamente e que desejava estar presente em todos os cenários, todo o tempo. Eu andava irascível. Ele, atordoado. Esqueci que estava em Alagoas, sendo conduzido a todo o tempo por alguém que me confessara crimes e que não se importara de vê-los descritos no jornal — eu pusera o personagem Eduardo Saraiva na reportagem especial publicada em *O Globo* no domingo em que PC morreu. Instava-o todo o tempo a dirigir a 120, 130 km/h. Cobrava-o duramente quando errava endereços. Até que ele explodiu. Mas a explosão se deu com uma fala mansa, um ar calmo e frio. Aquela frieza e mansidão foi o que me deixou com um temor profundo.

— Ô Lula, é uma pena que eu não ganhe mais a vida fazendo coisas que já fiz. Se eu estivesse nos meus bons tempos e alguém falasse comigo desse jeito que você está falando, não teria dúvidas: valão.

Ele me falou aquilo conservando a segunda marcha, a uns 50 km/h, olhando-me de lado enquanto conduzia o carro para um beco num dos bairros mais soturnos de Maceió, o Tabuleiro dos Martins.

— O que, Eduardo? Não estou entendendo. Camarada, perdemos a porra do carro do Badan Palhares.

— O que estou querendo te dizer é que não ligo se perdemos o Badan Palhares. O que estou te dizendo é que se eu fosse a pessoa que eu fui, até alguns anos atrás, você não estaria falando comigo desse jeito.

— Ah, é? E o que você foi?

— Lula, eu fui pistoleiro. Eu matei algumas pessoas por aí. Eu peguei cadeia. Eu vivi no presídio São Leonardo, aquele mesmo onde PC fazia o serviço social dele para reduzir a pena. E nos meus tempos de pistoleiro, ninguém falava comigo desse jeito que você está falando não.

A voz suave dele, o olhar gelado, deram-me pânico e um frio na espinha. Em silêncio, dei graças a Deus por Freitinhas, o fotógrafo Ailton de Freitas, estar no banco de trás. Ouvia a tudo impassível. "Ele não seria louco de fazer isso com Freitinhas como testemunha", pensei. "Então, é só ameaça mesmo."

— Desculpa, Eduardo. Desculpa. Estou tenso, você está vendo.

Disse aquilo soltando o ar, depois de respirar fundo.

— Desculpo, mas vamos ficar todos calmos agora. Você me contratou por uma semana e não quero ser descontratado também.

— Não será. Todos calmos, todos calmos.

Eduardo Saraiva dirigiu para mim até o último dia em que fiquei em Maceió naquela cobertura.

* * *

A quarta-feira, 26 de junho, foi um dia especial naquela gincana jornalística involuntária. Era assim que definíamos o teatro de operações da guerra informativa. O diretor-geral da Polícia Federal, Paulo Lacerda, desembarcou em Maceió disposto a federalizar as investigações do caso. A Polícia Civil de Alagoas demonstrava imensa fragilidade e um enorme viés favorável às versões mais confortáveis aos Farias. Ou seja, consolidava-se como explicação oficial para o crime o homicídio — Suzana matou PC por ciúmes, por insegurança em razão do fim do relacionamento entre eles — seguido de suicídio — ela se matou, incapaz de segurar o revés que viria e, por isso, teria se despedido do dentista a quem conhecera dias antes. Contra essa tese, pululavam teorias conspiratórias. Seguem algumas delas. Decerto poucas. Eram dezenas de variantes:

- Paulo César Farias teria sido assassinado a mando dos irmãos Augusto e Luiz Romero, que ficariam com a fortuna depositada numa conta em banco na Suíça, cuja senha eles possuíam, pois a teriam obtido com o regresso dos sobrinhos Ingrid e Paulinho. Os seguranças, nessa hipótese, eram os executores dos disparos e teriam forjado o suicídio de Suzana.
- Os seguranças de PC, todos policiais militares, teriam matado o empresário num plano engendrado pelo ex--presidente Fernando Collor. O objetivo era fazer todo o dinheiro de PC depositado no exterior ficar com Collor, que o usaria em novo projeto político. Collor sempre se dera bem com a PM alagoana, e eram policiais militares do Estado os chefes de sua segurança nos tempos de Palácio do Planalto. Por essa versão, Suzana também teria servido como bode expiatório providencial.
- PC teria sido assassinado na praia, abatido por um *sniper* a serviço da máfia italiana, porque o dinheiro dele havia se misturado no exterior com recursos oriundos de famílias mafiosas e do narcotráfico. A PM de Alagoas seria cúmplice e os seguranças teriam matado Suzana para forjar o crime passional. Havia quem dissesse ter visto até o secretário de Justiça, Rubens Quintella, arrastar o corpo de Paulo

César Farias para dentro da casa de Guaxuma. Detalhe: o empresário pesava perto de 100 quilos. Quintella tinha, à época, 73 anos e uma aparência de ancião debilitado.

Sempre fui mais amigo da ciência do que do empirismo. Nunca tive um policial ou um PM como fonte, pois jamais confiei neles. Não dá para confiar em quem se orgulha de existir para cumprir missões e não para criar agendas. Atordoado com o campeonato de lançamento de balões de ensaio, marquei naquele dia duas conversas distintas com o governador do Estado, Divaldo Suruagy, e com o secretário Quintella. O primeiro a me receber, de manhã cedo, foi Quintella. Pediu que estivesse às 8 horas na sede da Secretaria de Justiça. Recebeu-me com *A Gazeta de Alagoas*, da família Collor, e o *Jornal de Alagoas*, dos *Diários Associados*, em mãos. Era um homem exultante.

— Meu jovem repórter! Viu o que aconteceu esta noite?

Não, eu não tinha visto nada de anormal. Não soubera de nada. Estava mergulhado no caso PC e temia, a todo momento, tomar um furo baseado em fatos. Enquanto cuidava para não deixar passar notícias de verdade, tinha de rebater o impressionismo alarmista que as teorias conspiratórias falsas provocavam nos editores do jornal no Rio de Janeiro.

— O que houve? Qual a novidade no caso surgida esta madrugada? — perguntei, temendo o tamanho do furo que poderia ter tomado.

— Do caso PC? Nada. Não é disso que estou falando — tranquilizou-me o secretário Quintella. — Falo é dos quatro corpos que foram encontrados no terreno baldio que fica ali na praia da Ponta Verde, bem próximo ao hotel *Maceió Mar*, onde você está hospedado. Quatro corpos, quatro bandidos do Comando Vermelho, do Rio.

— Quatro corpos na beira-mar da melhor praia da cidade? E isso é notícia boa? — estranhei.

— Claro, meu filho. É didático! Primeiro, porque eram bandidos mesmo. Comando Vermelho, a pior espécie que há. Eles vieram do Rio para cá. Queriam se instalar aqui. Podem ir para

Pernambuco, ficar na Bahia ou em Sergipe, mas aqui não se criam não. Foi coisa nossa. Gente nossa. Matar, bem direitinho e fazer isso num local aberto, bem à vista, para gerar muita mídia e ficar claro que aqui não tem espaço para eles. A polícia de Alagoas sabe como lidar com essa gente. Vocês, jornalistas de fora que estão aqui, têm de noticiar isso.

— Secretário? Essa é a norma? — quis saber.

— Aqui, é. Mas me pergunte: o que mais você quer saber?

Diante da explanação sobre as regras de ação dos policiais alagoanos, vi, desde o início, que dali não sairia nada. Rubens Quintella era uma figura. Recebeu-me metido num terno de linho branco, camisa azul-piscina, gravata-borboleta e suspensórios. Tinha uma bengala numa das mãos, com a ponta do cabo ornada com uma pata de leão talhada em prata. Um chapéu panamá estava sobre sua escrivaninha; usá-lo devia ser mais composição de personagem do que necessidade. Passei a registrar mais o clima e as palavras inusitadas do que qualquer informação que valesse a pena para minhas carências informativas. Deixei-o e fui para o Palácio dos Martírios, a sede do governo de Alagoas, que tem o nome sugestivamente adequado para a história política local. Marcara 11 horas com o governador.

Divaldo Suruagy era um homem engraçado. Tinha um aspecto meio patético. Forjado nos tempos da ditadura militar — ganhara os primeiros mandatos, biônicos, pela lealdade prestada ao regime dos generais —, convertera-se num obreiro dos coronéis nordestinos. Possuía orelhas enormes, só ficando atrás de César Cals naquele quesito. Cals era um coronel cearense também adorado pelos militares. O maxilar era projetado para a frente, a sobrancelha, enorme, parecia um toldo a proteger os olhos caídos que lembravam as feições de um *cocker spaniel*, a raça da cadelinha fêmea de "A Dama e o Vagabundo", da Disney. Eu o conhecia de outros carnavais. Para descontrair e tentar fazer com que me fosse útil na conversa, guardara no bolso uma história para diverti-lo.

— Estão usando o nome do senhor por aí — anunciei de chofre.

— Meu nome? Quem?

— O senador Lavoisier Maia.

Lavoisier Maia foi senador pelo Rio Grande do Norte, Estado que também governou, por diversas legislaturas. Surgiu para a política pelas mãos dos militares, assim como Suruagy e Cals. Excessivamente magro, desengonçado, tendo cultivado por toda a vida um bigode extremamente fino como os traços do personagem "O Amigo da Onça", cartum do início do século XX, portador de um problema facial que desalinhara o eixo de seus olhos — e por isso tinha um olho mais baixo que o outro — e adepto das tinturas de cabelo preto-asa-de-graúna, com a pele do rosto marcada por vincos profundos e sorriso sempre meio parvo e amarelado, Lavoisier Maia era conhecido em Brasília como "o homem mais feio do mundo".

— O Lavoisier?

— Sim. Certa vez eu estava em Salgueiro, sertão de Pernambuco, fazendo uma reportagem sobre tráfico de drogas, plantações de maconha, essas coisas. Fui jantar num restaurante de um posto de gasolina. Tinha uma boate no restaurante. Numa mesa do fundo da boate o senador Lavoisier estava lá, com duas mulheres perfumadas, maquiadas, bem... Amorosas com ele. Estendi a mão e disse "senador Lavoisier, boa noite". As mulheres olharam para mim, ele me fuzilou com aquele olhar de esgar tão próprio dele, e disse: "não me chamo Lavoisier. Meu nome é Suruagy. Divaldo Suruagy".

O governador alagoano quase caiu da cadeira de tanto rir. Precisou levantar e tomar um copo d'água para conter o acesso de risos. A estratégia tinha dado certo. A partir dali podia vir coisa boa.

— Conte-me o que o senhor sabe desse assassinato, por favor — pedi com jeito.

— Você tem alguma dúvida de que essa garota, com medo de perder o homem da vida dela, o homem que deu a ela um carro zero, uma boutique, viagens para o exterior, que a tirou da vida de garota de programa, matou PC e depois se matou?

— Governador, é confortável pensar assim e vocês dizem isso desde o momento em que os corpos foram encontrados. Tanta pressa sugere versão combinada, para livrar a cara de alguém.

— Não duvido da polícia alagoana.

— Mas é confortável demais.

— Qual a versão plausível para o crime, tirando essa maluquice de que Paulo César foi abatido na praia por mafiosos que tinham comprado até o secretário de Justiça?

— Ora, os seguranças poderiam tê-lo matado, a mando dos irmãos, e depois forjado o suicídio de Suzana — respondi.

— Você conhece bem os irmãos Farias. Tirando o Luiz Romero, que é um médico de formação espetacular, inteligente, e o Carlos Gilberto, engenheiro agrônomo que tem carreira relevante lá em Petrolina, e é um homem de bem, quem mais ali tem inteligência? Costa Pinto, por favor!

— Sim, e por que não?

— Porque Paulo César era o líder venerado por eles. Era o pai de verdade de todos eles. Nenhum deles daria um passo sem ter a anuência do PC. Agora, suponha que a namorada tenha matado o PC Farias. Os seguranças, todos PMs, tendo escutado o tiro, abriram o quarto e viram a moça de arma nas mãos ainda viva — expôs o governador tentando criar um raciocínio plausível.

— Sim, isso é possível. Já é uma tese diferente: teria sido duplo homicídio. E um ou todos os seguranças seriam assassinos ou cúmplices de um crime.

— E onde você acha que está a moral alagoana?

— Como assim? Moral alagoana? Não entendo.

— Pela moral alagoana, pelo senso comum, se tivesse ocorrido isso: uma mulher, jovem, mata um empresário, rico e mais velho, cuja proteção estava a cargo de seguranças. Esses seguranças abrem a porta, veem a arma nas mãos dela, atiram e matam-na, porque ela matou o chefe deles, amado por eles. Por que esses seguranças fugiriam da responsabilidade? Por que esse circo todo? Pela moral alagoana, eles estariam perdoados e teriam cumprido seus papéis. Poderiam até enfrentar processos, mas se livrariam. Precisaria a gente armar essa confusão toda? Não! Qualquer um, em Alagoas, entenderia o lado dos policiais militares se eles dissessem que haviam abatido a mulher que matou o chefe deles. A família Farias daria sustentação a eles, não iria se expor a essa maluquice de investigação com teorias, dois legistas, laudo para todo lado.

— Então, para o governador de Alagoas, seria normal que um policial militar abatesse uma mulher porque ela matara o companheiro?

— Seria. E não me diga que não concorda, porque eu não acredito.

Saí dali entendendo tudo sobre a inusitada moral alagoana, mas estava ainda mais confuso do que ao entrar. Corri para a unidade de Polícia Científica, onde o secretário-geral da Polícia Federal estava reunido com os legistas e os coordenadores das apurações. Era um prédio à beira-mar, na ponta sul do litoral de Maceió. Uma praia bonita, só tendo a destoar um emissário de esgoto que rasgava a paisagem entrando mar adentro por uns 600 metros até lançar jatos de podridão depois dos arrecifes. O secretário Paulo Lacerda deixou a reunião para dar uma entrevista coletiva logo depois que o repórter Marcelo Auler, do jornal *O Dia*, do Rio de Janeiro, saiu do banheiro reservado aos investigadores. Auler fora o único a obter autorização para frequentar aquele sanitário e ninguém havia entendido. A coletiva de Lacerda foi chinfrim. Não acrescentou nada, não anunciou a federalização formal das apurações. Em meio àquela balbúrdia, seria um dia normal.

Praticamente todos os jornalistas de fora de Alagoas estavam hospedados no mesmo hotel, *Maceió Mar*, na praia de Ponta Verde. Só a *Folha de S. Paulo* montara uma minissucursal na cidade, inclusive com coordenador de ações presente no local e um time estrelado de repórteres. O QG deles era outro hotel, *Pajuçara Othon*, na praia de Pajuçara. Próximo ao quartel-general da *Folha* estava o restaurante *Wanchako*, desde sempre a melhor culinária peruana do Brasil. Marcamos de jantar, todos os jornalistas, no *Wanchako* depois de enviar nossos textos. Assim foi feito. As caipirinhas e os *piscos sour,* junto com os *ceviches*, ajudaram a reduzir a tensão entre nós. Por volta de meia-noite decidimos retornar para o *Maceió Mar* andando. Era uma caminhada pela Avenida Beira-Mar, quase linha reta, de uns quatro quilômetros. A brisa estava boa. Fomos.

No meio do caminho, Marcelo Auler, o repórter de *O Dia*, com quem eu trabalhara por um breve período em *Veja*, pôs o braço direito por cima do meu ombro e apertou meu pescoço com o antebraço. Gesto de velhos amigos. Tínhamos, no currículo, uma capa da revista que fizéramos, em parceria com o jornalista Tim Lopes, sobre meninos de rua. Eu ainda morava no Recife quando integrei o grupo daquela reportagem. Auler sempre foi um dos mais bem informados repórteres de bastidores policiais, rivalizando com Policarpo Jr. naquele ofício. Mas Auler estava apenas reduzindo os danos da facada que me daria a partir daquele ponto da conversa.

— Lulinha, eu te dei o maior furo dessa cobertura até agora. Você foi o último a falar com PC vivo. Eu te dei um furo com PC morto, hoje. Estava esperando o relógio marcar meia-noite para te contar.

Marcelo Auler falava comigo ao pé do ouvido para que os demais repórteres não escutassem o que conversávamos. *O Dia*, e não mais o *Jornal do Brasil*, tornara-se o maior concorrente local de *O Globo* no Rio de Janeiro. O jornal da família Carvalho tivera uma sucessão competente de comando dos jornalistas Marcos Sá Correa e Ruth de Aquino na direção de redação e conseguia, naquele momento, incomodar profundamente a liderança de opinião do diário dos Marinho.

Parei de andar e o retive, deixando que os demais se afastassem.

— Qual furo, cacete?

— A foto. A foto da cena do crime. *O Dia*, amanhã, estampa a foto de PC e Suzana na cama, jogados, sangue em Suzana. A foto que ninguém viu até agora. Vamos arrebentar.

— Puta que o pariu. Pu-ta que o pa-riu! Caralho.

— Sossegue. Só eu podia ter essa foto. Nem você, nem ninguém conseguiria. Mas, por favor, por lealdade, não conte ainda aos editores no Rio. Porque *O Globo* é forte demais e termina fodendo nosso furo. Jura que segura?

— Juro. Como você conseguiu?

— Só eu conseguiria.

— Como você conseguiu?

— Quem veio aqui hoje? Quem está acima de tudo?

— Paulo Lacerda.

A cena de Auler saindo do banheiro privativo dos investigadores voltou à minha mente. Claro: ali! Só ele tinha aquele acesso.

— Eu não estou dizendo isso. Lulinha, amigo, é da vida: um dia, você ferra todo mundo. No dia seguinte, é ferrado. O bom do jornalismo é essa alternância. Mas, me prometa: fique calado.

— Ficarei.

Retornei ao hotel e não preguei o olho. As paredes da frente do *Maceió Mar* eram todas envidraçadas, escondendo a luz do sol por extensas cortinas e *blackouts*. Em Maceió, assim como no Recife ou em João Pessoa, o sol começa a nascer pouco depois das 4 horas. Abri as cortinas e esperei o dia raiar. Sabia que me ligariam tão logo *O Dia* começasse a circular. Às 5 horas tocou o telefone do meu quarto. Era Franklin Martins, chefe da sucursal de *O Globo* em Brasília.

— Lula, tomamos um furo monumental hoje. *O Dia...*

— Estou sabendo.

— Como você está sabendo?

— Porque o Marcelo Auler me contou mais cedo, logo depois de meia-noite. Estou arrasado. Foi o Paulo Lacerda, fonte dele.

— Você soube ontem e não me contou?

— Franklin, não podia te contar. Não havia nada o que fazer.

— Era para ter me contado. A gente podia ter tentado algo. Essa foto é inacreditável. É a cena do crime. Ela vai estar em todos os lugares daqui a pouco. E furo de *O Dia...* Porra...

— Franklin, desculpe. Vamos atrás de recuperar hoje, com outra coisa.

Desliguei. Minutos depois tocou o telefone de novo. Era Merval Pereira, diretor de redação. O diálogo foi semelhante. Em seguida, Rodolfo Fernandes, editor-executivo. Idem, a mesma conversa. Fui tomar banho. Remoer a mesma falha não ajudaria em nada. Por volta das 6 e 30 o telefone de meu quarto tocou mais uma vez. Ramiro Alves, editor de política do jornal, queria falar do mesmo assunto. Começou a fazer-me uma cobrança um tom acima dos demais. Meus nervos estavam em frangalhos. Fomos alterando as vozes. Minha alteração foi ficando maior do que a dele. A voz se convertera exclusivamente em gritos. Palavrões voaram fio adentro. Mandei-o para todos os lugares possíveis e imagináveis. Xinguei a mãe dele e todas as outras gerações. Extravasei. Puxei o telefone. O aparelho veio à minha mão junto com fios e tomadas da parede. Um pouco do reboco também. Lancei o telefone no espelho que ficava diante da escrivaninha do quarto, quebrando-o. Destroçei uma cadeira. Fui tomar outro banho. Desci para o café da manhã. Comi como se não houvesse amanhã, nem furo para dar e me recuperar sabendo que sempre há um dia após o outro. Recompus--me. Pedi acesso ao *office center* do hotel. De lá, liguei para Ramiro, pedindo desculpas e tentando explicar minha reação. Nunca mais voltamos a nos falar da mesma maneira. Era apenas o quinto dia de uma cobertura que duraria outros 40.

* * *

Como vivíamos intensamente a loucura daquela cobertura, pre-cisávamos extravasar de alguma forma. Eduardo, o taxista, seguira conosco, mesmo depois do episódio em que passamos estresse profundo. Num sábado determinado, descobri que era aniversário de Ailton de Freitas, o repórter fotográfico que estava comigo em Maceió. Resolvi aprontar para Freitinhas, como o chamávamos, com a ajuda de jornalistas de outros veículos.

— Eduardo, é aniversário do Freitas hoje. Vamos fazer uma surpresa para ele?

— Vamos. Qual?

— Você sabe que o Freitinhas curte todo tipo de figura, né?

— Curte como?

— Curte, tipo assim, namora todo mundo. Inclusive o pessoal lá da Serra...

"Serra" era uma região mais afastada da cidade de Maceió onde ficavam algumas boates de noites animadas. Mulheres, *drags*, *gays*, homens, a fauna era rica.

— Sério? Tudo?

— Tudo — respondi. Mentia, claro.

A ideia era dar uma festa em pleno saguão do hotel. A partir do fim da tarde de sábado, todos os jornais estariam fechados e as revistas já estariam circulando. Era nosso melhor dia de folga.

— Será que você traria uma dupla para animar o Freitinhas, coitado? Ele tem uma relação estável lá em Brasília e anda meio deprê aqui — inventei.

— Claro!

Avisei alguns repórteres. No começo da noite Eduardo chegou ao *Maceió Mar* com duas *drag queens* recrutadas por ele mesmo. "Freitinhas! Freitinhas! Quem é Freitinhas?!", apresentaram-se na recepção, aos berros. Uma delas imitava a icônica Isabelita dos Patins. Levamos as *drags* até o quarto do repórter fotográfico, com um som improvisado ao fundo e uma farra meio mal-entendida pelo homenageado. Fechou o tempo. Ficamos sem falar um com o outro por alguns dias.

Domingo, manhã seguinte à brincadeira mal recebida por Freitas. Acordei cedo, estava no café do hotel. Ainda não eram 7 horas. Liderados por Xico Sá, jornalista que estava no grupo de cobertura da *Folha de S. Paulo*, repórteres de veículos diversos entraram ruidosamente no salão do *Maceió Mar*. Chegavam direto da noite não dormida nos bares e boates da capital alagoana. Havia, contudo, algo que os excitava e incendiava as conversas. Um burburinho.

— Xico, que houve? — quis saber.

— Lulinha, você não foi. Emoção, camarada, emoção!

— O quê?

— Fomos às boates, às *Chantecler* de Maceió *(fazia referência a uma antológica casa noturna da zona portuária do Recife Antigo que ele e eu frequentamos em nossas encarnações universitárias. Ele, mais que eu. Registre-se)*. — E, de repente, um sujeito puxou um revólver, começou a ameaçar a gente, disse que éramos um bando de jornalistas tirando o sossego da cidade... E atirou.

— Atirou? Machucou alguém?

— Não, atirou para cima. Saímos correndo. Nos táxis, paramos e contamos: voltamos todos. É vida, meu povo! — gritou Xico, aplaudido por alguns de nossos colegas que já sentavam às mesas para comer a charque acebolada com macaxeira cozida e o cuscuz, que faziam do *buffet* de café da manhã do *Maceió Mar* algo imperdível ante o quebrado *Pajuçara Othon*, onde estava o pessoal da *Folha*.

— Vocês estão loucos? — perguntei em voz alta querendo dar lição de moral à turba da imprensa. — Estamos aqui realmente incomodando esse povo, pressionados num lugar onde bala é lei e vocês vão fazer uma noitada dessas e ainda arrumam confusão?

Vaiado, calei-me resignado.

* * *

Sem rumo, a investigação do assassinato de Paulo César Farias e da morte de Suzana Marcolino foi perdendo o interesse da imprensa e da população. O noticiário voltava a convergir para Brasília, onde o presidente Fernando Henrique começava a abraçar com força o projeto de aprovar uma emenda de reeleição. Ele fora um dos artífices da emenda da Revisão Constitucional que podara o mandato presidencial de cinco para quatro anos. Fez isso porque, naquele momento, o petista Luiz Inácio Lula da Silva era favorito a vencer o pleito de 1994. Embalado pelo Plano Real e adotado pelo capital financeiro nacional, FH pretendia então mudar a cultura política brasileira e criar o instituto da reeleição. Precisava driblar um óbice — o prefeito de São Paulo, Paulo Maluf, que tentava correr com os trâmites legislativos de aprovação e fazer a regra valer ainda em 1996. Óbvio que o projeto era ele mesmo ser reeleito. O presidente almejava a reeleição, mas sem trazer junto com ela quaisquer benefícios a Maluf. Eu precisava voltar para Brasília.

Formalmente, o caso do assassinato de PC e Suzana Marcolino só foi encerrado no dia 10 de maio de 2013, quase 17 anos depois do crime cometido na praia de Guaxuma. Os policiais militares Adeildo Costa dos Santos, Reinaldo Correia de Lima Filho, Josemar Faustino dos Santos e José Geraldo da Silva, seguranças de Paulo César Farias que estavam trabalhando na casa de veraneio do empresário na véspera do São João de 1996, foram absolvidos pelo júri popular do Tribunal do Júri do Fórum de Maceió. A acusação era de duplo homicídio triplamente qualificado, em que pese eles não terem sido responsabilizados por matar Paulo César Farias. No caso de PC, recaía sobre os seguranças a acusação de não terem evitado o assassinato. Quando receberam a sentença, todos já estavam aposentados pela PM alagoana. Sem sucesso, o juiz Maurício Breda tentou imputar algum crime a Augusto Farias, irmão de PC. Augusto jamais foi formalmente acusado de qualquer coisa. O jornal *Tribuna de Alagoas* abriu e fechou, não circula mais. Os irmãos Farias tocam suas vidas, vez ou outra tentando mandatos como prefeitos de cidades do litoral norte do Estado ou no legislativo estadual. Nenhum deles conseguiu outros mandatos federais.

A "moral alagoana", da forma como a descrevera o governador Divaldo Suruagy, sobrepôs-se à razão naquele caso emblemático. Daí a absolvição de todos num crime cujos assassinos permanecem invisíveis até hoje.

CAPÍTULO 6

PODER,
UM CORRUPTOR
INCORRIGÍVEL

— Amigo, escute: você pode vir à minha casa?

— Claro — respondi. — Sou credor eterno seu. Em sua breve passagem pelo Ministério da Fazenda consegui dar furo até em Economia!

Eram 7 e 30 da manhã da quarta-feira, 4 de dezembro de 1996. O ministro do Meio Ambiente e Recursos Hídricos, Gustavo Krause, tinha deixado as filhas na escola e me telefonara. Em menos de trinta minutos saí de meu apartamento na Superquadra 202 Norte e fui até a casa dele. Era uma casa simples, pertencente ao Instituto Brasileiro do Meio Ambiente, Ibama, no Lago Sul. Krause tinha um timbre de voz de quem estava preocupado.

— Você acha possível estar ocorrendo um novo esquema de roubo no Orçamento, igual àquele da CPI dos Anões? — perguntou o ministro logo que cheguei.

— Possível, acho. A Comissão de Orçamento nunca foi um ambiente para freiras ou para padres. Mas não sei de nada. Não ouvi nada.

— Eu sei, eu ouvi. Vou te contar.

Surpreendi-me. O governo e a bancada leal ao presidente da República corriam com os trâmites orçamentários para limpar a pauta de votações polêmicas e poderem, enfim, levar ao plenário a emenda de reeleição. Fazendo-a transitar de 1996, quando poderia ter beneficiado Paulo Maluf, prefeito de São Paulo, para o início de 1997, momento em que seria aprovada a tempo de estruturar a campanha de Fernando Henrique e dos governadores aliados, operavam como uma orquestra em fina sintonia. Pretendiam chamar uma convocação extraordinária do Congresso, em janeiro, exclusivamente para aprovar a emenda de reeleição. Ajeitei o corpo na cadeira de balanço do terraço, aceitei uma segunda caneca de café bem passado e escutei o relato.

Alfredo Moreira, executivo que trabalhava havia dez anos para a construtora *Andrade Gutierrez* acompanhando a tramitação de emendas e projetos no Congresso Nacional, fora ao encontro do secretário nacional de Recursos Hídricos do Ministério de Krause para pedir ajuda. Escaldado pela CPI dos Anões do Orçamento, encerrada apenas dois anos antes, com repercussão profundamente negativa para as empresas de construção civil que trabalhavam para governos — entre elas, a própria *Andrade Gutierrez* — o executivo procurara o secretário Paulo Romano, um velho conhecido. Romano havia sido deputado por Minas Gerais, mesmo Estado de Moreira e da empreiteira, durante três mandatos. O ex-deputado conhecera um momento fugaz de celebridade, porque dera o 336º voto no processo em que a Câmara autorizou a abertura do início do *impeachment* de Fernando Collor pelo Senado Federal. Foi voto numericamente cabalístico para atingir o quórum de cassação. Encerrando sua biografia pública, Romano queria conservar intactas as melhores páginas.

Moreira avisou ao secretário de Recursos Hídricos que a corporação a qual representava estava sendo achacada na Comissão de Orçamento.

— Quem está achacando? Que história é essa, sô? — indagou Paulo Romano.

— O deputado Pedrinho Abrão, líder do PTB — respondeu o executivo. — Você conhece ele. Além de ser um goianão daqueles, bem duros, é um gigante de quase dois metros e pesa uns 120 quilos. Ele é o sub-relator de todas as verbas orçamentárias das áreas de Meio Ambiente, Amazônia Legal e Recursos Hídricos.

— Sei, claro. E daí?

— Daí que ele pediu 4% de comissão para liberar as verbas destinadas às obras da Barragem do Castanhão, no Ceará. É a maior obra hídrica desse governo, precisa de R$ 65 milhões, o Ministério de vocês já destinou R$ 43 milhões e não tem margem nenhuma para fazer uma maluquice dessas.

O secretário Romano decidiu, corretamente, que precisava de uma testemunha para seguir a conversa. Ligou para outro deputado, o baiano João Leão, e chamou-o a seu gabinete. Pediram pães de queijo, chá e café enquanto aguardavam que o parlamentar chegasse ao ministério — um trajeto que pode ser cumprido em 20 ou 30 minutos.

Na frente de Leão, o homem da *Andrade Gutierrez* reproduziu sua versão: o deputado Pedrinho Abrão convocara-o ao gabinete na presença de um colega, Pinheiro Landim, do Ceará. Diante de Landim, disse que quem faz orçamento público é o Parlamento e não o Poder Executivo. Logo, a verba de R$ 43 milhões para o Castanhão, que tinha saído carimbada do Ministério do Meio Ambiente e Recursos Hídricos, só poderia ter esse valor confirmado se lhe fossem pagos 4% pela empreiteira, a título de comissão.

— Não pode, isso é uma imoralidade. Não há margem de lucro nessa obra e não posso cometer a indignidade de levar essa proposta ao conhecimento da direção da empresa. Esta é uma obra da agenda presidencial e não acredito no que estou ouvindo — respondeu o executivo, segundo sua versão.

Alfredo Moreira narrou isso também para mim, na tarde do dia 4 de dezembro de 1996, e depois numa comissão de inquérito.

João Leão e Paulo Romano quiseram saber qual o comportamento do deputado Pinheiro Landim, que era do Ceará, Estado onde fica o açude. O Castanhão é um reservatório crucial para o abastecimento da população cearense, com capacidade de armazenamento d'água comparável a uma vez e meia a baía de Guanabara, no Rio de Janeiro. Inicialmente, de acordo com o denunciante, Landim tentou fazer o colega goiano compreender a importância da obra para os sertanejos cearenses. Depois, ante a recalcitrância do líder do PTB, fez uma proposta de composição indecorosa: pediu que Abrão baixasse a comissão para 2% do total a ser destinado para a conclusão do açude, reduzindo a propina solicitada à metade.

— Não topamos o esquema, mas sei que há outras empreiteiras topando — alertou o executivo. — Se ele ficar com 4% de todas as verbas de recursos hídricos, fica com R$ 10 milhões só nessa rubrica orçamentária!

— Não vou deixar que mexam nas destinações orçamentárias específicas priorizadas pelo governo. Vou procurar saber o que está ocorrendo e aviso depois a vocês — prometeu o deputado João Leão, que à época era do PSDB (o partido governista) e coordenava a apresentação de todas as emendas para o setor hídrico.

Apesar da frase enfática no gabinete ministerial, Leão jamais deu retorno ao secretário Romano ou ao denunciante Moreira. Ante o silêncio do parlamentar tucano, os dois recorreram ao gabinete do ministro. Gustavo Krause, pouco à vontade com o tema, convocou-me então para desabafar e para auxiliá-lo numa estratégia de ação.

Depois de ouvir tudo, sugeri:

— Denuncie. Só há esse caminho. Denuncie, claro, por meu intermédio em *O Globo*.

— Como? Não tenho provas de nada.

— Vou correr atrás das provas e te ligo mais tarde. Aí a gente vê como faz.

Sempre tive verdadeira ojeriza a jornalismo de denúncia. É recurso fácil, e nem sempre a denúncia está correta. Nunca tentei gravar ocultamente qualquer pessoa. Expedientes como aquele terminaram, tempos depois, virando corriqueiros em Brasília. Resolvi surpreender o deputado Pedrinho Abrão na liderança do PTB. O gabinete dele ficava próximo ao Espaço Cultural da Câmara, no andar térreo. Sem marcar, fui até lá e esperei que terminasse uma reunião em que buscava apoio interno para romper com o governo e aliar-se ao PPB de Paulo Maluf. O projeto dele, dizia-se, era ligar o taxímetro para ampliar as possibilidades de ganhos na votação da emenda de reeleição, que se daria dali a poucos meses. Autorizado a entrar no gabinete do líder petebista, evitei sentar na cadeira que ele me oferecia. Sentado, calculei mentalmente, teria menos tempo para reagir caso ele quisesse me agredir. Surpreendê-lo com o tema da conversa era fundamental. Engatei a terceira marcha e subi a rampa.

— Na quarta-feira da semana passada o senhor e o deputado Pinheiro Landim, do Ceará, conversaram com o representante de uma empreiteira sobre a barragem do Castanhão? — perguntei.

— Esta é uma acusação grave. Não houve essa conversa. Não conversei com ninguém de empreiteira — respondeu-me.

O deputado goiano ficou instantaneamente enrubescido. Abrão tinha uma tez branca, olhos azuis, cabelo castanho-claro. A resposta, contudo, era quase um libelo de admissão de culpa, pois fora muito além da pergunta.

— Por que acusação, deputado? O senhor não pode receber o técnico de uma empreiteira para dar uma informação? — quis saber, ressaltando nas entrelinhas que ele se autoincriminava com a resposta dada.

— Isso é uma acusação de *lobby*. É muito grave.

— Não é acusação, por enquanto. Na conversa de vocês falou-se em alguma comissão de 4%?

— Agora é uma acusação grave. Você está me acusando de, junto com outro deputado, ter pedido uma comissão de 4% a um representante de empreiteira.

— Não, senhor. Estou dizendo que na conversa do senhor e do deputado Pinheiro Landim com um representante de empreiteira, falou-se numa comissão de 4%. Não disse de que lado se falou. Não disse se o senhor tinha pedido comissão ou se tinha recusado uma oferta. Há uma acusação de que o senhor teria pedido uma comissão de 4%. E essa é a acusação grave.

— Agora é uma acusação grave.

— É.

Ao admitir que o estava acusando, saí apressado de sua sala, enquanto ele procurava o *blazer* pendurado no porta-terno. Creio que pensava sair correndo em busca de auxílio para advogar a seu favor, mas temi por uma reação física. Conhecia os corredores labirínticos do térreo da Câmara e logo arrumei uma sala reservada do Espaço Cultural para anotar a conversa — palavra a palavra — da forma como ela ocorrera. Gravá-la ocultamente era contra meus princípios — ou uma história faz sentido ou não faz. Aquela fazia.

Anotei rápido e liguei para o gabinete do deputado Pinheiro Landim. Disseram-me que ele estava numa sessão da Comissão de Ciência, Tecnologia e Comunicação. Fui até lá, no Corredor das Comissões, Anexo 3 da Câmara dos Deputados. Também usaria o fator surpresa, à guisa de gravadores. Dei sorte, porque os dois parlamentares não tinham se falado ainda. Naqueles tempos em que telefones celulares eram ainda objeto de luxo, combinar versões tinha um grau de dificuldade temporal um pouco maior do que nos dias de hoje.

— O senhor e o deputado Pedrinho Abrão conversaram na quarta-feira com um representante da *Andrade Gutierrez*? O assunto foi o açude do Castanhão? — larguei de chofre para o cearense.

— Conversamos. A Barragem do Castanhão é uma prioridade do Ceará e há doze anos trabalho nisso — respondeu ele, caindo numa primeira contradição com o colega goiano.

— Como foi a conversa?

— Difícil.

— O que o deputado Pedrinho Abrão pediu para a construtora para que fossem mantidos os recursos do Castanhão no Orçamento da União de 1997?

— ... (*silêncio*) ... Eu disse ao Pedrinho que não procurasse ter vantagens financeiras sobre isso, para não buscar vantagens! Não dá. O Estado do Ceará precisa muito dessa obra.

— Ele pediu o quê? 4%?

— Ah? É. Mas não dá para ter vantagem financeira sobre isso. A bancada do Ceará vai se mobilizar e vamos garantir o Castanhão.

— É verdade que o senhor tentou argumentar com o deputado Pedrinho Abrão que, pelo menos, reduzisse à metade a comissão que estava pedindo à empreiteira?

— ... (*silêncio*)... Me dá o teu telefone. Ligo para você mais tarde — propôs o deputado Landim. Dei. Ele nunca ligou.

Deixei o corredor das Comissões da Câmara e fui direto para a redação. Saí pelas portas do Anexo 2 e, antes de pegar um táxi, anotei em detalhes a conversa com Pinheiro Landim. Na sucursal de *O Globo*, relatei para Franklin Martins o que tinha em mãos.

— Manchete — empolgou-se ele. — Mas precisamos de alguma forma dizer que isso já preocupa o governo. O Krause ia falar sobre o tema com o Fernando Henrique?

— Não sei. Acho que não.

— Liga para ele e pede para marcar com o presidente, para dizer a ele o que está ocorrendo. Isso vai impactar as negociações da reeleição, o PTB tem um bloco com o PFL e é esse bloco que detém o controle da Câmara — sugeriu Franklin. — Abre o texto com a denúncia do ministro para o presidente.

Telefonei para Krause, contei-lhe o que havia feito e pedi que fosse a FH. Depois da agenda com o presidente, claro, o ministro deveria me ligar e contar como se dera o papo. A missão estava cumprida às 17 e 15, quando Gustavo Krause me pediu para encontrá-lo numa sala reservada do Palácio do Planalto. Ele me deu o *lead*, depois de ter me dado a notícia.

No dia 5 de dezembro, *O Globo* saía com a manchete "Krause denuncia a FH novo escândalo no Orçamento". No texto, dizia o ministro sobre Pedrinho Abrão: "esse camarada está criando dificuldades para vender facilidades". Escrevi que Fernando Henrique dissera a Gustavo Krause que, em seu governo, era inadmissível "a volta de práticas antigas". Por fim, em linha com o que acertara com a minha fonte e para evitar turbulências maiores na tramitação da emenda de reeleição, meu texto ainda registrava a seguinte frase do ministro do Meio Ambiente: "esse deputado está indo na contramão da história do Congresso e do governo. Ele não está respaldado por ninguém lá dentro. Age por conta própria". Era jogo jogado. Jamais criaria embaraços a quem me garantia ali um novo gol para a contabilidade dos placares de jornais, cujo mecanismo de funcionamento me ensinara Elio Gaspari.

O esquema de Pedrinho Abrão foi abortado. A missão da bancada do governo era evitar turbulências maiores. Luís Eduardo Magalhães, presidente da Câmara, andava atravessado com o nome do parlamentar goiano na garganta, porque ele ameaçava a toda hora romper o bloco PFL-PTB e cobrava um preço político alto para se conservar no time governista. No mesmo dia em que *O Globo* circulou com a manchete que furava a bolha de corrupção que parecia se formar mais uma vez em torno da Comissão de Orçamento, Luís Eduardo anunciou a criação de uma comissão de cinco deputados para avaliar a instauração de processo sumário de cassação de Abrão. Krause, Romano, o executivo Alfredo Moreira e eu fôramos convocados a depor, além de Abrão e de Landim.

Um assessor da liderança do PTB me procurou para advertir, em *off*, que a defesa do líder petebista solicitaria a fita com as gravações dos diálogos publicados, a fim de constatar a veracidade da denúncia. Não havia fita, nem gravações. Na reportagem que eu escrevera, tampouco falei de gravações ou deixei de falar. Mantive o tema em suspenso, porque aquela era uma fragilidade de fato. Eles não desmentiram o que fora publicado, pois sabiam que as conversas tinham ocorrido e havia testemunhas. Mas também não confirmaram, pois suspeitavam que não houvesse nada gravado. Horas antes de meu depoimento à comissão de deputados, o presidente da Câmara me chamou a seu gabinete.

— Lulinha, você tem gravações?

— Não, Luís. E isso é um problema — respondi. — Tudo aconteceu como publiquei, mas não gravei. Eu terminei cada conversa e anotei tudo.

— Confio em você. A gente sabe com quem está lidando e não nascemos ontem.

— O que respondo quando os advogados dele me interpelarem lá na Comissão Especial perguntando pela gravação?

— O Adylson Motta preside a Comissão. Ele vai indeferir a pergunta. Tem poder para isso. Não responda nada. Ele intervirá — instruiu-me Luís Eduardo Magalhães.

Adylson Motta, deputado pelo PPB do Rio Grande do Sul, era o primeiro-vice-presidente da Câmara.

— Mas leve um grupo de deputados que possam sair em sua defesa caso o Pedrinho ou o Pinheiro engrossem. Você não pode destratá-los, eles são deputados, têm mandato. Mas outros deputados podem correr em seu socorro se eles partirem para cima de você — recomendou.

Saí dali e reuni-me com Miro Teixeira, José Genoino, Sigmaringa Seixas e Benito Gama, que era o líder do governo. Eles me defenderiam. O quarteto foi até a Comissão Especial e se manteve atento às provocações. Conforme era esperado, a primeira pergunta dos advogados de Abrão dirigida a mim foi em relação à existência ou não de gravações.

— Mantenho o que foi publicado — disse, sem dizer se havia ou não havia gravações dos diálogos mantidos com Abrão e Landim nos quais eles se autoincriminavam.

— Pergunta indeferida. A testemunha não precisa responder — atalhou Motta, como Luís Eduardo antecipara que faria.

Em sua coluna *Nhénhénhém* publicada apenas dois dias depois do furo sobre o novo escândalo do Orçamento da União com o deputado Pedrinho Abrão sendo flagrado na cobrança de uma comissão de 4% sobre a liberação de verbas públicas, Jorge Bastos Moreno ignorou olimpicamente a notícia. Era o jeito Moreno de ser: agridoce. Se as brasas sob as sardinhas do vizinho estavam mais acesas, não seria ele quem sopraria a fim de torná-las incandescentes.

A cassação de Pedrinho Abrão foi pedida pelos integrantes da comissão. O processo tramitou lentamente. No dia 27 de maio de 1998, o plenário da Câmara decidiu manter o mandato do deputado goiano por 247 votos contrários à cassação e 164, a favor. Luís Eduardo Magalhães, àquela altura, não estava mais presente na presidência da Casa. Abrão tentou a reeleição naquele ano, mas não conseguiu. Os eleitores de Goiás cassaram-no nas urnas. Pinheiro Landim também escapou da cassação, reelegeu-se no Ceará, mas renunciou ao mandato em janeiro de 1999, sob acusação de integrar uma máfia de venda de *habeas corpus* no Judiciário de seu Estado.

* * *

— Merval quer falar com você, linha 1. Atende aqui na minha sala.

A determinação de Franklin Martins, para mim, na primeira segunda-feira útil do ano de 1997, não parecia conter nada demais nas entrelinhas. Peguei o telefone, Franklin permaneceu na sala para acompanhar a minha conversa com o diretor de redação de *O Globo*, Merval Pereira.

— Lula, tem chegado para mim, e para outras pessoas aqui no Rio, a informação de que está havendo compra de votos contra a emenda de reeleição. Seria coisa do Maluf, do Quércia, para atrapalhar a aprovação da emenda — disse Merval, iniciando a conversa.

— Como é que é? Eu tenho ouvido exatamente o contrário — respondi.

— Eu tenho ouvido isso. Precisamos fazer uma reportagem alentada sobre isso, bastidores.

— Merval, isso não existe.

— Existe. Quero que você faça. Mergulha nisso.

Desliguei o telefone e nem precisei iniciar uma conversa com o chefe da sucursal do jornal em Brasília.

— Ele está insistindo nesse assunto. Quer que você vá ao Congresso reunir histórias disso de todo jeito — explicou Franklin.

— Olha só: vou ao Congresso, vou passar o dia lá, e no fim da tarde vou te ligar do Comitê de Imprensa dizendo: "Franklin, não consegui história nenhuma de deputado vendendo o voto contra a emenda de reeleição", combinado?

— Combinado.

— Franklin, o que pode existir, o que se fala, mas não tenho provas, é que estão comprando votos a favor da reeleição, a favor do governo. A lógica é essa. Querem essa matéria?

— Não, vá lá, vá lá. Liga para mim depois.

Não escreveria nenhum texto nos dois dias seguintes. No fim daquela tarde, como acertara com ele, liguei para o chefe da sucursal de *O Globo* e anunciei: "Franklin, não consegui história nenhuma de deputado vendendo o voto contra a emenda de reeleição". Merval Pereira não viu sua pauta cumprida no jornal que dirigia. Não gostou e registrou.

* * *

Domingo, 12 de janeiro de 1997. O Palácio do Planalto contava os votos para aprovação da emenda de reeleição, permitindo, pela primeira vez na história do Brasil, que um presidente da República disputasse no cargo um novo mandato presidencial. No futuro que começara a ser construído naquele passado, os cientistas políticos passariam a chamar os chefes de Executivo que viriam a desempenhar aquele papel de "incumbentes". No cronograma palaciano, a comissão especial da Câmara dos Deputados aprovaria a emenda naquela semana que se iniciava. Na semana seguinte, a emenda constitucional instituindo a reeleição seria votada em primeiro turno no plenário da Casa. O PPB, liderado pelo ex-prefeito de São Paulo, Paulo Maluf, era o único partido contrário à inovação legislativa, do centro à direita do espectro ideológico no Parlamento. Por 48 horas o PMDB, liderado por Orestes Quércia e Paes de Andrade, conseguiria embolar o jogo.

Convocada para aquele dia, uma Convenção Nacional dos peemedebistas fora esvaziada pelo Planalto. Nenhum aliado palaciano pretendia comparecer ao evento partidário, mas Quércia e Paes conseguiram pôr quórum no auditório — mais de 400 convencionais — e aprovaram uma moção contra a emenda da reeleição, com uma determinação para que os deputados da sigla rejeitassem a emenda. Foi mais espuma do que caldo, uma vez que o instituto da fidelidade partidária inexiste na prática política brasileira. Entretanto, a ira do presidente da República e do seu general de exército Sérgio Motta, ministro das Comunicações e condutor do trator governista que atropelava as votações no Congresso sempre que as teses palacianas corriam riscos, fez com que a vitória dos opositores à tese da reeleição se revelasse inócua. "PMDB se rebela e complica votação do projeto de reeleição" era a manchete de *O Globo* no dia seguinte, 13 de janeiro. Duas reportagens coordenadas mostravam, já naquele momento, que a reação governista seria impiedosa. "FH exige que PMDB vote a reeleição ou saia do governo", era a capa de *O Globo* na terça-feira. "PMDB fecha acordo e vota hoje reeleição na comissão", escrevemos na quarta-feira.

— Serjão está sentado na cabine e passa o trator e a patrol para deixar tudo aplainado — comentou no fim de uma reunião o ex-presidente da Câmara, Inocêncio Oliveira. Ao lado dele, na conversa comigo, estava o peemedebista Michel Temer, candidato à sucessão de Luís Eduardo Magalhães na presidência da Casa. Inocêncio também fora tratorado pelo exército governista: viu-se impedido de disputar novamente a presidência da Casa contra Temer.

De acordo com o calendário de atropelos do governo, a eleição do presidente da Câmara ocorreria logo depois de aprovada a emenda de reeleição no Congresso. Luís Eduardo operara habilmente para eleger Temer, sossegar Inocêncio dando-lhe o espaço que quisesse nos ministérios e ainda transformar o pai, Antônio Carlos Magalhães, em presidente do Senado. Numa quebra de tradição, marcara a eleição do sucessor um dia depois do pleito em que os senadores escolheriam quem presidiria a Mesa do Senado. O goiano Íris Rezende, da banda do PMDB que era contra a reeleição, disputaria com ACM, ampliando a ansiedade de Temer. A ideia de Luís Eduardo era, por 24 horas, fazer o Brasil ter uma inédita dupla de pai e filho presidindo as duas Casas do Parlamento. Assim foi feito, com toda a frota de retroescavadeiras, tratores, patrolas e guindastes do Palácio do Planalto, liderada pelo voluntarioso ministro das Comunicações.

"Comissão aprova reeleição e PMDB reabre diálogo com FH", foi a nossa manchete na quarta-feira, 16 de janeiro. Seria um jogo bruto. Serjão, assumindo sem-cerimônia o papel de capitão do time de articuladores políticos, anunciou que a emenda iria ao plenário da Câmara no dia 22. A data guardava uma margem de segurança até o prazo fatal, no início de fevereiro, quando seriam eleitos os novos presidentes das duas Casas do Congresso. Ao mesmo tempo, uma Comissão Parlamentar de Inquérito instalada no Senado para apurar irregularidades no pagamento de precatórios públicos, que caminhava no ritmo das tartarugas quando chegam à praia para pôr ovos, recebeu uma maçaricada incendiária por parte do *Banco Central* e expôs adversários da proposta de emenda constitucional de reeleição — o prefeito de São Paulo, Celso Pitta, eleito com a ajuda de Paulo Maluf; os governadores do PMDB oposicionista Paulo Affonso, de

Santa Catarina, e Divaldo Suruagy, de Alagoas e o governador de Pernambuco Miguel Arraes, presidente do PSB, e seu neto Eduardo Campos, secretário estadual da Fazenda.

Um relatório do *BC*, enviado ao relator da CPI, o senador paranaense Roberto Requião, revelava que, de R$ 9 bilhões em títulos públicos cujas emissões haviam sido autorizadas pelo Senado para pagar precatórios judiciais de sentenças transitadas em julgado, apenas R$ 3 bilhões tinham sido efetivamente utilizados para esse fim. Os R$ 6 bilhões restantes foram lançados irregularmente no mercado, alimentaram uma corrente financeira, remuneraram ilegalmente corretoras e levaram lucro excessivo a bancos privados e a fundos de pensão.

Um novo escândalo, o da farra dos precatórios judiciais, instalara-se em definitivo para constranger e paralisar uma parte da oposição à reeleição — PPB de Maluf, PMDB de Orestes Quércia e Paes de Andrade e PSB de Arraes. No dia 19 de janeiro, Requião, o relator da CPI dos Precatórios, fez um salseiro enorme ao anunciar que convocaria instituições financeiras públicas e privadas que teriam lucrado com os títulos públicos e poderia converter a comissão em uma CPI dos Bancos.

As revelações dos grandes negócios com a emissão de títulos para pagamento de precatórios judiciais desarrumaram o coreto na Câmara. O peso maior das denúncias recaiu sobre o prefeito paulistano, Pitta; o governador catarinense, Paulo Affonso; e o secretário de Fazenda de Pernambuco, Eduardo Campos, neto de Arraes. Campos assumiu todo o erro que porventura tivesse ocorrido no processo adotado no Estado — mas isentou-se de dolo no caso. Ele tinha 31 anos, estava licenciado do primeiro mandato de deputado federal para assumir a Secretaria de Fazenda do governo do avô e caiu numa depressão profunda com o episódio. Estruturou sua defesa judicial a partir de sua casa, no bairro do Monteiro, no Recife. Metódico e sistemático, passou a andar com uma pequena caderneta onde anotava resumidamente tudo o que diziam dele, quem dizia e se aquilo podia ser lido contra ou favor de si. Também relacionou quem o procurou em seu recesso forçado e quem deixou de fazê-lo. A pretensão era, caso atravessasse o episódio apenas com danos colaterais, mudar o padrão de relacionamento com as pessoas, dependendo da forma como o viram no olho daquele furacão.

Eu conservava uma relação de relativa proximidade com Eduardo Campos. Na juventude, mesmo ignorando ser três anos mais novo, frequentamos os mesmos bares no Recife — o *Real*, em Casa Forte; o *Fundo do Poço*, no Poço da Panela e o *Depois do Escuro*, nas Graças. Em 1986, quando o conhecera, ele liderava uma brigada denominada "Portinari", cuja missão era pintar muros na Região Metropolitana pedindo votos para o avô. Havia, também, uma relação familiar muito próxima entre as famílias de Cristina, minha ex-mulher, e as famílias Arraes e Campos. Em 1992, fui convidado para coordenar a área de comunicação da campanha dele à Prefeitura do Recife. Recusei. Estava no auge da carreira em razão da entrevista de Pedro Collor concedida a mim, na *Veja*, e que foi o estopim do *impeachment*. Eduardo apenas começava na vida pública e terminou aquela eleição em quarto lugar.

Então deputado pelo PSB, Luiz Piauhylino, um advogado pernambucano de quem eu era muito próximo, chegando a ser padrinho de um neto dele, avisou-me da depressão de Eduardo e do caderno de notas. Aconselhou-me a ir encontrá-lo. Numa de minhas idas ao Recife para estar com meus filhos Rodolfo e Bárbara — mantive a rotina de voltar a Pernambuco mensalmente para vê-los até o momento em que entraram nos respectivos cursos universitários —, fui até a casa de Eduardo Campos. Conversamos longamente, estava tenso, identificava os erros cometidos no processo e quem o induzira a cometê-los. Agradeceu o gesto.

— Não vou me deixar derrotar, não vão me vencer. Você vai ver. A vida é rua de mão dupla, meu amigo. Lá na frente tudo se encontra numa encruzilhada — disse-me, ao se despedir no portão da casa dele.

* * *

A votação da emenda da reeleição em primeiro turno foi adiada do dia 22 de janeiro para o dia 28. Às vésperas do teste das urnas no plenário da Câmara, a CPI dos Precatórios no Senado convocou Arraes, Campos, Pitta e Paulo Affonso. O teatro de operações estava armado. Relator, o senador Roberto Requião escolhia a quem passar as melhores informações e o jornal *O Globo* não constava em sua lista de prioridades. Integrante da ala peemedebista contrária à reeleição, ele achava (não sem razão) que o nosso viés de seleção dos fatos a serem publicados atendia ao cronograma estabelecido pelo governo para a aprovação da emenda a favor do segundo mandato de Fernando Henrique. Cansado de ver sua equipe tomar um furo atrás do outro, Franklin Martins chamou-me ao seu pequeno aquário na sucursal brasiliense do jornal da família Marinho e pediu que interviesse junto ao parlamentar paranaense e reivindicasse um tratamento mais isonômico às informações exclusivas.

Entendi o recado e vesti a carapuça das hostilidades. Chamei as repórteres Maria Luiza Abbot e Regina Alvarez, que estavam dedicadas com exclusividade a cobrir a rotina da CPI, e fomos ao gabinete de Requião no subsolo de uma das alas do Anexo 2 do Senado. Tínhamos hora marcada para uma conversa exclusiva. A antessala do senador estava abarrotada de repórteres de outros veículos. Asseverei que teria de ser uma conversa reservada: eu, as duas repórteres e ele. Mandou que entrássemos. Fui direto ao ponto:

— Senador, está ficando muito mal para o senhor: *O Globo* se sente excluído do cardápio de furos que é oferecido à *Folha de S. Paulo*, a *O Estado de S. Paulo*, às revistas semanais e às TVs. Sabemos que os vazamentos ocorrem aqui em seu gabinete.

— Que vazamentos?

— Vazamentos de informações. Há um tratamento desequilibrado contra a gente. Queremos receber as informações que chegam antes nos outros veículos. Somos *O Globo*. Pode ficar muito ruim para o senhor, poderemos mudar nosso padrão de tratamento também.

Ele levantou da cadeira onde estava, caminhou por trás da escrivaninha e veio em minha direção aos gritos:

— Você está me ameaçando? Quem é você para me ameaçar?

Maria Luiza e Regina Alvarez esbugalharam os olhos. Ambas ruivas e de pele clara, enrubesceram. Permaneci sentado onde estava.

— Levante-se e saia do meu gabinete! — ordenou Requião aos gritos.

— Não levanto e não saio. O senhor tem de ter um pouco de compostura. E esse gabinete é público. Não é seu. É do Senado Federal. Estou aqui para pedir correção e isonomia no trato de algo que é público: informação.

Ao vê-lo vir em minha direção, levantei-me para encará-lo. Ele parou no meio do caminho.

— O que vocês querem?

— Furo. Só isso.

— Vou tratar direto com as repórteres aqui. Não te recebo mais — disse ele, parecendo ter esfriado a cabeça.

— Não tem problema, senador. Desde que o jornal não fique prejudicado.

— Nossa conversa está encerrada. Falo com elas.

Saí do gabinete. Lá fora, um repórter da *Rádio CBN* narrava ao vivo o entrevero, sem saber o que se passava dentro da sala do Senado. Apenas ouvira a exaltação e a iminente altercação. Uma semana depois, encontrei Roberto Requião num jantar na casa de meu sogro, Paes de Andrade. Fora comer um churrasco suíno, característico do Paraná, chamado "porco no rolete". Ao me ver na sala, ele veio ao meu encontro.

— O que foi aquilo em meu gabinete, Costa Pinto?

— Jogo de cena.

— Jogo de cena? Quase vou às vias de fato contra você.

— Eu me garantiria, senador. Não tenha dúvidas!

— E eu ia te dar um soco! Apesar de tudo, gosto de você. Voltáramos às boas.

* * *

"Câmara diz sim a FH" era a manchete de *O Globo*, ocupando as seis colunas da capa do jornal e num tamanho pouco usual, bem maior que a tipologia rotineira da publicação, no dia 29 de janeiro.

Abaixo da manchete, a linha fina celebrava: "Aprovação da reeleição derrota ao mesmo tempo Paulo Maluf, Quércia e Paes de Andrade". As oposições retiraram-se do plenário da Câmara e a emenda de reeleição obteve 336 votos favoráveis — eram necessários 308. Escassos 17 deputados remanescentes da oposição votaram contra a criação da possibilidade de reeleição para detentores de mandatos executivos no país e seis se abstiveram. Foi uma vitória avassaladora do governo.

Uma semana depois de aprovar a emenda de reeleição, o Senado elegeu Antônio Carlos Magalhães presidente. No dia seguinte, o deputado paulista Michel Temer venceu a disputa para presidir a Câmara. Por 24 horas, como haviam programado meticulosamente, Luís Eduardo e ACM exibiram ao Brasil a dobradinha de pai e filho presidentes das duas Casas do Parlamento. Não houve estranhamento àquilo, nem mesmo os partidos de esquerda censuraram o atropelo da tradição de eleger presidentes da Câmara e do Senado no mesmo dia e horário. O governo, cujo presidente começara a receber chancela legislativa para tentar a reeleição inédita, flanava num país que parecia ter abraçado consensualmente a agenda rascunhada pelo sociólogo risonho que se tornara inquilino do Palácio da Alvorada. Como poucos, Fernando Henrique sabia jogar o jogo em que estava metido. Terceirizava as maldades e os atropelos e adorava protagonizar o papel de arauto das boas notícias. Como nenhum outro presidente antes ou depois dele, soube reencarnar o papel de cientista social e analisar o próprio governo. Esse, aliás, era o personagem que interpretava melhor. Com habilidade ímpar, ouvia discordâncias às suas ideias. Quando o interlocutor se tornava chato, procurava uma piada em que se incluísse como sujeito e, com ela, afastava o tema incômodo.

*　*　*

— O Fernando Henrique vai te receber para um alô — disse-me Ana Tavares, a secretária de imprensa, numa sexta-feira em que almoçávamos no gabinete dela e o governo parecia indestrutível depois de vencer batalhas seguidas no Congresso.

— Mas eu não pedi conversa alguma — respondi.

— Ele vai te receber, pô! Está com saudade de você. Você fica por aí, só ouvindo maledicências no Congresso, conversando com os amigos do seu sogro, que é contra o governo... Ouça mais o presidente — apelou ela, com ar de galhofa.

Encerramos o almoço e subimos pela escada interna que levava da Secretaria de Imprensa, no primeiro andar, para o gabinete presidencial, no terceiro. O presidente estava à vontade na poltrona vermelha onde sempre gostava de receber os convidados.

— O que foi, Ana? Lula tem algum rolo contra mim que vai publicar amanhã? — perguntou FH à secretária de imprensa, piscando o olho direito e sorrindo. Era discurso ensaiado para me deixar à vontade.

— Nada disso. Só política de bom relacionamento.

Ele pediu que eu sentasse no sofá à sua frente. A iluminação do gabinete presidencial acabara de ser trocada e *spots* de lâmpadas dicroicas, tão calorentas quanto potentes com seus focos unidirecionais, tinham sido instaladas no teto. Uma moda dos anos 1990 que passou, ainda bem. Além de esquentarem o ambiente, aquelas pequenas lâmpadas consumiam energia acima da média. Um dos focos ficava exatamente em cima de minha mão e terminou por fazer brilhar além do normal a aliança do dedo anelar esquerdo. É uma joia toda facetada, o que ampliou a intensidade do brilho e projetou um reflexo na poltrona do presidente.

— Aliança nova? — perguntou ele. — Casou de novo?

— De jeito nenhum, é a mesma aliança de quando casei com a Patrícia. Compramos em Florença, na Ponte Vecchio.

— Filha do Paes de Andrade, presidente! Seu opositor no PMDB! — atalhou Ana Tavares, para rir em seguida.

— É mesmo, você é casado com a filha do Paes. Saudades do uísque do Paes, que ele quis esconder de mim... Então, e esse ouro no seu dedo? É o Ouro de Mombaça?!?

Rimos, a conversa destravou, falamos de conjuntura e de amenidades. Meu sogro não falava com o presidente havia alguns meses, desde que recusara o terceiro convite formal para entrar no ministério e levara parte do PMDB para a frente de resistência à emenda de reeleição.

À noite fui à casa de Paes e dei o recado que tinha compreendido sem que me fosse explicitado.

— Acho que o Fernando Henrique quer vê-lo — disse.

— Por que ele não me liga, então? — perguntou Paes.

— Porque é tortuoso. Ele me chamou para conversar, sem agenda, não tinha nada para me falar, em específico. Ainda fez uma piada com a minha aliança, que estava brilhando sob a luz. Disse que era o ouro de Mombaça. Também perguntou se resta uísque 18 anos na garrafa escondida em seu guarda-roupa.

Paes de Andrade, que era o presidente do PMDB e seguiria mantendo parte do partido na oposição, telefonou para o Alvorada no dia seguinte. Foi ao encontro de FH e o convidou para novo almoço em sua casa. Política não se fazia com o fígado. Já em torno de doses de bons uísques, certamente.

* * *

O senador Antônio Carlos Magalhães e o deputado Michel Temer iniciaram os respectivos mandatos à frente das presidências da Câmara e do Senado anunciando o compromisso de votarem todas as reformas constitucionais enviadas pelo governo. "Temer e ACM garantem maioria a FH", era a manchete de *O Globo*. Lá dentro, nos textos que retratavam o novo momento vitorioso de um Palácio do Planalto que sabia aplainar as heras hostis que não conseguiam vingar no Congresso, os presidentes das duas Casas do Parlamento asseguravam a aprovação da emenda de reeleição, de uma extensa reforma administrativa que permitisse ao Executivo demitir e reenquadrar funcionários públicos, prometiam celeridade em programas de privatização — as empresas estatais de telefonia eram as joias da Coroa a serem vendidas naquele ano de 1997 — e uma reforma da Previdência que assegurasse a instituição da idade mínima para aposentadoria e caixa para um eventual segundo mandato de Fernando Henrique. Enfim, a agenda liberal sempre esgrimida como panaceia capaz de resolver todos os problemas de uma Nação profundamente desigual como o Brasil.

Lido à luz do tempo que passou, quase um quarto de século depois, o discurso de Michel Temer continha uma ironia lapidar da história.

— Espero o auxílio da maioria e da oposição, para plantarmos uma democracia que dure séculos no Brasil. Fui secretário de Estado e líder do PMDB. Vivo a emoção de quem jamais imaginava que chegaria a se sentar nessa cadeira presidencial — regozijou-se ao ser empossado no posto pelo antecessor Luís Eduardo Magalhães. Temer fazia referências ao fato de ter sido eleito com o número mínimo de votos necessários — 257, uma vitória apertadíssima — e ao fato de nem o PT, nem os partidos de esquerda como PCdoB (Partido Comunista do Brasil), PDT e PSB terem votado nele.

Terça-feira, 25 de fevereiro. A Câmara dos Deputados aprovou em segundo turno a emenda de reeleição ambicionada por Fernando Henrique. A exibição de musculatura da tropa de choque palaciana ampliou em 33 votos a larga margem da vitória parlamentar. Foram 369 deputados favoráveis quando a emenda constitucional passou pelo novo teste das urnas no Parlamento. Recebendo-a no Senado, ACM prometeu aprová-la e promulgá-la até o fim do mês de maio. Não cumpriu o cronograma da forma como se comprometera; mas quase.

Em 4 de junho, a reeleição estava promulgada e vigoraria a tempo de fazer FH estruturar sua nova campanha. Houve, contudo, um percalço turbulento que maculou todo o processo. Num furo sensacional, o repórter Fernando Rodrigues, da *Folha de S. Paulo*, revelou a existência de uma cadeia de chantagens e denúncias em que deputados falavam da existência de um mercado de compra e venda de votos favoráveis à emenda de reeleição. Não estava dito nos textos que se seguiriam na *Folha*, nos dias subsequentes, e de forma excessivamente cautelosa e envergonhada no restante da mídia, mas o enredo repetido frivolamente em Brasília dava conta de que o trem pagador do bazar parlamentar teria como maquinista o ministro das Comunicações, Sérgio Motta.

Terça-feira, 13 de maio de 1997. "Deputado conta que votou pela reeleição por R$ 200 mil", dizia a manchete da *Folha de S. Paulo*. Na linha fina: "Em gravações obtidas pela Folha, parlamentar do PFL afirma que outros 4 também receberam". O texto da primeira página, assinado por Fernando Rodrigues, trazia a síntese da denúncia:

"O deputado Ronivon Santiago (PFL-AC) vendeu seu voto a favor da emenda da reeleição por R$ 200 mil, segundo relatou a um amigo, em conversas gravadas obtidas pela Folha. Os compradores foram os governadores Orleir Cameli (sem partido — AC) e Amazonino Mendes (PFL — AM).

Ronivon diz nas gravações que recebeu R$ 100 mil em dinheiro, no dia da votação em primeiro turno na Câmara (28 de janeiro), e o restante por meio da empreiteira CM, que tinha pagamentos a receber do governo do Acre.

Ronivon afirma ainda que mais quatro deputados acreanos — João Maia, Zila Bezerra e Osmir Lima, todos do PFL, e Chicão Brígido, do PMDB, hoje licenciado — também venderam os votos. Dos oito deputados do Estado, seis votaram a favor da reeleição e dois foram contra.

Para evitar que o dinheiro fosse rastreado, Ronivon diz que saldou dívidas de R$ 196 mil só no início de março, quando já teria recebido todo o dinheiro. Págs. 1-6 a 1-8."

Ainda na primeira página do jornal paulistano, um texto coordenado já com a resposta de alguns dos acusados:

"Cameli nega compra de votos

O governador Orleir Cameli (AC) negou a compra de votos e disse que poderá processar o deputado Ronivon Santiago.

Chicão Brígido negou ter recebido dinheiro, mas disse que foi sondado: "Respondi que não discutiria nesse nível".

Zila Bezerra disse que o caso "não tem fundamento". Para Osmir Lima, "só pode ter sido brincadeira de mau gosto". João Maia descartou participação. Ronivon e o governador Amazonino Mendes (AM) não foram localizados. Págs. 1-6 a 1-8."

A reportagem de Fernando Rodrigues era um trabalho portentoso. Uma fonte anônima dele, denominada "Senhor X", gravara, ao longo de alguns meses, diversos diálogos mantidos com o deputado Ronivon Santiago. A primeira das conversas fora captada no dia seguinte à aprovação da emenda de reeleição, em 28 de fevereiro de 1997. A última, na primeira semana daquele mês de maio. "Para não despertar suspeitas", dizia o texto introdutório da *Folha*, "a pessoa que fez as gravações falou sobre assuntos variados. São conversas pessoais, que se arrastam às vezes por mais de uma hora, sobre assuntos sem interesse público." Depois de advertir que o jornal suprimiria o que excedesse ao *core business* da reportagem — a compra de votos a favor do governo — Rodrigues deixou claro: "A reportagem teve acesso às fitas originais das conversas. As datas e as circunstâncias em que se deram esses diálogos não serão reveladas também para preservar a identidade da pessoa que se dispôs a fazer as gravações".

Alguns dos trechos cruciais:

Senhor X: Ele (Orleir Cameli) não pagou nada daqueles do orçamento de 94, 95?

Ronivon: Não. Ele me deu R$ 100 mil... R$ 100 mil agora para a votação. Deu em cheque e em dinheiro. Aí, depois, me deu em dinheiro. Eu devolvi o cheque. Me deu R$ 100 mil, em dinheiro.

SX: Para a votação?

R: É. Mas, dentro daquele negócio. Aí, eu fui e acertei com ele. Eu digo, olha faz o seguinte: ... *(nesse ponto o deputado Ronivon Santiago explica de forma tortuosa que parte do pagamento que recebera fora efetuado por meio de um desconto de R$ 100 mil numa dívida que tinha com uma construtora do Acre denominada CM).*

SX: Orleir chegou a dizer a algumas pessoas lá no Acre que os votos f... Tinham sido pagos...

R: 200 paus.

SX: 200 paus para cada um?

R: É....

SX: O João Maia também recebeu os 200?

R: Todo mundo... Osmir, Zila...

SX: Então quer dizer que, nesse caso, na reeleição, tudo o que se votou, isso? Heinh? O Inocêncio (*Oliveira*) não lhe arrumou nada de dinheiro não?

R: Não. Inocêncio não.

SX: E aquele cheque? Foi pago?

R: Foi. Só que veio em dinheiro.

SX: O cheque não foi descontado, não?

R: Não. Rasgou.

SX: Você rasgou?

R: Rasguei. Não só o meu, como do Osmir, da Zila, de todo mundo....

SX: E João Maia? Pagou também todas as contas?

R: Eu não sei. Aí eu não sei. Eu só fiquei (*no cheque especial*) na Caixa, um pouquinho...

SX: A reeleição lhe salvou, né?

R: Ôô...!

Os trechos reproduzidos, ínfimos e extraídos da reportagem de duas páginas inteiras da *Folha de S. Paulo*, revelam que a conversa era entre iniciados nos meandros da baixa política. E que o enredo fazia todo o sentido. Rasgar os cheques, trocando-os por dinheiro vivo, demonstrava a preocupação com a rastreabilidade de eventuais denúncias. Como o Real, naqueles tempos, estava sobrevalorizado em relação ao dólar norte-americano, a cotação era praticamente de um para um. Ou seja, os valores expressos em reais equivaliam a valores em dólares. Donde se depreende que a denúncia expunha uma conta de US$ 200 mil por cada voto a favor da emenda de reeleição, ao menos naquele núcleo de parlamentares.

Na esteira da publicação da reportagem de Fernando Rodrigues, o clima era de barata voa nos salões Azul, do Senado; e Verde, da Câmara dos Deputados. Por uma semana os trabalhos legislativos paralisaram. Atordoado, o governo reuniu seus generais e sua tropa de choque do teatro de operações do Parlamento. Aturdido, o restante da imprensa registrou o desenrolar dos eventos com excesso de melindres e reservas.

Assim como acontecera com *Veja* no início do caso que levou ao *impeachment* de Fernando Collor, a entrevista de Pedro concedida a mim, os demais veículos de comunicação deixaram a *Folha de S. Paulo* avançar sozinha no ringue. Diferente de Collor, o presidente Fernando Henrique tinha articulação no Congresso e interlocução profunda com a direção de todos os jornais, revistas e TVs nacionais e com os donos das maiores empresas regionais de mídia. Ao contrário do desenrolar do caso Collor-PC, não houve CPI e a *Folha* ficou solitária na defesa da apuração de sua estupenda denúncia.

No dia 4 de junho, o presidente do Senado, Antônio Carlos Magalhães, promulgou a emenda constitucional que instituiu a reeleição no país. Por 62 votos a 10, ela fora aprovada em segundo turno na chamada Câmara Alta do Parlamento brasileiro. Tendo votado favoravelmente à reeleição no primeiro turno, o senador gaúcho Pedro Simon absteve-se de votá-la na segunda rodada. "Há corrupção. Isso dará muita confusão no futuro", justificou. Senador pelo Amapá, o ex-presidente José Sarney foi favorável à reeleição, mas preferiu não comentar o próprio voto. "No futuro, falo. O futuro dirá", envergonhou-se diante da cobrança para que analisasse o significado e a importância daquele novo instituto na cena nacional.

*   *   *

Eu estava de férias, na Costa Amalfitana, sul da Itália, quando a *Folha de S. Paulo* publicou a série de reportagens de Fernando Rodrigues com as gravações que lançavam suspeitas sobre a lisura da votação da emenda de reeleição e revelavam o balcão de negócios que foi aquela votação. Votos tinham sido comprados a favor do governo; a adesão a Fernando Henrique fora vendida por alguns parlamentares.

Depois do pôr do sol, que naquela região italiana é sempre um espetáculo, voltamos à pousada em que estávamos. Patrícia telefonou para a mãe, a fim de saber como estava nossa filha Júlia, que ficara na casa dela. Só então soubemos do furo dado por Fernando. Pedi à minha sogra que me enviasse um fax com recortes do jornal e os textos publicados. Concluída a leitura dos faxes, o que fiz com avidez, comentei com a minha mulher:

— E Merval, hein? Lembra o que eu havia dito quando ele me pediu para fazer uma apuração sobre compra de votos contra a reeleição? Segundo ele, Maluf estaria pagando por votos contrários à emenda. Eu me recusei a fazer aquela pauta, ainda bem. Não vou perder a oportunidade de tirar um sarro da cara dele.

Abrimos um bom vinho, ainda no quarto, assistindo ao nascer da lua. Brindamos à força da notícia.

— Mas é claro que Merval vai aprontar alguma, também — previ em voz alta antes de sairmos para jantar num lugar especial — *Don Alfonso*, 1890.

Restaurante estrelado no *Guia Michelin*, chegamos até lá pelo faro de *gourmands*. Nele, conversando com o proprietário, descobrimos que se tratava de uma das casas prediletas do jornalista Mino Carta na Itália. Mino e o *chef* eram amigos. Brindamos àquilo também. Valia a pena, claro.

Regressamos para o Brasil uma semana depois e constatei que a minha previsão ia se concretizar. Na primeira reunião de pauta depois de minhas férias, lembrei o episódio a Franklin Martins. O chefe da sucursal brasiliense de *O Globo* apenas sorriu, permanecendo em silêncio. Dias depois, o diretor de redação do *jornal* foi a Brasília. Em meio a uma conversa na redação, disse-lhe que ficava feliz de não ter sustentado uma apuração em linha contrária ao furo da *Folha de S. Paulo*. Ele insistiu na possibilidade de ter ocorrido comércio de voto dos dois lados.

Tempos à frente, recebi a instrução para fazer uma reportagem especial que era clara retaliação: destacaram-me para apurar a angústia e o sofrimento das famílias de militares e executivos que haviam perdido parentes em atentados ou sequestros cometidos por grupos de esquerda durante a guerrilha urbana de resistência à ditadura militar nos anos 1970. Tinha certeza que era pauta do Merval. Ponderei com Rodolfo Fernandes, editor-executivo, argumentando ser um tema absolutamente extemporâneo. "Essa, é melhor fazer", orientou-me ele. Entendi o recado. Executei a pauta, mas burocraticamente.

Merval Pereira é um dos jornalistas de trajetória mais ampla de sua geração. Foi excelente repórter da revista Veja *e dos jornais* O Globo *e* JB *em Brasília. Tornou-se editor competente da publicação da família Marinho e, alçado a postos de comando por Evandro Carlos de Andrade, o homem que fez a transição geracional de* O Globo — *das ordens de Roberto Marinho para os filhos Roberto Irineu e João Roberto — converteu-se no lua-preta da segunda geração da família. Aliou o conhecimento jornalístico a uma empenhada formação em Filosofia, mas não conseguiu desenvolver os atributos necessários de alguém com aguçada inteligência emocional para deter o poder dentro das redações — onde boa parte dos subordinados tem ideias e luta por elas.*

Ao bater de frente com Merval, concluí, por óbvio, que meus dias de *O Globo* se aproximavam do fim.

* * *

Nunca escondi a dificuldade de dissociar o trabalho na reportagem do dia a dia da diversão e do prazer puro e simples. Mesmo ressabiado pelas imposições sem sentido que vez ou outra recebia do comando editorial no Rio de Janeiro, conservava acesa a vontade diária de ir para a rua de mãos vazias e trazer para a redação algo inusitado.

— Nunca fizemos tanto reembolso de almoço e jantar com fonte como fazemos com você. E não acho isso ruim, acho bom — disse-me Franklin certa vez.

Eu levara para *O Globo* um pouco da cultura de *Veja*: buscar notícia à mesa e a publicação que mantivesse um caixinha para tais despesas operacionais.

— Cérebro não tem vácuo, Franklin. Ficar na redação, olhando um para a cara do outro, fazendo fofoca no cafezinho, não dá certo. Informação não brota do carpete — respondi.

— Concordo. Queria era ter mais despesas como essas.

Imbuído daquele espírito, marquei um jantar no *Piantella* com os deputados Luís Eduardo Magalhães, do PFL, Luís Eduardo

Greenhalgh, do PT, e Miro Teixeira, do PDT. Ocupamos uma mesa redonda no centro do salão inferior do restaurante, uma espécie de vitrine brasiliense — local para ver e ser visto, mais isso do que para comer. Gerson Camarotti, à época repórter de *Veja*, chegou e pediu para sentar à mesa. Gerson é meu amigo de priscas eras, eu o convidei para mudar do Recife para Brasília quando saiu da universidade. Sentou conosco. Não havia agenda na conversa, falávamos sobre política quando Greenhalgh, advogado preferido do PT, de organizações de esquerda e do Movimento dos Trabalhadores Rurais Sem Terra ou simplesmente Movimento dos Sem Terra (MST), comentou que precisava sair mais cedo, porque pegaria o voo das 6 e 30 para São Paulo em razão de uma demanda urgente.

— Imaginem vocês: uma garota, militante do MST, foi fotografada em meio a uma invasão lá no Pontal do Paranapanema segurando a bandeira do movimento. Ela é bem bonitinha. O pessoal da *Playboy* achou-a linda, convidaram-na para posar para a revista e está um fuzuê desgraçado lá — explicou.

Foi uma surpresa e uma diversão à mesa, pelo inusitado da notícia que Greenhalgh nos trazia.

— "Bonitinha, mas ordinária", vão dizer lá no MST — brincou Luís Eduardo Magalhães. — Deixa ela ganhar o dinheiro dela. Não vai impedir, hein, Green!

— É uma forma orgânica de se conquistar renda própria, você tem de evitar essa censura, Luís — Miro Teixeira apelou na mesma linha.

— É bonita? — perguntou Gerson.

— Muito.

— Quantos anos? — eu quis saber.

— Sei lá, uns 25 ou 26 — respondeu ele.

— Ih, rapaz. O MST não tem de se meter nisso não — ponderei. — Ela cuida da vida.

Greenhalgh pediu licença, avisou que ia ao toalete e de lá, para o aeroporto. Dei um minuto depois que ele se levantou e fui atrás dele no banheiro.

— Deputado, a que horas é seu voo?

— 6 e 30. Marcamos reunião no Movimento dos Sem Terra com o Renato Rainha, para falar desse assunto às 9 horas. Ele está contra esse ensaio. Acha que vai pegar mal para o MST.

— Vou com você.

— O quê?

— Vou com você. Luís Eduardo: nunca uma militante do MST posou para a *Playboy*. A revista faz a cabeça da turma do andar de cima. O MST é tratado como um curral de demônios. Quero fazer uma reportagem sobre essa militante, coisa leve, e os dilemas do Movimento do Sem Terra. Você me põe lá dentro?

— Ponho.

— Mas volte à mesa e não dê nem ideia de que eu vou. Não deixe o Gerson perceber que irei com você. Irei, ok? Qual a companhia aérea desse voo?

— TAM.

— Encontro você no aeroporto.

Voltei à conversa com os demais deputados e com Gerson Camarotti. Luís Eduardo Greenhalgh foi até nós, despediu-se e desejamos um feliz encontro com a moça da *Playboy*. Ele nem sabia o nome dela. Fiquei mais uns vinte minutos ali, pedi a conta e dei uma desculpa para levantar da mesa antes das 23 horas. Nosso hábito era ir madrugada adentro naqueles jantares. Do carro, liguei para Franklin e disse o que gostaria de fazer. A ideia era voar para São Paulo na primeira hora, para escrever um *feature* (ou seja, um texto leve e humanizado, como *O Globo* classificava o estilo) sobre a sem-terra que posaria nua. Ele gostou, topou, disse que a secretária da redação providenciaria a passagem e me enviaria os dados.

Embarquei com Greenhalgh para São Paulo no começo da manhã seguinte.

"Débora Rodrigues, do MST para a Playboy" foi o texto com o qual o jornal furara a bolha da discussão do cachê da garota militante que aceitara posar nua. De fato, como antecipara o deputado do PT, o debate dentro do Movimento dos Sem Terra era se ela podia ou não fazer o que desejava. Rainha, líder do MST, era frontalmente contra. Outras lideranças, nem tanto. Luís Eduardo Greenhalgh defendeu o direito dela de posar, mas aconselhava-a a melhorar o contrato financeiro de cessão de imagem. Saí da reunião do MST para a casa de Débora. Ela era um pouco mais velha do que acreditava Greenhalgh, tinha a minha idade, 28 anos. Sempre desejara ser "modelo e atriz", como me disse. Sequer lhe passara pela cabeça recusar. O cachê negociado era R$ 20 mil, apenas.

A sem-terra que conheci era uma mulher bonita, naturalmente provocante, um olhar aceso e perspicaz. Prendia a atenção do interlocutor. Entretanto, estava longe de ser uma "diva" comparável à maioria das modelos e atrizes que posavam para as capas da revista masculina de maior sucesso de todos os tempos. O corpo era *mignon*, os gestos não tinham afetações. Ela me mostrou a foto publicada na capa de *O Estado de S Paulo*, durante uma invasão do MST, que chamou a atenção dos produtores da *Playboy*. Entendi tudo na primeira leitura: Débora olhou direto para a câmera, encarou o fotógrafo, sorriu enigmaticamente qual uma Mona Lisa. Estava vestida do pescoço para baixo. Capturara os caçadores de beleza só com o olhar, que denotava enorme personalidade.

A reportagem do dia seguinte levava a história para os leitores e abria a discussão em torno do valor da remuneração que a revista da *Editora Abril* pagaria. A repercussão do assunto foi ótima, criou-se expectativa sobre a edição da *Playboy* com a militante do MST e, aconselhada por Greenhalgh, ela conseguiu colocar um adendo no contrato: acima de 200 mil exemplares vendidos, receberia um bônus de R$ 0,50 por revista. Foi um alento para o orçamento familiar. A *Playboy* com a capa "Finalmente! Débora Rodrigues — a sem-terra mais bonita do Brasil" vendeu quase 700 mil exemplares nas bancas e rendeu um cachê extra de quase R$ 250 mil para Débora. No ano seguinte ela estava casada com um empresário e não se transfomara em modelo e atriz como desejava. Virou pilota de Fórmula Truck.

* * *

PT, PDT, PSB e PCdoB tentaram criar uma Comissão Parlamentar de Inquérito para apurar as denúncias de venda de votos a favor da reeleição de Fernando Henrique. Foram tratorados, aplainados, pela tropa de choque palaciana. Os deputados Ronivon Santiago e João Maia, principais denunciados nas reportagens de Fernando Rodrigues, renunciaram a seus mandatos uma semana depois da primeira publicação. As renúncias fizeram refluir o ímpeto de parlamentares de centro que pressionavam por uma CPI — afinal, nunca é aconselhável deixar um governo forte demais e flanando na zona de conforto, pensavam. No refluxo, deu tudo errado: o governo ficou mais forte e mais livre para voar. O presidente Fernando Henrique Cardoso promoveu também uma reforma ministerial e integrou definitivamente o PMDB à sua equipe. O peemedebista gaúcho Eliseu Padilha foi levado para o Ministério dos Transportes, pasta recheada de verbas e responsável por contratar muitas obras em todo o país. E o senador goiano Íris Rezende foi nomeado ministro da Justiça.

Com as trocas ministeriais FH assegurou praticamente toda a bancada do PMDB a seu favor no Congresso. Por fim, o procurador-geral da República, Geraldo Brindeiro, primo legítimo do vice-presidente Marco Maciel, recusou-se a dar sequência a quaisquer pedidos de apuração que chegassem a seu gabinete. O inquérito destinado a investigar aquela compra de votos tramitou de forma absolutamente burocrática nos meandros da Procuradoria-Geral da República (PGR). Tanto se deu assim que Fernando Rodrigues, o jornalista que levou o caso à superfície, ecoando as gravações do Senhor X, só foi convocado a depor sobre a compra de votos em 4 de junho de 2001, no apagar de luzes do segundo mandato de Fernando Henrique — apagar de luzes literal, pois o mandarinato do tucano enfrentou um racionamento de energia elétrica naquele ano. Geraldo Brindeiro, o procurador que nunca achava nada de incomum ou ilegal nas denúncias contra o governo que tinha seu primo-irmão como vice-presidente, terminou por se celebrizar pela alcunha jocosa de "engavetador-geral da República".

O Poder, corruptor incorrigível quando liga os faróis reluzentes e projeta no horizonte imaginário as possibilidades de ganhos para seus obreiros, muitas vezes parece capaz de a tudo vencer. São vitórias de Pirro. Construídas assim, revelam-se sempre insustentáveis.

CAPÍTULO 7

A SOLIDÃO IMPENSÁVEL

Josias de Souza, secretário de redação da *Folha de S. Paulo*, chamou-me para um almoço na última semana de julho de 1997. Discorremos à mesa, longamente, sobre as rotinas das redações e a forma como a cobertura política estava se deslocando do dia a dia do Congresso para um necessário mergulho mais profundo em reportagens — mesmo se fosse para falar de política. Reportar os bastidores estéreis de uma Brasília onde a força do governo era preponderante e o adesismo à agenda oficial, evidente, havia se tornado cansativo. Como ficava claro naquela conversa com Josias, outros jornalistas tinham a mesma sensação. Seguimos no tema em dois encontros subsequentes. Ele me convenceu que era hora de ir para a redação-sede de algum veículo, qualquer que fosse. "A briga pelo melhor espaço para contar as suas histórias, estar próximo dos executivos, ser ouvido nas decisões editoriais... Nada disso ocorre nas sucursais", alegou, em defesa do convite que me faria. "Vem para a *Folha*, em São Paulo, ser repórter especial da Secretaria."

Para mim, era uma espécie de chamado da floresta. Quando fui aluno do curso de Jornalismo da Universidade Federal de Pernambuco (UFPE), não lia nem a *Veja* nem *O Globo*, os dois únicos veículos por onde passara profissionalmente. Comprava semanalmente a *Senhor*, uma publicação espetacular, espelhada na *The Economist*, porém com viés de esquerda, extinta depois da integração da *Carta Editorial*, de Mino, com a *Editora Três*, de *IstoÉ*; e lia o *Jornal do Brasil* e a *Folha de S. Paulo*. Morar em São Paulo não estava em meus planos. Muito menos no horizonte profissional de Patrícia naquele momento. Tínhamos uma filha com menos de dois anos e a capital paulista sempre foi infinitamente mais dura e hostil com crianças do que Brasília.

Tudo considerado, sem dar bola para a lógica, aceitei.

Tendo vencido uma série de oposições domésticas, em setembro de 1997 começava na reportagem da *Folha*. "Barão de Limeira, 425", como já dizia Ricardo Kotscho, decano da profissão, repórter magistral. Quem quisesse ter uma experiência profunda com a produção de notícia e participar de edições ora memoráveis, ora inacreditavelmente decepcionantes em razão do excesso de burocracia interna, tinha de passar pela sede da *Folha de S. Paulo*. Por quase três meses acampei na cidade, vivendo em hotéis pagos pelo jornal. Acampar era termo apropriado, pois a empresa *Folha da Manhã*, razão social do jornalão dos Frias, fazia-nos travar contato imediato com o ascetismo dos Otávios — pai e filho — os donos da *Folha*. Ora me colocavam em um hotel no Largo do Arouche, de onde podia ir andando para a redação; ora no *Imperial Othon* da Praça do Patriarca, ao lado da antiga sede do *Banco do Estado de São Paulo (Banespa)*, onde hoje é a Prefeitura de São Paulo. De imperial não tinha nada; e de *Othon*, tudo. A decadente cadeia pernambucana, cujos donos tinham sido vizinhos de quintal dos meus avós no bairro das Graças, estava falida. Hospedar-se em seus hotéis era uma aventura desagradável. Venci a etapa.

Em dezembro, o apartamento onde eu queria morar desocupou, na Avenida Higienópolis, quase esquina com a Rua Rio de Janeiro. Era amplo, arejado, vazado, possuía três quartos; alto, 15º andar. A altura me concedia uma visão fantástica de diversos *skylines* da cidade. Quer estivéssemos na varanda da sala ou no janelão da sala de jantar, quer estivéssemos na cozinha ou na área de serviço. Ainda ficava próximo do trabalho, em Santa Cecília. Tentei ir andando para a *Folha* algumas vezes, o que nunca foi problema. Mas, no regresso para casa, à noite, cruzava a cracolândia, já então emergente embaixo do Minhocão (*popularmente conhecido por* Minhocão, *o Elevado Presidente João Goulart, antigo Elevado Presidente Costa e*

Silva, é uma via expressa elevada da cidade de São Paulo, que liga a região da Praça Roosevelt, no centro da cidade, ao Largo Padre Péricles, na Barra Funda). Na terceira tentativa de fazer o trajeto depois das 20 horas, desisti e agradeci a Deus por não receber uma navalhada.

Tive uma desilusão impactante com a *Folha de S. Paulo*. Talvez tenha sido um problema mais meu do que do jornal. Ao me convidar, Josias não abordara a força do núcleo de burocratas do jornal. Ao contrário do que vivenciara nas empresas por onde passara, ali tudo era mais controlado. Viagens para execução de reportagens tinham de ser negociadas com enorme antecedência. Margens de manobra para desviar o tema de cobertura do dia e levar furos frescos à redação eram exíguas. No convite que me fora feito, nem sequer se tocou na existência de um tal Departamento de Controle de Erros. Parecia uma repartição pública internada na redação do maior jornal do país e integrada por um exército de tarados por minúcias. Os *controlers* esmiuçavam até as seções de Cartas à Redação atrás de imprecisões menores e incongruências desimportantes. Mensalmente, os relatórios com os números e avanços ou retrocessos percentuais de erros — globais, por editoria e individuais — eram exibidos em forma de planilha. No segundo mês de casa, passei a pregar no Mural do Controle de Erros tiras de "Dilbert". O personagem de Scott Adams, do mundo dos quadrinhos, sucesso à época, era um falso e ácido resignado ante as vicissitudes da vida corporativa.

Havia brilho nos olhos do corpo de repórteres da *Folha*. Não houvesse, o jornal da família Frias jamais teria conseguido se constituir na referência que é hoje. Contudo, uma luta interna parecia ter se instalado na redação da Barão de Limeira. Era a disputa racionalidade x impetuosidade. Na revista da *Editora Abril*, a impetuosidade era instada a vencer, sempre. No jornal dos Marinho, no Rio, não existia dualidade nenhuma dividindo a equipe: as edições de *O Globo* refletiam, diariamente, o que os donos queriam dizer com base naquilo que lhes era inculcado pelo grupo restrito de executivos capazes de acessar seus foros de debate. Segue assim. A *Folha de S. Paulo* era diferente, e era pior. Digo que era pior, porque não permitia que os processos fossem transparentes como em *Veja* ou em *O Globo*. Na revista comandada por Roberto Civita — e essa qualidade ímpar se perdeu com a morte dele, quando péssimos executivos e um jornalista tonto, Eurípedes Alcântara, destruíram o legado do patrão morto — o governo da redação pertencia à notícia. No jornal que simboliza o império de comunicação das *Organizações Globo*, tudo tem método e canaliza as ações para um fim determinado.

Na *Folha de S. Paulo* eu aprendi que tudo era possível, desde que a embalagem da ideia fosse feita num papel decorado com desenhos gongóricos e repleto de pretensões épicas. Mas a apresentação devia parecer despretensiosa, a fim de combinar com o ascetismo dos Otávios, pai e filho. Dava trabalho demais ler os anseios dos comandantes da publicação, adequar projetos jornalísticos a eles, vender tudo na hora certa e negociar com um rol de atravessadores, muitas vezes menos experientes do que eu já me considerava — e era, de fato. Cansei muito rápido daquele jogo cujas regras não entendi nem aceitei. É provável que se tivesse insistido por mais alguns meses, vislumbrasse atalhos para abrir as portas certas. Por vezes me arrependo um pouco da impaciência que me acometeu.

Nem tudo, entretanto, foi uma trilha de espinhos na *Folha*. Cheguei a fazer algumas reportagens que considero boas, especialmente um levantamento sobre o mecanismo socialmente injusto e pernicioso, que são os benefícios fiscais concedidos pelo Estado brasileiro. Expus, para tanto, as contradições existentes na cadeia produtiva de diversos produtos manufaturados e no setor de serviços. Em razão dessas reportagens, o prefeito de Presidente Prudente, Agripino Lima, dono da retransmissora da *Rede Globo* local, de jornais no interior paulista e de uma universidade, quis entrar à força numa reunião de pauta para tirar satisfações comigo. Na esteira de apuração dessa reportagem recebi de um editor do jornal um rol de denúncias que apontavam o deputado Inocêncio Oliveira como beneficiário de isenções tributárias em entidades de assistência social vinculadas à sua família. Fui checar tudo *in loco*, na cidade de Serra Talhada, sertão de Pernambuco. Tratava--se de plantação contra o deputado, com interesse em dividendos políticos. Quando retornei a São Paulo o texto estava previsto para o jornal do fim de semana. Derrubei-o. Chancelar uma falsa denúncia seria fácil, mas irresponsável. Houve pressão para que o fizesse, pois interessava reafirmar o estereótipo de Inocêncio como um parlamentar clientelista, como o "Culpôncio" do personagem criado por Roberto Pompeu de Toledo. Reafirmei meu veredito: não haveria texto. Guardei a lição e passei a exigir o mesmo das equipes que liderei em redações a partir dali. "Repórter só está pronto quando diz 'não' para chefe", repetia para eles. Incentivava-os a me enfrentarem no debate interno sobre o que publicaríamos. Tive esses enfrentamentos, em alguns momentos na forma de bate-boca, mas era necessário impor limites ao voluntarismo dos chefes. Mesmo que o chefe de plantão fosse eu. Muitas vezes, a loucura e a *egotrip* da chefia cegam quem deve conservar o discernimento.

Senti muito não ter conseguido me integrar ao grupo que se credenciava para cobrir a Copa do Mundo de 1998 pela *Folha de S. Paulo*. Fui convocado para a reunião daqueles que poderiam ir à Copa da França. O Frias pai, Seu Frias, Otávio Frias de Oliveira, comandava a assembleia de irrequietos pretendentes à cobertura. Abriu-a instando cada um de nós a dizer como via o papel da imprensa em uma Copa. A *Folha* vinha de um belo furo extracampo na Copa de 1994, a reportagem de Fernando Rodrigues sobre o voo da muamba da Seleção tetracampeã. Durante a competição nos Estados Unidos, porém, houve uma série de tensões entre os repórteres de diversos veículos — *Folha* e *O Estado de S. Paulo*, em especial, e os jogadores brasileiros.

— Em minha opinião, a cobertura da *Folha* em Copas é hostil. Acho que se deve cobrir uma Copa como se cobre uma guerra: temos nós e há "eles". Tem o nosso interesse: vencer, ser campeão. E derrubar os adversários. Se houver erros, damos depois. Durante a Copa, não — falei aquilo sob o olhar incrédulo do velho Frias.

— Então, pelo que você diz, a *Folha* errou em 1994? — perguntou o dono do jornal.

— Na reportagem da muamba, não. Durante a Copa, na insistência de ver discórdia no grupo, talvez tenha errado. Aí eu prefiro a cobertura que *O Globo* faz.

Otávio Frias, pai, passou a palavra a outro jornalista. Quando a reunião terminou, sabia que não estaria entre aqueles cujos dados seriam enviados para o pré-credenciamento na Fifa *(Federação Internacional de Futebol)*. De fato, não estava. Não pediram meus documentos para efetuar a listagem.

Uma semana antes do Carnaval de 1998, recebi aquilo a que se poderia chamar de convite irrecusável. Os jornalistas José Roberto Nassar e Roberto Benevides chamaram-me para integrar a equipe que começaria a formatar a semanal de informações da *Editora Globo*, que viria a ser a revista Época. Projeto antigo das *Organizações Globo*, pôr um pé no mercado paulista com uma publicação semanal de informações começava a sair do papel. Além de Nassar e Benevides, apenas meia dúzia de profissionais já estava contratada para a empreitada. Escutava desde muito cedo relatos de como se deram as montagens dos grupos que fizeram nascer publicações como *O Pasquim*, *Realidade*, *Jornal da República*, *Jornal da Tarde* e mesmo *Veja*. Não poderia recusar a passagem do cavalo selado que estacionava à frente da minha porta, apesar do pouco tempo de transferência de Brasília para São Paulo, com tudo bancado pela *Folha*. Avisei a Josias que aceitaria o convite da *Editora Globo* — nem se falava em "Época" ainda, pois a revista não tinha nome. Nós, os primeiros a chegar, daríamos nome e os contornos editoriais ao projeto. Era tentador. "Fale você com o Otávio. Não sei o que ele vai achar", esquivou-se Josias. Pedi à secretária de Otávio Frias Filho, diretor de redação da *Folha*, que me avisasse quando ele pudesse me atender. Demorou 24 horas até que me chamasse.

— Então, Lula. Conte-me — pediu Otávio com seu jeito peculiar de olhar fundo em nosso olho e depois fugir do contato visual antes de ouvir a resposta. Não disse se sabia, ou não, o que me levara a pedir a conversa.

— A *Editora Globo* está montando uma revista semanal de informações. A concorrente é *Veja*. *IstoÉ*, claro, ficará logo para trás. Eles me chamaram para estruturar as áreas de política, economia e a sucursal de Brasília. E, também, para ajudar a definir os contornos editoriais.

— Você tem vontade de ir? Seu horizonte aqui está aberto. Tem pouco tempo que chegou a São Paulo, nem se ambientou ainda. Está indo bem, mas é claro que o seu potencial é muito maior e esperamos mais.

"Mas é claro que o seu potencial é muito maior e esperamos mais." Ciente do que fizera, ele bateu no fundo de meu orgulho. Quem conheceu Otávio Frias Filho sabe que a frase era a tradução do estilo dele. Não desejava causar reações, apenas gostava de falar tudo o que pensava. Ser direto e pragmático era a marca dele. Em geral, encontrava o jeito certo. Algumas vezes, porém, falava da maneira como o raciocínio apontava em sua cabeça e soava ríspido.

— É esse "esperar mais" que me angustia, Otávio.

Sem me perguntar o porquê, olhou-me de novo e desviou o olhar para o tampo da mesa de sua escrivaninha. Espalmou as duas mãos e uniu os dedos das duas pelas pontas. Esperou em silêncio que eu prosseguisse com o que estava a falar.

— Sei que o defeito pode ser meu, mas às vezes acho que os sistemas e métodos internos do jornal impedem que a gente avance.

— Faça críticas diretas — pediu.

— Ok. Farei então: as coisas são burocráticas demais aqui dentro. Nunca trabalhei num lugar onde o departamento de Recursos Humanos é temido pela redação.

— Mas isso é a *Folha*. Esse sistema assegura que sejamos o principal jornal do país e cria métodos de avaliação interna que são excelentes e impessoais.

— Vou aceitar o convite.

— Entendo e espero que seja muito feliz, sério. E olha: portas abertas, sempre.

Despedimo-nos com um aperto de mão. Temi pela cobrança pecuniária da transferência de Brasília para São Paulo, dos meses de hotéis pagos, de passagens para lá e para cá, da mudança de minha mobília, carro etc. Não houve sequer menção a isso, não havia pequenez ali. Havia afeto da parte dele, admiração de minha parte. Otávio se impunha pelo diapasão de sua inteligência e pela curiosidade generosa para ouvir. Quando ele morreu, em 2018, estava claro que faria muita falta. Fez, sobretudo num ano eleitoral conturbado como aquele. Faz falta, ainda e sempre.

*   *   *

O maior legado pessoal e profissional da cobertura da eleição presidencial de 1994 foi a relação pessoal que terminei por construir com o candidato Luiz Inácio Lula da Silva, do PT. Marco Aurélio Garcia, historiador, uma das fontes mais agradáveis de conversar com quem travei contato ao longo de minha encarnação em redações, foi um dos catalisadores da amizade que eu e Lula desenvolvemos. Ricardo Kotscho, assessor de imprensa, com quem sempre tive identidade de valores e por quem sempre demonstrei admiração profissional, foi outro engenheiro para as pontes erguidas entre mim e determinado núcleo do petismo.

Ordinariamente, todas as segundas-feiras, durante aquela campanha, almoçava com Marco Aurélio e às vezes com Kotscho. Ora no *Le Casserole*, no Largo do Arouche; ora no *Hotel Ca D'Oro*, na Rua Augusta. Ainda que houvesse restrições à *Veja*, por causa da opção editorial de praticamente não cobrir o PT naquele ano, não deixava de dar as minhas opiniões sobre o curso da campanha petista. Lula conseguia dividir as coisas e vez ou outra me ouvia. Soube conservar as relações depois do pleito, e a mudança para São Paulo ajudou nisso.

Enquanto conservei o apartamento montado em Brasília e estava em processo de mudança para a capital paulista, aproveitei uma das idas de Lula ao Distrito Federal para comunicá-lo do projeto de *Época* e de minha iminente saída da *Folha de S. Paulo*. Marcamos um café da manhã em minha casa, pois na noite anterior ele tinha tido uma dura reunião com a cúpula de seu partido. Saído do encontro, foi dormir na casa do deputado Sigmaringa Seixas, seu amigo. A casa acabara de ser inaugurada no Lago Sul, depois de uma obra que levou anos. Às 6 e 45 tocou o telefone do meu apartamento, na Superquadra 202 Norte. Tínhamos marcado o café às 7 e 30. Era Sig.

— Bom dia, Lula. É o Sigmaringa.

— Oi Sig. Não vai dizer que o Lula não vem.

— Vai sim. Ele e o Espina *(José Carlos Espinosa, um sociólogo que não atuava na área. Era uma espécie de ajudante de ordens de Lula na presidência do PT e muitas vezes fora confundido com segurança do petista, dado seus quase dois metros de altura).*

— Estou esperando.

— Mas eles vão chegar antes. Já estão a caminho. Eles podem tomar banho na sua casa?

— O quê?

— O Lula, Luiz Inácio, e o Espinosa, precisam tomar banho. Faltou água aqui em casa, obra recém-entregue, não houve alimentação das caixas d'água. O Lula está indo com toalha, com tudo. Ele pode tomar banho aí?

— Claro que sim. Não precisava trazer toalha, pô.

Tão logo desliguei, tocou a campainha. Abri a porta e ri: Lula e Espinosa saindo do elevador, cada um com uma toalha de banho e uma *nécessaire* nas mãos com artigos pessoais de toucador.

— Lulinha, podemos tomar banho na sua casa? — perguntou o presidente do PT.

— Claro! O Sig me ligou. Acabei de desligar o telefone.

— O Sig, como sempre esquecendo alguma coisa e deixando tudo em cima da hora — brincou Espinosa.

Cada um deles se dirigiu a um dos banheiros de meu apartamento e, pouco antes das 8 horas, sentávamos à mesa. Patrícia também participou da conversa. O então senador Eduardo Suplicy e o ex- -governador de Brasília Cristovam Buarque forçavam o PT a realizar uma prévia para definir o nome que disputaria com Fernando Henrique Cardoso a eleição presidencial de 1998.

— Disse ao PT claramente: serei candidato, sem prévias. Sei que é muito difícil vencer, o governo vai pôr toda a máquina na rua para essa reeleição, mas só eu posso manter a esquerda unida, mesmo perdendo. Se Suplicy e Cristovam continuarem com esse negócio de prévias, o partido vai ter de enquadrá-los. Se eles quiserem bater chapa, não vou às prévias e desune tudo — contou-nos Lula.

Tanto eu, que ainda estava na *Folha*, quanto Patrícia, que seguia na redação da *IstoÉ*, em Brasília, tínhamos notícia com base naquele café.

— Com vocês em São Paulo teremos como tornar mais frequentes essas conversas, garotos. Juízo na mudança — despediu-se Lula já no meio da manhã.

* * *

Voltei para São Paulo logo depois do Carnaval. A primeira reunião da redação da revista que a Editora Globo pretendia criar tinha não mais do que uma dúzia de pessoas sentadas em círculo, numa sala espartana no prédio da extinta Cooperativa de Cotia, no bairro do Jaguaré, zona Oeste de São Paulo, nas franjas de Osasco. Um temporal ocorrido durante o Carnaval abalara os alicerces de um grande condomínio de classe média na Barra da Tijuca, no Rio de Janeiro. O Palace I desmoronou rapidamente. Um dia depois, seu irmão gêmeo, Palace II, teve de ser desocupado. Os prédios haviam sido construídos por um deputado mineiro, Sérgio Naya, personagem conhecida nos álbuns de figurinhas dos escândalos de Brasília. Descobriu-se de imediato: o material usado na construção dos prédios era de quinta categoria. Areia de praia, com os sais naturais e até conchas, fora misturada na massa do concreto dos pilares. Ao longo do tempo, os pilares ruíram. A estrutura de ferro estava toda corroída. Os cálculos estruturais eram pedestres. De imediato, o drama das famílias cariocas que moravam no Palace refletiu-se no Congresso Nacional. Havia vítimas fatais e muitas pessoas perderam o patrimônio que tinham levado anos para formar. Sérgio Naya terminaria cassado.

Já naquele encontro inicial, fomos provocados a definir um nome para a revista. "*Época*", "*Foco*" e "*Globo*" estavam entre as opções testadas em pesquisas. Sem dificuldade, Época consolidou-se em nosso grupo. Depois, foi-nos pedido que cada um desenvolvesse ao longo da semana, observando o cardápio variado de temas abordados numa publicação semanal de informações, um texto que fosse informativo e cheio de detalhes como a revista *Focus* alemã (a *Editora Globo* comprara o projeto gráfico da semanal berlinense), bom de ser lido como *Veja*, sem a carga opinativa da revista da *Editora Abril* e que entregasse para o leitor muito mais informações do que uma notícia de jornal. Naya seria a capa daquele "número 0". Faríamos outros cinco testes de fechamento enquanto formávamos nossa equipe.

O norte do projeto editorial estava dado: seríamos antagonistas de *Veja*, não tomaríamos conhecimento de *IstoÉ*. A publicação da *Editora Três* iniciava, já naquele momento, o processo de descrédito e perda de leitores que a levou ao naufrágio na troca de comando geracional. À medida que Domingo Alzugaray concedia mais espaços para o filho Caco ampliar seus domínios sobre a revista, mais desacreditada ficava. A *Editora Globo* fez uma oferta para comprar a *IstoÉ*, algo em torno de R$ 20 milhões de reais pelo título e pelo acervo, mas tentou impor uma cláusula de não-competição ao dono da *Três*. Alzugaray não aceitou. Foi uma pena, teria sido melhor para todos os envolvidos — sobretudo para o jornalismo brasileiro.

Poucas semanas depois de chegar a São Paulo, em janeiro de 1998, Patrícia recebeu um convite da *Folha de S. Paulo* para se integrar ao grupo de repórteres de política. Ela terminou por herdar, portanto, as facilidades de deslocamento para o trabalho a partir do apartamento que alugamos em Higienópolis. Por mera coincidência geográfica, morávamos a um quarteirão da então residência de Fernando Henrique e Ruth Cardoso, na Rua Maranhão. Em suas idas à capital paulista, sobretudo nos fins de semana, o presidente e a primeira-dama ocupavam o antigo apartamento convertido em núcleo central daquilo que se convencionou chamar, com propriedade, de República de Higienópolis. Para parte dos repórteres que tinham de fazer plantão na Rua Maranhão, nosso apartamento virou um ponto de apoio.

O bairro também estava pontilhado de residências de jornalistas, uma espécie de Setor de Imprensa informal na capital paulista. A pizzaria *Vica Pota*, na Praça Buenos Aires, os cafés e a banca de jornal da Praça Vilaboim, o restaurante *Carlota,* da Rua Sergipe, e a padaria *Barcelona*, na esquina do prédio da Fundação Armando Álvares Penteado, tinham frequências de reuniões de pauta. O deslocamento até o bairro do Jaguaré, onde ficava Época, entretanto, era longo e demorado. Em horas de alto fluxo de trânsito, impraticável. Virar duas noites por semana, sair das franjas da Zona Oeste quando os caminhões da Ceagesp (Companhia de Entrepostos e Armazéns Gerais de São Paulo) já enfileiravam para descarregar hortifrutigranjeiros e iniciar os feirões, era um desafio à resistência física. Foi a fase em que mais trabalhei na vida, dadas as dificuldades que são multiplicadas numa cidade que se diverte por ampliar complexidades. Paradoxalmente, contudo, foi também a fase mais feliz de minha carreira.

José Roberto Nassar liderou, em *Época*, a formação de um time de jornalistas de trajetórias díspares e equilibrado, entre aqueles que levavam para a revista uma carga de experiências pessoais razoável e muitos jornalistas iniciantes. José Maria dos Santos, integrante da turma original do *Jornal da Tarde*, era o redator-chefe. Roberto Benevides, Nélson Letaif e Jorge Meditsch, os editores-executivos. William Waack era o correspondente em Londres. Jorge Pontual, em Nova York. Moisés Rabinovic, em Paris. Maria Cristina Fernandes, saída da *Gazeta Mercantil*, e Fábio Altman, de *Veja*, eram repórteres especiais. Ricardo Amaral, chegado de *O Estado de S. Paulo*, também tinha o *status* de repórter especial e ficava em Brasília. Laura Greenhalgh, irmã do deputado Luís Eduardo e com vasta experiência na reportagem geral, era a editora de Comportamento. Ernesto Bernardes, saído da *Abril*, editor de Geral. Martha San Juan, de Ciência e Tecnologia. Izalco Sardenberg, de Internacional. Maurício Stycer, de Cultura. Edmundo Machado de Oliveira, de Economia & Negócios. Paulo Vitale, de Fotografia. Eu fiquei com Política e englobei na editoria a área de macroeconomia e de reportagens de assuntos nacionais, fazendo sempre fronteira e tendo uma saudável disputa com Edmundo e com Laura. José Casado foi chefiar a sucursal de Brasília, saindo da *Gazeta Mercantil*, e Guilherme Barros deixou o *Jornal do Brasil* para comandar a sucursal do Rio. Tínhamos correspondentes em Belém, Recife, Salvador, Belo Horizonte, Porto Alegre e Curitiba.

O temperamento afável de Nassar e de José Maria, o espírito aberto de Benevides e de Letaif para o debate e o comportamento introspectivo de Meditsch permitiram que a configuração do jogo de poder dentro de *Época* fosse radicalmente diferente daquilo que se verificava em *Veja*. Formamos algo parecido com uma "República de Editores", como eu defini desde o início em nossas reuniões de pauta desprovidas da solenidade hierárquica de *Veja*. As dificuldades técnicas eram abissais quando comparadas à rotina da *Editora Abril*. A gráfica de *Época* era terceirizada e, naqueles tempos, o sistema de envio de imagens por internet não assegurava a qualidade da recepção. Os fotolitos de todas as páginas e da capa eram produzidos em nossa sede, no bairro do Jaguaré, e seguiam de motocicleta até a gráfica, na cidade de Barueri. Não foram poucos os acidentes que vitimaram motoqueiros no percurso. A estrutura administrativa da *Editora Globo* não tinha sido formatada para uma semanal de informações, nem o Departamento de Pesquisa. Numa revista, pesquisa era essencial nos tempos pré-*Google*. Afinal, como ensinara Elio Gaspari lá atrás, em *Veja*, revistas têm por missão contextualizar tudo.

*   *   *

O último dos números 0 de *Época* foi dedicado à tragédia política que se abateu sobre Fernando Henrique Cardoso antes do início de sua campanha à reeleição, em 1998.

Alquebrado por uma infecção pulmonar bacteriana, provavelmente contraída pelas longas permanências em ambientes fechados e climatizados por aparelhos de ar-condicionado equipados com dutos mal higienizados, o Sérgio Motta de fevereiro daquele ano era apenas uma sombra do Serjão que comandara a vitoriosa campanha presidencial de 1994 e a aprovação da emenda de reeleição alguns meses antes. Afastou-se do Ministério das Comunicações por alguns meses, venceu uma septicemia, passou complicações cardiológicas e se dizia pronto para coordenar a campanha de reeleição. Andava com uma máquina instalada nas costas que o ajudava a respirar.

Tubos injetavam oxigênio diretamente em suas narinas. Vez ou outra necessitava do auxílio de cadeira de rodas. As avarias não tiravam dele o ânimo para ir à luta.

— Vamos vencer, você vai ver. O Fernando vai ser reeleito no primeiro turno, não tem essa de projeto de 20 anos de poder. Se a gente ficar 20 anos no poder é porque o povo quer, porque nos elegeram, porque sabemos governar — disse-me entusiasmado, quando fui visitá-lo para detalhar o projeto de lançamento da revista da *Editora Globo*.

A peleja de Serjão com Roberto Civita em razão da capa "O Corvo é Graziano", de *Veja*, não durou um ano sequer. Pragmáticos, recompuseram-se em 1997 por causa da reeleição e também porque a *Abril* desejava se tornar uma das *players* no mercado de TV a cabo. FH conseguiu aprovar a emenda de reeleição. A editora jamais foi *player* entre as operadoras de TV por assinatura. O ministro havia jantado o empresário naquele salão. Não seria eu quem manteria de pé uma briga em que fora apenas correia de transmissão dos interesses existentes na relação entre eles. Tratei de refazer minhas pontes para uma das mais caudalosas fontes brasilienses.

— A saúde deixará você se dedicar à campanha de reeleição como se dedicou em 1994? — perguntei.

— Estarei vivo quando o Fernando passar a faixa de presidente para o Luís Eduardo, Lulinha. O Luís vai ser o nosso vice-presidente dessa vez. E vai suceder ao Fernando — respondeu-me ele.

— E o Marco Maciel? Vocês terão coragem de tirar o Maciel da chapa? Ele é o melhor vice-presidente que esse país já teve. Colabora, não atrapalha e não conspira.

— O Marco, se quiser, vai ser ministro do Supremo Tribunal Federal. Ele passa em poucas horas na sabatina e no plenário, ou não passa?

— Passa.

— Então? Eu vou assistir à posse do Luís Eduardo em 2002 e me retirar, viver a minha aposentadoria entre Ibiúna e Paris.

Era fato. Existia uma negociação política destinada a levar o deputado Luís Eduardo Magalhães para o lugar do pernambucano Marco Maciel como candidato a vice-presidente. O deputado baiano presidira a Câmara com galhardia e liderou com sucesso todas as agendas e reformas encaminhadas por FH. Foi o grande artífice do entendimento que se deu em torno da proposta de reeleição. Assumira a liderança do governo em 1997, quando a base governista bateu cabeça, e confrontou o próprio Serjão em um episódio emblemático de divergência na área econômica.

Certo dia, sentindo-se desautorizado por Motta, que gostava de dizer que falava pelo presidente da República, Luís Eduardo convocou uma entrevista coletiva e entregou a liderança do governo. Em desespero, Fernando Henrique chamou-o ao Palácio do Planalto. Falaram a sós. Encerrada a conversa, Luís Eduardo anunciou que o ministro das Comunicações se retrataria, como se retratou de imediato, e que a tese vitoriosa era a dele, como foi. "Sendo assim, fico na liderança", disse. Ficou. Nem antes, nem depois daquele episódio um líder de governo soubera se impor ante a preponderância arrogante do Executivo sobre o Legislativo. O gesto deixava claro que a dimensão política de Luís Eduardo Magalhães superava os limites do Congresso.

Mas o filho do senador Antônio Carlos, que presidia o Senado, não estava confortável como coadjuvante no destino que o pai traçara para seu próprio futuro político. ACM insistia para Luís Eduardo disputar o governo da Bahia. Argumentava que a vice-presidência ia diminuí-lo e reduzir seu cacife na hora de negociar a candidatura presidencial de 2002. "A Bahia te dá exército, discurso e experiência administrativa. Tem de passar pelo governo do Estado", forçava o senador. O deputado resistia. As conversas entre eles nem sempre terminavam amistosamente. Mais de uma vez fui jantar com Luís Eduardo, depois de algumas das reuniões mantidas entre ele e o pai, e o astral do parlamentar estava na lona. Não era o único jornalista a perceber tal angústia do ex-presidente da Câmara. O assunto virou pauta, extrapolou o circuito familiar.

— Meu pai insiste que eu tenho de ser governador. Não vejo as coisas assim — lamentou-se na penúltima conversa que tivemos, a última no gabinete dele na Câmara dos Deputados. — Amo a Bahia, minha vida está lá. Mas gosto de trabalhar é aqui. Em

Brasília. Aqui, sou rei e conheço tudo. Na Bahia sou príncipe — o rei é ele — e as pessoas me veem como "o filho do Antônio Carlos". Temos o Paulo Souto, temos o José Carlos Aleluia para governarem o Estado. Quem a gente apoiar, vence.

— E por que você não diz isso a ele?

— Porque ele não ouve.

— Nem a você ele ouve?

— Só ouve a ele mesmo. O senador é duro, Lulinha.

No dia 20 de abril de 1998, encontrei Luís Eduardo Magalhães pela última vez, no velório de Sérgio Motta na Assembleia Legislativa de São Paulo. Não só ele, mas todo o núcleo federal de poder estava transtornado. Serjão não resistira à nova recidiva das bactérias que infectaram seu organismo. Fernando Henrique, a primeira-dama, Ruth Cardoso, os ministros paulistas José Serra, da Saúde, e Paulo Renato, da Educação, além do governador paulista, Mário Covas, todos de longo histórico de convivência com o ministro das Comunicações, demonstravam o abalo emocional muito forte pelo qual passavam. Puxei Luís Eduardo para uma conversa. Ele chorava, nem sequer tocou no café que pedimos em um dos reservados do Salão Nobre da Assembleia.

— E agora? — perguntei

— Agora? Enfrentar os desígnios do destino, meu amigo. Serjão não estará aí, o presidente Fernando Henrique terá de arrumar outro general para comandar sua tropa.

— E você?

— Enfrentarei os desígnios do destino, como te disse.

— Vai ser candidato a governador?

— Provavelmente. Não quero, mas provavelmente serei. Isso está remoendo aqui dentro — disse, fazendo uma cara de quem estava pouco à vontade.

— O Covas sempre fala que candidatura é algo natural. Ou nasce de dentro do candidato, da vontade nata dele, ou vira um aborto e um desastre. Ele perdeu a eleição de 1990, aqui em São Paulo, para o Quércia, segundo diz, porque não queria disputar de jeito nenhum e o PSDB o obrigou.

— Mas o pai do Covas não se chamava Antônio Carlos.

Voltamos ao velório, despedi-me logo depois.

Pouco antes das 12 horas do dia 21 de abril, feriado nacional, estava na Avenida Sumaré indo em direção à redação de *Época,* onde fecharíamos mais um número 0, o último antes de a publicação ir para as ruas, quando a repórter Daniela Pinheiro, que integrava a nossa sucursal brasiliense, ligou-me.

— Está sentado?

— Estou dirigindo, Daniela. Diz.

— O Luís Eduardo morreu.

— O quê? Como? O que houve?

— Luís Eduardo teve um infarto fulminante. Não decretaram ainda que está morto. Mas está. Eu sei. Está no hospital, mas não escapa.

Parei o carro no meio-fio, respirei, agradeci a informação. Liguei para a minha mulher, na redação da *Folha.*

— Pat, vocês souberam que Luís Eduardo morreu?

— Tem essa história. Estão confirmando.

Falamos um pouco das vicissitudes e das fugacidades da vida. Era inacreditável. Ele tinha 43 anos, sua atuação marcara nossa passagem pelas coberturas do Congresso Nacional. Rapidamente a informação se confirmava. Em um intervalo de 48 horas o presidente Fernando Henrique ficara sem os dois pilares de sua campanha de reeleição, o trator Sérgio Motta e o suave negociador Luís Eduardo Magalhães. Patrícia me avisou, em seguida, que embarcaria para Salvador, de onde acompanharia o velório pela *Folha de S. Paulo.* Corri para a redação, juntei a equipe que formara e que estava integralmente já à disposição de nossas edições de ensaio.

— Camaradas, é número 0, não vai para a rua, mas quero a melhor apuração da imprensa sobre isso. Luís Eduardo merece ao menos isso. Será uma edição de homenagem. Quero entregar essa revista para o ACM, em algum momento.

Nossas redações em São Paulo e em Brasília fizeram um alentado trabalho de apuração. Tínhamos bons bastidores e um obituário redigido com sobriedade. A solidão de Fernando Henrique era o tema da capa de nosso último número 0 em *Época*. Em minha opinião, avançamos em relação a toda a concorrência que teríamos a partir da semana seguinte, quando iríamos para as ruas para valer. Semanas depois fui a Brasília e levei a revista numa caixa desenhada especialmente para ela. Entreguei-a ao senador Antônio Carlos Magalhães explicando do que se tratava. Ele a abriu, folheou, derramou uma lágrima sincera, abraçou-me.

— Ele gostava muito de você — disse-me. — Mais do que eu. Falou aquilo sério, sem esboçar nenhuma reação de simpatia ou antipatia. — Ele sempre dizia, Lula, que desejava ser amigo de todos os meus amigos;... e dos inimigos também!

Abraçamo-nos. Eu também ouvira aquela frase do próprio Luís Eduardo diversas vezes.

∗   ∗   ∗

Expansionistas desde nossos berços, gregários e apaixonados pelo que fazíamos, eu e Laura Greenhalgh estabelecemos quase sem querer dois vértices de ocupação de espaços dentro da redação e nas páginas de *Época*. Disputávamos tudo, todos os dias. Desde a opinião sobre os assuntos em pauta, até a capacidade de integrar os temas às nossas editorias e entregar o fechamento na hora com o melhor produto final. Ambos passáramos por *Veja*, conhecíamos as rotinas de revistas e brigávamos pelo micropoder dentro da redação. Não era hostil, era divertido. Quando o que estava em jogo era a reputação do produto que fazíamos e para o qual empenhávamos nossa credibilidade e roubávamos tempo do convívio familiar, a gente se unia.

Para fazer frente à tradição de *Veja*, que anunciava suas capas em *outdoors* espalhados por São Paulo e pelas principais capitais do país, com chamadas muitas vezes mais criativas que as próprias capas da revista, *Época* decidiu adotar o mesmo modelo. Passaríamos a ter os *outdoors* de *Época*. Não era coisa que a redação cuidasse. Sob a curadoria de Ênio Vergeiro, diretor comercial roubado da *Abril*, a *Editora Globo* tinha seu próprio núcleo de criação publicitária e produzia os *outdoors*. No fim de uma manhã de sexta-feira, Laura Greenhalgh me chamou ao chegar à revista.

— Você viu a peça que vai para o *outdoor* da gente?

— Não.

— Eu vi, por acaso. É um homem nu, de costas, com um vaso sanitário em primeiro plano. No primeiro olhar a gente percebe que ele está em um banheiro. Está de pé, com *Época* nas mãos, tem marcas do assento sanitário no traseiro dele deixando claro que ficara horas sentado. Embaixo, a ideia-força de nossa campanha: "*Época* — não dá para parar de ler", descreveu ela.

— O quê?

— Isso. É isso o que você ouviu. Eu me recuso a crer que esse negócio vai para as ruas.

Subi com ela para a sala de Vergeiro, na Diretoria Comercial. Ele confirmou a peça, defendeu-a, achou que era o espírito da revista.

— E isso aqui é Departamento Comercial. Jornalista não manda aqui dentro — protestou. Falou meio na brincadeira, meio a sério.

— Esse *outdoor* não sai. Você vai ver.

Eu e Laura descemos e conflagramos a redação de *Época*. Do meio do salão onde ficavam distribuídas as baias das editorias dissemos o que estava em curso. Nassar saiu do aquário dele para perguntar o que acontecia. Contamos. Ele tentou contemporizar.

— Esqueçam isso. Não tem essa dimensão. Depois, se pegar mal, a direção da editora dá uma chamada nele. Vamos fechar, alegou.

Paramos o fechamento.

— Nassar, só sossegaremos quando o Ênio desistir desse *outdoor* maluco — protestei.

O diretor de redação convocou o diretor comercial para o centro da polêmica. A República de Editores instituía a Ágora em *Época*. Ênio Vergeiro tentou defender a criação dos publicitários. Engasgou. Uns quatro ou cinco profissionais disseram para ele que se o *outdoor* fosse para a rua, sairíamos nós, os jornalistas. Ele desistiu. Naquela semana *Época* não teria *outdoor*.

A revista da *Editora Globo* fez sucesso ao ser lançada. Com a visibilidade alcançada, veio a natural disputa de vaidades e de poder que é também a força motriz das redações.

* * *

Estar em redações-sede de veículos nacionais, em São Paulo, no fim dos anos 1990 e antes da grande bolha da internet, que começou a mudar a configurações das redações e a rotina do jornalismo, foi excelente tanto para mim quanto para Patrícia. Contudo, a exigência de foco no relacionamento com os filhos era redobrada. Passávamos mais tempo no trabalho do que em casa. Fizemos uma configuração doméstica que nos permitiu mergulhar a fundo na vida profissional, mas chegaram em julho de 1998 as primeiras férias escolares das crianças num inverno paulistano. Rodolfo e Bárbara não escondiam a ansiedade pela novidade. As meninas não tinham completado três anos ainda. "São quase gêmeas", dizia meu filho. "Como quase?", perguntei a ele. "Quase: o mesmo pai, mães diferentes, mas se dão bem como duas gêmeas", definiu ele com a singeleza sábia das crianças.

Equipara-me para receber a todos por um mês. Adquiri um pinto, um pato e dois hamsters e decretei que o apartamento da Avenida Higienópolis seria um *Simba Safári* em miniatura. Instalei o pinto e o pato em caixas separadas na área de serviço, que era grande. Na caixa do pato improvisei um microlago com a ajuda de uma lata de goiabada. Os ratos ficavam no quarto de TV, improvisado como quarto "de Rodolfo". Todos os dias, os três desciam para passear com os animais de estimação no jardim do prédio — que, graças a Deus, era extenso.

Como rotina, virava duas noites por semana em *Época*. Costumava chegar em casa às 5 e meia, 6 horas. Nesses dias, Rodolfo se mantinha acordado. Ao longo da madrugada, via três ou quatro vezes seguidas "O Rei Leão", "Fantasia" ou filmes afins.

— Por que você não dorme, filho? — perguntei uma das vezes em que o peguei acordado ao voltar para tomar banho e comer algo antes de retornar ao fechamento da revista.

— Porque gosto de ver o sol nascer e emendar os dias.

Começou ali, certamente, o crônico déficit de sono dele. Já eu, recuperei a regularidade das noites bem dormidas quando desencarnei das redações.

* * *

O telefone tocou em minha mesa na redação. Era o ramal direto, não passara pela central. Ou seja, alguém que me conhecia. Daquela vez, contudo, não se tratava de notícia, mas sim de fofoca.

— Lula? Sou eu, do gabinete do ministro José Serra.

Era uma das secretárias do Ministério da Saúde. Serra levara suas secretárias da Câmara dos Deputados para o Ministério do Planejamento. De lá, foram com ele para o Senado. E do Senado, todas seguiram-no para a Saúde. Reconheci a voz, apesar de ela falar baixo.

— Não posso falar alto. Vou deixar o fone aberto. Escute.

A secretária do ministério franqueou-me audiência para escutar, em São Paulo, um diálogo que se travava na antessala de um ministro em Brasília. Era inusitado. Tão inusitado quanto o que eu ouvia: José Casado, chefe da sucursal de Brasília de *Época*, e Vanda Célia, uma jornalista experiente e divertida, que era subchefe dele, detonavam-me enquanto esperavam para serem atendidos por Serra. De fato, nossa relação estava esgarçada. Éramos todos amigos quando vivenciamos o dia a dia da cobertura política e econômica nos salões e nas antessalas brasilienses. Mas o déficit horário de Casado, que sempre chegava atrasado à redação e, consequentemente, atrasava os fechamentos, a tentativa de tentar a todo momento impor sua linha de raciocínio adiante da minha, escudando-se em nossa diferença etária; e o fato de eu atropelá-lo na gestão da equipe de Brasília — sim, como ele demorava a chegar à sucursal, muitas vezes eu mesmo determinava a distribuição de pautas e o fechamento dos textos de lá, o que era um abuso — fizeram com que nos afastássemos. Mais que isso, passamos a nos detestar. "Adversários, não inimigos", dizia mentalmente para mim mesmo, tentando impor limites àquele processo deletério de um relacionamento profissional. Quando a dupla da revista entrou para a audiência com o ministro da Saúde, a secretária retomou o fone nas mãos e me delatou os dois jornalistas, contextualizando a conversa.

— Você sabe, né, Lulinha... Você é tão compulsivo como o meu chefe, gosta de ter a unanimidade como ele e deve gostar de saber o que falam de você pelas costas... O Serra gosta — justificou-se ela.

Registrei o gesto da secretária e as opiniões dos jornalistas. Abri para mim um caderninho mental, tipo aquele bloco de anotações de Eduardo Campos, quando passou pela agonia da CPI dos Precatórios. Não deixei de ligar para a sucursal para advertir Casado, sutilmente, que sabia das maledicências.

— Camarada, não esqueça que em Brasília as paredes têm ouvidos. Ele não entendeu e eu não expliquei.

* * *

A campanha presidencial de 1998 foi uma das mais esquisitas da história brasileira até o paradigmático pleito de 2018, duas décadas depois. A cobertura da imprensa àquela primeira eleição com o instituto da reeleição só se iniciaria de fato em meados de julho, depois da enigmática derrota do Brasil por 3 a 0, para a França, adiando o pentacampeonato mundial.

No dia 7 de julho, a conquista parecia encaminhada. Depois de empatar por 1 a 1 nos 90 minutos e na prorrogação da semifinal contra a Holanda, a Seleção batera o escrete holandês por 4 a 2 na disputa de pênaltis. Taffarel, o melhor goleiro que já vestiu a camisa brasileira em Copas, pegou duas cobranças dos adversários. Vínhamos de uma virada sensacional nas quartas de final para a Dinamarca, 3 a 2. Os dinamarqueses haviam formado o melhor time nacional de todos os tampos, não à toa celebrizado como "Dinamáquina". O selecionado brasileiro entrou no *Stade de France* carregando a confiança de 170 milhões de torcedores que permaneciam no país. A perfeição começou a ruir quando o narrador Galvão Bueno informou, ainda titubeante e sem informações detalhadas, que o centroavante Ronaldo não jogaria. Depois, que jogaria. Por fim, que ele tivera um problema na concentração, na noite anterior, mas, ainda assim, iria a campo. Foi, não fez nada, atrapalhou o time. Desconcentrado, apático, o Brasil viu a França de Zidane jogar sozinha e vencer por 3 a 0. A derrota em Paris daria o *start* para a cobertura política começar a ganhar corpo a partir de Brasília.

As coisas não aconteceram daquela forma, contudo.

Confortavelmente protegidos pela novidade do instituto da reeleição, os jornais e as revistas priorizaram a cobertura estadual à nacional. *Época*, ainda engatinhando e buscando ganhar musculatura na conquista de credibilidade e leitores, foi uma exceção à regra não escrita que vigorou em 1998. Havia uma agenda negativa latente na área econômica — e a economia, o Plano Real, era até então o trunfo maior do presidente Fernando Henrique. A estabilidade da moeda, a inflação ridiculamente baixa para nossos padrões históricos, seguiam as principais bandeiras reeleitorais do Palácio do Planalto. Mas, no subsolo da Esplanada, uma tensão emergente passava ao nosso largo.

Dentro da redação de *Época* um personagem estranho ao grupo original de criação da revista começou a ganhar tônus, a buscar espaço e a ter ousadia: Augusto Nunes, um jornalista cuja carreira em redações havia sido amplamente consumida até ali na perspectiva — jamais compactuada por Roberto Civita, que o rebarbava — de virar diretor de redação de *Veja*. Sem conseguir sua meta na *Editora Abril*, Nunes teve o passe comprado por *O Estado de S. Paulo*, de onde saiu depois de conturbado processo de ruptura com a família detentora do título e alguns escândalos internos, represados pela sisudez com que a corporação guardava sua imagem. Do *Estadão* ele pulou para a direção do jornal *Zero Hora*, em Porto Alegre. Ali, protagonizou alguns reveses de imagem na noite gaúcha e chegou a ser levado a uma delegacia de costumes depois de uma aventura num dos bares mais agitados da noite do Rio Grande do Sul. Tornou-se, então, assessor de imprensa do *Bank Boston* no Brasil. Presidido mundialmente por um executivo goiano que depois ganharia fama local, Henrique Meirelles, o banco americano mantinha no Brasil uma assessoria estruturada.

Tendo criado arestas com todos os integrantes regionais do *Bank Boston*, Augusto Nunes deixou a instituição e foi acomodado em *Época* a pedido de Merval Pereira. Estavam empenhados em criar o "Instituto Millenium". Alguns anos adiante, aquela maluquice se tornaria famosa por ter chocado o ovo de uma serpente chamada

"Olavo de Carvalho". Não recebeu função alguma, nem cargo, nem comando de quaisquer projetos. Pediram-me que visse o que fazer com ele. Sugeri que tivesse uma coluna. Nunes ganhou uma coluna de notas. Formatou-a à imagem e semelhança dos jornais dos anos 1970. Era algo muito ruim, achávamos todos dentro da redação da revista. Mas não nos incomodamos.

— É como se diz lá no Recife: a coluna do Augusto é como o time do Náutico.

— Como assim? — perguntou Roberto Benevides, editor--executivo e que já fora colunista de futebol em *O Estado de S. Paulo*, grande conhecedor do esporte bretão.

— Quando você mais precisa, o time do Náutico nunca entrega. O Náutico não ofende ninguém. Assim é a coluna do Augusto: ruim, mas inofensiva. Ao menos mantém-no ocupado.

Estava errado, e a inexorável trajetória de um dia após o outro provaria isso. Depois de buscar em algum armário esquecido de sua personalidade um pote de humildade, Augusto chamou-me para um café e discorreu sobre um projeto pessoal que ambicionava: acompanhar viagens de campanha de Lula, como eu fizera em 1994, e escrever um perfil alentado do candidato. Adverti-o que teria de ser equilibrado. Ele, que não deixava de desdenhar do petista e de suas ideias, jurou que o seria. Topei o desafio, com a anuência de José Roberto Nassar e de Roberto Benevides. No dia a dia da redação, como poucos aceitavam trocar gestos de simpatia com Nunes, tornei-me uma espécie de preceptor do temperamento difícil dele com o conjunto da redação.

Telefonei para as minhas fontes do PT, inclusive para o próprio Lula, e disse a elas que Augusto Nunes iria fazer uma reportagem especial no curso da campanha. Empenhei a minha palavra de que seria um trabalho imparcial. Eles conheciam o ex-diretor de *O Estado de S. Paulo* e do *Zero Hora* e não gostavam. Mesmo assim aceitaram recebê-lo nos palanques, porque dei a minha palavra de editor — e até ali mantivera *Época* como único veículo que, de alguma forma, cobria criticamente a disputa eleitoral e, mesmo de forma sutil, dizíamos que a economia estava contratando problemas com potencial para estourarem em 1999.

Em duas semanas Augusto Nunes fechou sua apuração. Escreveu um texto contaminado por opiniões inteligentemente dispersas nas reportagens, todas ácidas e deletérias para a imagem de Lula e do PT. Discuti mudanças com Nassar e com Benevides. "Você que aceitou ter esse problema. Cabe a você, agora, tirar o bode de seu colo. Fale com ele", ordenou-me o diretor de redação.

Imaginei que seria uma missão difícil. Nunes, contudo, preparara um ardil olhando mais à frente.

— Claro que mudo, Lula. O que você quer que eu tire? O que quer que eu ponha? — respondeu-me quando falei delicadamente o que pensava e dizendo-me chancelado pela direção da revista.

— Pôr, você pode pôr o que quiser. Se fugir do padrão, eu te falo. Mas tirar: é preciso tirar aquele monte de opiniões no meio do texto. Nosso projeto é: "fato, fato, fato". Você não pode escrever um adjetivo porque faltou apuração substantiva, só isso.

— Farei como você me pede. Até porque, haverá um dia em que as posições aqui vão ser trocadas — respondeu-me enigmaticamente.

— Como é? — quis prolongar o papo.

— Depois converso com você com calma. Aliás, você é dos poucos aqui dentro que abre as portas para me receber.

Deveria ter refletido por mais tempo sobre as entrelinhas daquela conversa. Entretanto, havia muitas outras coisas por tocar.

* * *

Em 4 de outubro de 1998, Fernando Henrique Cardoso, mesmo sem os pilares vislumbrados no início daquele ano — Sérgio Motta, seu general de batalhas; e Luís Eduardo Magalhães, seu vice pretendido — foi reeleito presidente da República no primeiro turno com 53% dos votos válidos, 35,9 milhões de votos. Lula, do PT, teve 21,5 milhões de votos, ou 32% do total. Ciro Gomes, então filiado do PPS, recebeu 11% dos votos válidos — 7 milhões de sufrágios. Poucos sabiam, mas os problemas do presidente tucano estavam começando naquela fácil reeleição. A atenção da mídia se concentraria, a partir dali, no segundo turno em São Paulo entre

Mário Covas, do PSDB, e Paulo Maluf, do PPB. O estilo direto e pragmático de condutor de trator mimetizado por Serjão e a habilidade inigualável de Luís Eduardo, que tinham sido dispensáveis na campanha até certo ponto fácil e monótona daquele ano, revelar-se-iam grandes ausentes. Ainda assim, Fernando Henrique Cardoso vencera a solidão que era impensável meses antes. No Ceará, num registro particular daquelas eleições, Paes de Andrade, meu sogro, perdeu a eleição para o Senado. Tentou enfrentar o PSDB de Tasso Jereissati e colheu a segunda derrota de sua carreira política iniciada nos anos 1950. Ficaria fora do Congresso.

CAPÍTULO 8

O FIM:
IMPREVISÍVEL?

Seria um jantar para políticos derrotados, e não era estranho fazê-lo. "Em Brasília, a regra de ouro é conquistar a lealdade de um político homenageando-o e sendo atencioso durante os tempos de baixa. Da planície surgem grandes amizades", sempre me ensinou Jack Corrêa, a quem chamo de "decano das Relações Institucionais" na capital da República. O candidato do PT à presidência, Lula, e a mulher dele, Marisa Letícia, foram convidados por mim e por minha mulher, Patrícia, para um jantar em nosso apartamento paulistano com os pais dela — Paes de Andrade, que perdera a eleição para o Senado, e Dona Zildinha. José Dirceu, que recuperara o mandato de deputado federal tendo recebido 114 mil votos depois de passar quatro anos fora de Brasília *(perdera a eleição para governador de São Paulo em 1994)*, também estava lá. Era uma terça-feira, 3 de novembro, apenas oito dias depois do segundo turno paulista vencido a duras penas pelo governador Mário Covas. A reeleição de Covas sobre Paulo Maluf só chegou na última hora para o tucano, apesar de todo o empenho do presidente Fernando Henrique a favor dele.

Lula, Dona Marisa e José Dirceu chegaram ao edifício onde morávamos, na Avenida Higienópolis, pontualmente às 20 horas. Por cerca de quinze minutos permaneceram na área social fazendo fotos e cumprimentando algumas pessoas que se identificaram como eleitores deles. Também havia outros simpatizantes. O Colégio Sion, local onde o Partido dos Trabalhadores foi fundado em 1978, era quase em frente ao nosso prédio. A agenda era absolutamente informal. Eu mesmo preparei o risoto de *funghi secchi* para todos, prato único. Umas pastas com torradas e *bruschettas* de entrada. Uísque e vinho. A conversa engrenou. Depois do jantar, por volta de uma da manhã, respondendo a uma pergunta minha sobre o que de mais estranho ocorrera na campanha presidencial, Lula parou um pouco, puxou pela memória e soltou o inesperado:

— Tentaram me vender um dossiê fantasioso contra Fernando Henrique, Covas, Serra e Sérgio Motta. Já agora, perto do segundo turno — revelou.

— Que dossiê? Dizia o quê? Houve um dossiê nessa campanha morna?

— Era um conjunto de papéis com os quais tentavam provar a existência de uma empresa num paraíso fiscal do Caribe. Quem sabe melhor disso é o Márcio Thomaz Bastos. Quando me procuraram, na hora pedi que o Márcio falasse com eles. Não gosto desse povo que faz dossiês. Por isso você diz agora que a campanha foi morna — explicou o petista.

José Dirceu também parecia estar tomando ciência do assunto naquele momento. Ficou calado e franziu a testa. Queria ouvir e tinha dúvidas sobre o desenrolar do que era narrado pelo candidato derrotado à Presidência. Instiguei Lula para que falasse mais. Ele foi adiante: a empresa se chamava *CH, J & T*. "C", seria de Covas. "H", atribuído ao segundo nome do presidente Fernando Henrique. "J", a parte de José Serra no acrônimo. E "T", em razão do sobrenome "Motta", de Sérgio Motta, conter a letra dobrada. Ancorada nas Ilhas Cayman, a companhia seria uma *offshore* para a qual convergiriam comissões pagas por corporações beneficiadas em privatizações de estatais. Um pastor evangélico chamado Caio Fábio D'Araújo havia feito o contato inicial com o pessoal do PT para tentar passar à frente o papelório. Caio Fábio era muito próximo do então governador do Rio, Anthony Garotinho. Garotinho até apresentara o pastor a Lula, em 1993, quando parte da *Assembleia de Deus (Igreja Evangélica Assembleia de Deus, fundada em 1911, em Belém do Pará)* declarou apoio ao petista. Anos depois, Caio

Fábio rompeu com a ala mais tradicional daquela denominação evangélica e se aproximou de uma gente estranha, mais próxima do ex-presidente Fernando Collor de Mello e do irmão dele, Leopoldo, do que do divino ou mesmo do Espírito Santo. Segundo o dossiê, que passou pelas mãos de Leopoldo Collor antes de chegar a São Paulo, a *CH, J&T* tinha saldo de US$ 368 milhões, decorrente de tramoias de tucanos. Era tudo falso.

— Nem li. Chamei o Márcio Thomaz Bastos, disse a ele do que se tratava e o Márcio foi cuidar daquilo como advogado. A primeira coisa que fez foi marcar uma conversa com o Serra, porque ele estava aqui em São Paulo mesmo. A Martha Suplicy agendou com os dois.

O advogado Márcio Thomaz Bastos, que depois se tornaria ministro da Justiça do governo de Luiz Inácio Lula da Silva, foi um dos mais respeitados advogados criminalistas brasileiros. Afável, dono de uma inteligência ágil e opiniões fortes, conservou o trânsito com os mais variados setores da sociedade — da esquerda, dos sindicatos, à direita, aos empresários. "Na primeira vez que pus os olhos naquele papelório, pensei: é falso", disse-me ele quando o entrevistei sobre o dossiê. "As assinaturas contidas ali, de Serra e de Serjão, eram idênticas em todos os papéis. Ou seja, era um claro copia-e-cola de trechos de outros documentos."

— E aí, Lula? Os papéis eram falsos? — quis confirmar na lata. Claro que procuraria outras fontes depois.

— Obviamente, na opinião do Márcio. Mas o Fernando Henrique e o Covas precisavam saber daquilo também. Afinal, teriam de se proteger. Sobretudo o Covas, que estava disputando o segundo turno em São Paulo e a campanha do Maluf era uma baixaria contra ele.

— Vocês avisaram? — segui perguntando.

— Claro! Todos souberam e a viúva do Serjão também. O Fernando Henrique contou.

— Vocês não pensaram em usar isso para melar o resultado da eleição não?

— Jamais, Lulinha. Jamais.

Travei a conversa naquele ponto para não denotar interesse excessivo. Seguimos com outros assuntos. Servi três rodadas de café.

Por volta das 3 horas da madrugada de quarta-feira, os três decidiram ir embora. Desci com eles no elevador, sozinho, e enquanto levava Lula para o carro que o esperava no térreo avisei que queria a história daquele dossiê com o qual se pretendeu chantagear o presidente da República, o governador de São Paulo e um senador.

— Mas é tudo falso — espantou-se Lula.

— Mas o fato de ter existido é uma história. Não fale para ninguém. Vou conversar com o Covas ainda esta manhã.

Subi para o apartamento, tomei um banho, cochilei numa poltrona e esperei o dia raiar. Às 6 e meia liguei para a casa de Oswaldo Martins, secretário de imprensa do governador de São Paulo.

— Oswaldinho, preciso falar com o governador hoje de manhã, o mais cedo possível.

— Você está maluco, Lula? Ligar a essa a hora para a casa de um velhinho como eu? O que houve? O mundo está acabando?

— Talvez. Mas você está inteiraço ainda, Oswaldinho.

— Já tive dias melhores, meu amigo. Já tive dias melhores... Esteja 8 horas no Palácio. Você consegue chegar lá cedo assim? Estou saindo de casa agora.

— Consigo.

Mário Covas morava na ala residencial do Palácio dos Bandeirantes. Logo, o convite implícito de Martins era para que tomasse o café da manhã com o governador. Agenda perfeita.

Enquanto dirigia para o Morumbi, trajeto que poderia cumprir em pouco mais de uma hora saindo de Higienópolis antes das 7 horas, meu celular tocou. Era Guilherme Barros, chefe da sucursal do Rio.

— Fala, craque. Bom dia. Dormiu bem? — cumprimentou-me do jeito de sempre.

Disse que sim e que estava dirigindo para um café com Covas. "É urgente", avisou Guilherme. E não esperou resposta para falar o que queria.

— Estou saindo para a minha partida de tênis das quartas-feiras no *Country Club* com aquela minha fonte que você sabe quem é *(um dos maiores empresários do país jogava uma partida de tênis semanal com Guilherme — ganhava sempre — e entre um game e outro fazia para ele o* download *das novidades no meio empresarial).*

— Tem esse zunzunzum do grampo nas privatizações do *Sistema Telebras*. Parece que ele tem novidade.

— Opa! — gritei eu do outro lado. — Cacete, Guilherme! Estou indo atrás de um furo também. Se eu confirmar o meu e você o seu, teremos uma edição do grande caralho. Vai lá e me conta depois.

— Vou, vou querido. Eu te dou notícia.

Trabalhávamos até aquele momento com uma capa sobre "Vestibular" em *Época*. Capa fria, fechada pelo pessoal da Laura Greenhalgh. Tinha lógica no *mix* de assuntos de uma semanal de informações. Mas reafirmaria a maior crítica que recebíamos desde o lançamento: a revista ainda devia um grande furo para seus leitores.

Cheguei pouco antes das 8 horas ao Palácio do Morumbi e fui encaminhado para a ala residencial. O governador me esperava à mesa. Entrei com Oswaldinho a me conduzir. Nunca soube acessar a porta certa na labiríntica sede do governo paulista.

— Fala, doutor Lula, o que o senhor manda?

Pela manhã, logo cedo, a voz de barítono de Covas tinha o timbre ainda mais acentuado.

— Uma história esquisita, governador — disse a ele.

Contei tudo o que sabia sobre o tal dossiê Cayman. Não era muito.

— Sim, essa história aconteceu do jeito que você contou. Mas você vai publicar? Não tem sentido, é mentira — alertou ele.

— Governador, mesmo sendo tudo mentira, é uma história que tem de ser contada. Tentaram chantagear o senhor e o presidente da República, além do Serra.

— Você está convencido que é mentira, não está?

— Estou.

— Vou ligar para o Fernando aqui, na sua frente — disse ele antes de chamar um ajudante de ordens.

O governador de São Paulo pediu o telefone sem fio e discou, ele mesmo, o número do Palácio da Alvorada, em Brasília. Algum outro ajudante de ordens presidencial atendeu. Covas se identificou, aguardou um pouco e voltou a falar diante de mim:

— Fernando? É o Mário. Tudo bem?

Recebeu as respostas de praxe, o presidente falou algo que não consegui compreender pelas respostas. Daí o governador emendou.

— Fernando, estou com o Lula Costa Pinto aqui diante de mim. Ele soube do dossiê, aquele papelório maluco que fala de uma empresa nas Ilhas Cayman que seria sociedade minha, sua, do Serra e do Serjão...

Por cerca de um minuto Fernando Henrique explicou algo a Covas, que ouviu atentamente só mantendo o papo com interjeições. Quando pôde, seguiu:

— Estou dizendo a ele, e ele está me compreendendo, que a chance de nós quatro termos sociedade numa empresa é mínima. Pois não confiamos uns nos outros. Eu jamais seria seu sócio numa empresa, Fernando! Concorda?

Rimos todos. O governador paulista ainda fez um chiste.

— Já namorada não. Não é, Fernando? Namorada...

Rimos de novo. Ouvi do outro lado da linha uma referência a José Serra, que era ministro da Saúde. Covas desligou, dizendo que me falaria aquilo e se dirigiu a mim mais uma vez:

— O Serra lidou diretamente com o Márcio Thomaz sobre isso. Parece que o Elio Gaspari também tem essa história, mas não publicou. Lula, entendi isso como chantagem e agradeci ao outro Lula, o do PT, o fato de não ter dado sequência a essa maluquice. Poderia ter me custado a eleição.

— Sei disso, governador. Ele também. Vou procurar o Serra.

Saí do Palácio do Morumbi ainda cedo e, pelo celular, localizei o ministro José Serra, em São Paulo. Estava no escritório político dele na Rua Simão Álvares, no bairro de Pinheiros. Disse que precisava falar pessoalmente. Como o dia começara ainda na madrugada maldormida, tinha tempo. Serra confirmou o roteiro percorrido pelo dossiê falso, o contato de Márcio Thomaz, registrou a satisfação de não ter visto o PT usar o tema contra eles no segundo turno em São Paulo, mas me advertiu que o jornalista Elio Gaspari tinha toda a história e a publicaria se algum outro veículo fosse dá-la.

— Como ele saberá que outro veículo vai dar o assunto? — quis saber.

— Eu me comprometi a avisá-lo se alguém fosse publicar. Ele não quer ser furado. Mas também não quer ser o primeiro, ou o único, a falar de um papelório falso.

— Eu ligo para ele e combino — disse.

— Ok, mas vou avisar — encerrou Serra.

Voltei para a redação e liguei para Guilherme Barros antes de ligar para Elio. Ele ainda estava no *Country Club* com sua fonte tenista.

— Fala, garoto. Estou aqui tomando um suquinho antes de ir para a redação.

— Porra, Guilherme. Já rodei São Paulo inteira e você aí jogando tênis com essa vista maravilhosa do *Country*?

— Quem manda morar nessa cidade cinza? Minha moldura é o mar, é o Cristo, é o Corcovado.

— Vá se ferrar. E aí? Temos notícia?

— Temos. Claro. Preciso rolar na lama para apurar, preciso ir aí a São Paulo falar com uma pessoa, mas, se fechar do jeito que eu quero, temos capa.

— Vem.

— Posso?

— Claro! Daí falamos juntos com o Nassar.

Desliguei com Guilherme e liguei para Elio. Foi uma boa conversa, ele confirmou que tinha a história. Em linhas gerais, era o que eu também apurara. Fizemos um acordo: como a coluna dele sairia no domingo, mas os jornais dominicais iam para as ruas no fim da tarde de sábado naqueles tempos, eu o citaria em *Época* e ele me citaria na coluna. Citações cruzadas, furo de ninguém. Trato feito, liguei para o advogado Márcio Thomaz Bastos, que resolveu umas portas abertas do enredo. Fui tocar outras coisas do fechamento da semana e auxiliar Guilherme Barros nas rebarbas de apuração da história dele enquanto o aguardava naquela noite, na sede da revista, para convencermos o diretor de redação de nossos furos.

Por volta das 20 e 30 horas Guilherme chegou à redação no Jaguaré e nos trancamos com Nassar, Benevides e Nélson Letaif na sala do diretor. Contamos o que tínhamos. Ouvimos pedidos de complementos de apuração. Dissemos que havíamos feito toda a apuração, restava escrever as reportagens.

— Não quero dar isso agora, as duas coisas parecem bombásticas demais — reagiu Nassar, lançando um jato de nitrogênio líquido, congelante, no meu ânimo e no de Guilherme.

Argumentações não foram aceitas naquele momento — ele estava saindo para um compromisso. Fui jantar com o chefe da sucursal do Rio. Por vingança, fomos ao *Massimo* com a conta paga por *Época*. Choramos nossas pitangas e decidimos escrever as duas reportagens.

— Sou eu quem pagina a editoria de política — lembrei a Guilherme.

— Posso fazer uma paginação "A", com o que ele quer, e uma "B", com tudo o que nós queremos. Só preciso saber amanhã quantas páginas teremos no último caderno: podem ser seis, oito ou doze. Se o último caderno tiver doze páginas livres lá na frente, resolvido.

No dia seguinte, cheguei à redação perto da hora do almoço pronto para ir ao *front* da guerra por espaços. Entrincheirei-me na editoria de política e aguardei o chamado para a divisão final dos cadernos. Ênio Vergeiro, o diretor comercial, trazia uma boa notícia para a revista. Enfim, tínhamos muitos anúncios. Naquela semana em especial, era um cenário péssimo para mim. O último caderno teria apenas seis páginas e aquele jogo de paginação só poderia contar com um espaço exíguo para publicar duas boas reportagens. Insisti novamente que deveríamos esquecer textos mais frios e apostar naquilo que eu e Guilherme apuramos. "Não", ouvi de volta. Resignei-me, em termos.

— Guilherme, vamos paginar a sua reportagem em quatro páginas. A minha, em duas. Fazemos um bloco de seis. Eu fecho a revista normal e seguro esse último caderno até o fim do dia — sugeri. Ele topou.

A reportagem de Guilherme Barros era primorosa. Sem expor quaisquer dados de sigilo telefônico, sem usar nenhum adjetivo, ele narrava a existência de fitas gravadas a partir da central telefônica da sede do *BNDES* (*Banco Nacional de Desenvolvimento Econômico e Social*), no Rio de Janeiro, no dia da privatização das empresas de telefonia. Nos áudios, o então presidente do banco de fomento, Luiz Carlos Mendonça de Barros, parecia estimular determinados grupos empresariais contra rivais de negócios que o governo FH veria como inimigos em potencial. Ao garantir apoio a um lado, Mendonça desequilibrava a disputa.

Guilherme deixava claro que o presidente da República, mais uma vez, recebera grampos e transcrições no Palácio do Planalto, assim como ocorrera no "Escândalo do *Sivam*". FH ainda procurara tirar a notícia de circulação no lugar de mandar apurar os conteúdos do que lhe chegara às mãos. Era um tiro mortal em Mendonça de Barros, convertido em substituto de Sérgio Motta dentre aqueles integrantes do núcleo central de poder chamados de "desenvolvimentistas". Ficava claro, pelas gravações descritas pelo chefe da sucursal de *Época* no Rio, que o *BNDES* se desdobrava para evitar que o consórcio empresarial *Tele Norte Leste*, liderado pelo empresário Carlos Jereissati, irmão de Tasso Jereissati, um cardeal do PSDB de Fernando Henrique, levasse a *Telerj* (a empresa de telefonia do Rio de Janeiro) junto com as estatais de telefonia do Nordeste. Mendonça de Barros, irado, chamava o grupo liderado pelo irmão de Tasso de "telegangue" e ouvira do amigo Ricardo Sérgio de Oliveira, diretor do *Banco do Brasil*, que o governo estava "no limite da irresponsabilidade" ao patrocinar o apoio pecuniário e estratégico para um adversário de Jereissati — o consórcio liderado pelo banqueiro baiano Daniel Dantas, dono do *Opportunity* e sócio de Pérsio Arida (economista brilhante, ex-sócio de André Lara Resende, que naquele momento era o presidente do *BNDES*).

O *Banco do Brasil*, entretanto, desconhecendo as orientações do Palácio do Planalto e do Ministério das Comunicações e do *BNDES*, seguindo os comandos dados justamente por Ricardo Sérgio de Oliveira, bancou a engenharia financeira do consórcio vencedor — o de Carlos Jereissati. Oliveira, que mandava no fundo de pensão do *BB*, o Previ, associou-o ao consórcio liderado por Jereissati e deu a ele o gás financeiro para arrematar a *Telerj* e outras quinze empresas de telefonia, pagando um ágio de apenas 1%. A história tinha começo, meio e fim. Tinha tempero político e revelava a existência de grupos internos numa cisão palaciana, de cuja existência sabíamos, mas que até ali não tínhamos como escrever sobre ela. Enfim, era nitroglicerina pura.

Corri com o fechamento do que deveria entregar por encomenda da direção de redação e, em paralelo, paginei um "caderno B". Nassar foi embora por volta de meia-noite. Permaneci na redação. Teria trabalho até o meio da madrugada de sexta-feira. O *deadline* fatal de *Época* era 17h30min. Na capa, só podíamos mexer até 14 horas. Decidi esperar o retorno do diretor de redação. Ele chegou às 8 horas da manhã. Eu e Guilherme Barros estávamos lá. Entreguei a Nassar as seis páginas com os textos que pedira.

— Aqui estão as reportagens que você quer — disse-lhe. Ele leu, olhou os títulos, mudou detalhes. Deu o ok.

Nassar preferia ler os textos em páginas impressas de papel A6, quase o tamanho de duas folhas de ofício, diagramadas em *Quark*, o programa da *Apple* que usávamos para editar revistas. Havia enrolado seis folhas de A6 em forma de canudo, estava com o cilindro de papel nas mãos e, tão logo liberou o que desejava ver na edição seguinte da revista, abri o que tinha em mãos.

— E aqui estão as seis páginas que eu quero — prossegui, pondo diante dele as páginas editadas do meu "caderno B". Quatro delas dedicadas ao furo do grampo do *BNDES*, outras duas dando a notícia do dossiê Cayman.

— O que tem nessas reportagens para você insistir tanto? — perguntou-me o diretor.

Narrei o passo a passo das duas apurações, o que era novidade, o que não era, e o fato de termos falado com todos os lados.

— Só darei esses textos se o João Roberto Marinho autorizar — avisou Nassar, travando-me por um momento.

— Ok. Ele vai autorizar. Você fala com ele então? — quis saber, pois era a forma usual no jogo de poder das redações.

— Prefiro que você tente — disse e me passou o telefone da secretária do vice-presidente das *Organizações Globo*. O gesto podia ser lido de duas formas: ou ele estava me cacifando por excesso de confiança, ou ele estava me desafiando, porque sabia que a resposta seria negativa. Acreditei na primeira hipótese, dado o excepcional caráter de Nassar.

Eu já tinha trocado cumprimentos com João Roberto, tinha respondido a questões específicas formuladas por ele em reuniões n'*O Globo* e em *Época*, mas jamais tivera uma relação direta com ele. Imaginei que seria uma abordagem difícil. Não foi. Disse à secretária o que queria. Ela anotou e me instruiu a passar as paginações, com os textos que seriam publicados, por fax. "Ligo quando tiver resposta", avisou. Eram 9 e 40 da manhã de sexta. "Temos até 12 e 30", lembrei puxando o *deadline* para cima. Não ouvi resposta. Às 12 horas a secretária do João Roberto retornou dizendo que a publicação estava liberada, que João Roberto Marinho ligaria para José Roberto Nassar. O diretor de redação me chamou à sala dele. Estava sorridente.

— Parabéns, você conseguiu: o João Roberto liberou a publicação do jeito que está — disse-me.

— Nassar, eu tinha certeza.

— Mas eu tive medo da pressão, Lula. O material é realmente espetacular, mas...

— Temos como mexer na capa?

— Derrubar a capa não podemos mais. O que podemos é colocar uma tarja colorida, de fora a fora, e chamar para essas duas reportagens.

Reabrimos a revista, repaginamos a capa. A edição 25 de *Época*, com data de 9 de novembro de 1998, foi para as bancas com um *slash* ocupando toda a largura da capa da revista onde se lia: "CHANTAGEM — Grampo no *BNDES* esquenta a briga contra o Ministério da Produção *(ao lado, uma pequena foto do ministro das Comunicações, Luiz Carlos Mendonça de Barros, que seria nomeado o primeiro "ministro da Produção" no país e ficaria encarregado de todo um espectro de poder e influência que conflitavam com a área econômica)* e ARMAÇÃO — Maluf tentou usar Lula para denúncia sem provas contra Covas, Serra, Serjão e FH *(ao lado, uma pequena foto do ex-prefeito paulistano Paulo Maluf)*."

Naquela semana a revista da *Editora Globo* promoveu um estrondo nas bancas. Reunimos o pouco de energia que ainda tínhamos e fomos beber umas cervejas no *Frangó*, bar da Freguesia do Ó onde também eram servidas coxinhas e outros petiscos excepcionais. Havia gente de todas as editorias da revista. Guilherme Barros puxou um brinde àquela edição.

— Passamos a existir para o mercado jornalístico e editorial, minha gente. No número 25, gol!

* * *

Havia meses, devido aos preparativos para o lançamento de *Época*, eu trabalhava quase ininterruptamente e virava constantemente duas noites por semana em função da revista. Patrícia acumulara folgas diversas na *Folha de S. Paulo*. Tínhamos programado uma semana de férias. Segurando a ansiedade com as duas bombas que largava para trás, embarquei com minha mulher e com a nossa filha Júlia para o Recife. Ficaria uns dias com Rodolfo e Bárbara, meus filhos que moravam na capital pernambucana, e de lá seguiria para curtir o restante do período na casa de praia de meus pais em Tamandaré. A pretensão era também revisitar a Praia dos Carneiros, rincão paradisíaco onde passei verões e invernos na infância. Minha família construíra uma das primeiras casas de veraneio naquela região do litoral sul de Pernambuco em 1973, quando "Carneiros" era uma fazenda fechada de cocos e só nós e alguns raríssimos privilegiados podíamos curtir o encontro das águas de rio e de mar com um arrecife de corais entrando mais de 1,5 quilômetro na direção do horizonte. A Praia dos Carneiros viraria um loteamento, estava contratada uma invasão turística e eu queria ver o sossego da infância e da adolescência uma última vez.

Estávamos em novembro de 1998. As empresas estatais de telefonia tinham acabado de ser vendidas. A tecnologia celular engatinhava. A transmissão de dados pela internet era uma odisseia. Não havia telefone fixo nas residências de veraneio de Tamandaré, apenas um posto telefônico único na praça central da cidade, a dois quilômetros de caminhada pela praia de minha casa, ou a três quilômetros de carro, transitando por trilhas de barro e lama. Tão logo deixei a bagagem e as tralhas de bebê em casa, fui à beira-mar, porque o sinal celular era melhor, e liguei para a redação de *Época*. Milton Abruccio, subeditor de Política na revista, deu-me uma notícia esquisita.

— Meu velho, o Augusto Nunes vai fechar nossa edição esta semana. Ele disse na reunião de pauta que tem umas fontes boas sobre o dossiê Cayman e o Nassar pediu, então, para ele conversar com o Guilherme Barros. Vai fechar os nossos dois assuntos: grampo do *BNDES* e a sequência do dossiê.

— Milton, por quê? O Augusto não consegue informação nem de dentro da casa dele. É um cara todo cheio de compromissos, de agendas próprias.

— Lula, não conseguiria brigar lá na reunião, também não gostei.

— Eu não confio nele. Fica de olho, por favor. Vou falar com o Nassar, com ele, com o Guilherme. Camarada: é essencial ter uma baita matéria da repercussão do dossiê em Brasília, mas sem perder o foco de que esses papéis provavelmente são falsos. A notícia é: quem queria vender, por que queria vender, por quanto quis vender? E sobre os grampos, claro, teremos de dar detalhes das conversas. Essa porra vai vazar.

— Deixe comigo. Ficarei na cola do Augusto e vou te informando o passo a passo. Arrebentamos, velhinho.

Milton, um amigo espetacular com quem trabalhara em *Veja*, tinha a virtude da suavidade no ambiente profissional — atributo que me faltava, mas que, naquele caso específico, podia se converter em defeito. Não era possível ser suave com a personalidade paranoica e ardilosa de Augusto Nunes.

Havíamos pautado a semana política em Brasília. Entre o domingo, 8, e a terça-feira, 10 de novembro, ocorreram diversas reuniões nos Palácios da Alvorada e do Planalto. Além do presidente Fernando Henrique, os ministros Pedro Malan (Fazenda), Nelson Jobim (Justiça), Clóvis Carvalho (Casa Civil), Mendonça de Barros (Comunicações) e o general Alberto Cardoso (Casa Militar) participaram delas. Além deles, o secretário-geral da Presidência, Eduardo Jorge, e a secretária de imprensa, Ana Tavares. O governo estava perplexo.

Em relação ao dossiê Cayman, havia tranquilidade e irritação pelo vazamento. O governador Mário Covas desdenhara dos papéis. Com razão. A maior parte da imprensa repercutira na mesma linha que adotamos na reportagem original — a de que se tratava de um papelório falso. O tema estava sob controle. Qualquer coisa fora daquele muro de contenção factual seria mera especulação, provável notícia falsa, "barriga", como chamamos.

Em relação às revelações do grampo no *BNDES*, não se deu daquela maneira. As gravações podiam comprometer o presidente e as pessoas em torno dele. O presidente do banco estatal de desenvolvimento, André Lara Resende, falava em pedir demissão em razão do episódio. O constrangimento de banqueiros e economistas como Daniel Dantas e Pérsio Arida era grande. O *Banco do Brasil* tinha um diretor trabalhando contra as suas orientações — Ricardo Sérgio de Oliveira, que também mandava no fundo de pensões da instituição. E, por fim, a família Jereissati, que tinha as próprias divisões internas, unira-se na indignação com a forma como Fernando Henrique e Mendonça de Barros haviam tentado passar a perna no consórcio *Tele Norte Leste*, liderado por Carlos Jereissati.

Na quarta-feira, 11 de novembro, o Palácio do Planalto produziu a primeira reação concreta às reportagens de *Época*. O general Alberto Cardoso, chefe da Casa Militar, encaminhou ao Ministério da Justiça fitas e degravações dos diálogos contidos nos grampos, pedindo apuração. Não os liberou para a imprensa. Fez o mesmo com o papelório do dossiê Cayman, revelando parte dele para alguns jornalistas. O diretor-geral da Polícia Federal, Vicente Chelotti, virou o guardião da papelada. Do Rio de Janeiro, para onde fora participar de um fórum de negócios, o presidente Fernando Henrique Cardoso fez um pronunciamento público sobre o caso.

— Farsantes, falsários, pessoas que o Brasil custou a expulsar da vida pública nacional forjaram um conjunto de papéis contra mim, contra o governador de São Paulo, contra o ministro da Saúde, contra a memória de Sérgio Motta — disse ele, quando um repórter ensaiou perguntar sobre dossiê Cayman. E prosseguiu: — Peço aos senhores que não ousem me perguntar sobre o que não deve ser pensado e muito menos respondido por alguém que tem dignidade, que tem decência como eu.

A reação presidencial dava a medida da profundidade da crise palaciana. Mesmo com tantas pontas soltas, os jornais não avançaram na apuração ao longo da semana. Voltei a ligar para a redação da revista 48 horas depois da reunião de pauta da segunda-feira. Dizendo-se entusiasmado com a apuração que coordenava, Augusto Nunes informou que havia localizado um perito nos Estados Unidos. O especialista comprovava a fraude no papelório.

— Lá na reunião dos diretores de redação, no Rio, o Merval e o João Roberto elogiaram nosso furo e a linha do texto, mostrando desde sempre que é tudo falso — disse ele.

A reunião de diretores de redação dos veículos das *Organizações Globo* acontecia toda terça-feira, no Rio de Janeiro, com a presença de João Roberto e Roberto Irineu Marinho.

— Você foi à reunião? Ou o Nassar?

— O Nassar. Aquele foro é só para quem tem divisões no ombro. Eu não as tenho, ainda... — respondeu Augusto esforçando-se para que fosse percebida a existência de algo no ar.

— E o grampo? Esse caso do *BNDES* é mais sério. As gravações virão à tona. Nós conseguimos ir além? — quis saber, mudando de assunto.

— Isso está com o Guilherme e com o Casado, lá em Brasília. Só vou fechar.

— Mas Augusto, acho que você tem de ir atrás dessas gravações também.

— Vou ver se consigo. Não é bem a minha praia.

Eu sabia que notícia, informações exclusivas e lavra saída de boas fontes e de bons filões de fato não eram a seara em que ele se sentisse confortável. Augusto Nunes sempre foi o homem do texto adjetivado, à guisa de fatos. Desliguei e fiquei ressabiado. Segui curtindo Tamandaré e Carneiros por mais alguns dias, voltei ao Recife e, no sábado, antes de retornar a São Paulo, fui acordado por Milton Abruccio com um telefonema desolador.

— Meu caro, tomamos um furo da *Veja*. Não foi grande coisa, mas foi um furo. Eles tiveram acesso às gravações. Nós, não. Eles não publicam a íntegra das conversas, mas relatam o que há nelas com muito mais detalhes do que a gente.

— Puta que o pariu. Muito ruim. E sobre Cayman?

— Eles passam um baita recibo do furo que tomaram, tentam desqualificar nosso material, não nos citam, e não foram além.

— Até porque não dava para ir além, né Milton? O dossiê é falso. Ir além era sugerir que aqueles papéis pudessem ser verdadeiros.

A *Veja*, nossa concorrente, dedicou capa e *slash* aos dois temas. Do começo ao fim, passando pelo breve editorial, o texto deles era um recibo pelo furo tomado. A imagem principal da revista da *Editora Abril* era um alvo. No centro dele, os rostos de Fernando Henrique, Mário Covas, José Serra e Sérgio Motta. "Tucanos na mira — o que há por trás disso" era a chamada principal. Acima, no *slash*: "Veja ouviu o grampo do *BNDES* — as conversas do ministro das Comunicações para influir no leilão das teles". Do *lead* à conclusão, era um conjunto de textos governistas. O Palácio vazara para nossos concorrentes os trechos mais confortáveis do grampo e ainda fizera um acordo, que obviamente não estava escrito no material: não publicar os diálogos em formato de diálogos, mas, sim, como descrição das conversas.

"*Na semana passada Brasília parou diante de um pacote de denúncias constituído por cópias de seis documentos — cinco em português e um em inglês — e gravações clandestinas de telefonemas, cujas passagens principais estão reunidas em duas fitas.*" Era assim que começava o texto de dez páginas assinado por Expedito Filho. "*As denúncias envolvem cinco autoridades, inclusive o presidente Fernando Henrique Cardoso. Na acusação mais pesada, feita por meio de uma carta apócrifa ao ministro José Serra, da Saúde, diz-se que o presidente seria sócio de uma empresa, a CH, J & T, nas Bahamas, um dos paraísos fiscais do Caribe, cuja conta bancária guardaria a espantosa quantia de 368 milhões de dólares. Nessa empresa, ainda segundo a carta, Fernando Henrique seria sócio do ministro Serra, do governador de São Paulo Mário Covas e do ministro Sérgio Motta, morto em abril passado — ou seja, só a nata do tucanato*", escrevia Expedito resumindo o que *Época* publicara na semana anterior.

O jornalista de *Veja*, cuja permanência na publicação havia sido o estopim de minha saída da revista, embora nos tratássemos com a fidalguia dos grandes adversários, fizera uma apuração mais competente do que a nossa na esteira do furo de *Época*. No entanto, ler aquela introdução que me soava como se tivesse sido redigida com os dentes trincados de raiva, deu-me prazer.

"A história provocou perplexidade geral, atiçou políticos aliados do governo e oposicionistas, produziu pedidos de criação de uma comissão parlamentar de inquérito no Congresso, levantou considerações sobre qual órgão deveria investigar o caso e mobilizou a imprensa", seguiu *Veja*. Em linhas gerais, nossa concorrente não avançava em nada. Tampouco, contudo, citou *Época*. Sem escrever o nome da revista da *Editora Globo*, disse que *"documentos do dossiê circularam antes em ao menos um veículo de imprensa"*. *"As denúncias, sobretudo o papelório caribenho sobre empresas e contas secretas, não têm autor conhecido"*, disse ainda Expedito em seu texto.

Mais adiante, já passado do meio do material que publicava, o repórter de *Veja* trouxe a primeira novidade e ela se referia à possível autoria das gravações clandestinas efetuadas na central de telefonia do *BNDES* durante o leilão das empresas estatais de telecomunicações: *"No caso das fitas, a criança também nasceu órfã — o que parece ser uma característica desse 'escândalo', pois tudo o que vem à origem não tem origem, nem prova. Bem. Ninguém se responsabiliza pelas fitas, até porque o grampo telefônico é crime. Desde que soube delas, o governo tentou identificar o grampeador. No início, os arapongas tinham uma lista de oito suspeitos. Foram eliminando um a um, e sobrou um: é Eduardo Cunha, ex-presidente da Telerj, a telefônica do Rio, no Governo Collor"*.

Se tivesse bola de cristal ou caso fosse dado a fazer previsões astrais, Expedito Filho poderia dizer, quase 30 anos depois, que fora o primeiro repórter a lançar um facho de luz na direção dos porões do sistema brasileiro de chantagens e de lá vislumbrar o futuro de uma criatura medonha com as feições de Eduardo Cunha. Ele, entretanto, estava se atendo aos fatos que tinha e ainda escreveu: *"'Só não temos convicção de que foi ele porque não colocamos a mão na prova definitiva. Mas só temos 10% de dúvida', diz um assessor da área de inteligência do Governo. Cunha nega qualquer envolvimento com o grampo. 'Eu não fiz esse grampo, não mexo com esse tipo de coisa e vou processar qualquer pessoa que me acuse de tais indignidades', diz ele".*

Ao ler aquele trecho, todo o prazer que tivera com a admissão do *baypass* recebido, que ficara claro nos primeiros parágrafos da concorrência, esvaiu-se em raiva profunda, porque a nossa equipe se deixara driblar justamente no caso de onde surgiriam as novidades. Eu os havia avisado dessa possibilidade. A partir da introdução do substantivo composto e complexo "Eduardo Cunha" no texto, Expedito deu um show de apuração contra a gente — e eu me roí por ter permanecido na praia, em minha semana de folga, e não ter voltado para o *front* da redação *(resolvi isso tempos depois, na autoanálise)*. Em resumo, o texto de *Veja* dizia que:

- O empresário Carlos Jereissati, o então senador Gilberto Miranda, o ex-presidente José Sarney e o deputado Aloizio Mercadante, do PT, tinham ouvido as fitas do caso *Tele Norte Leste.*
- Aloizio Mercadante, que admitia ter escutado um trecho, tinha entregue o material ao próprio André Lara Resende, de quem é amigo, e sugerido que abrisse investigação *(uma prova a mais do tratamento civilizado de pessoas que, uma vez em lados opostos do espectro ideológico, sabem divisar na luta política entre um adversário e um inimigo. Mercadante e Lara Resende podem pensar diferente e talvez sejam adversários na política. Inimigos, não).*
- O ministro das Comunicações, Luiz Carlos Mendonça de Barros, referia-se, de fato, ao consórcio liderado por Carlos Jereissati como sendo "uma telegangue" e também jocosamente ao empreiteiro Sérgio Andrade, um dos donos da *Construtora Andrade Gutierrez*, desdenhando de um defeito físico que ele tem: anda puxando uma das pernas.
- Mendonça de Barros falava mal de Pedro Malan nas gravações e chamava Pedro Parente, secretário-executivo do Ministério da Fazenda, de "babaquinha".

- Ainda Mendonça de Barros: ele pedia ao *BNDES* para socorrer financeiramente o *Frigorífico Chapecó*, de Santa Catarina, do qual havia sido conselheiro no Conselho de Administração.
- André Lara Resende, presidente do *BNDES*, pedia a seu amigo Pérsio Arida, sócio de Daniel Dantas no *Banco Opportunity*, para que aumentasse o ágio da proposta que o *Opportunity* faria no leilão das teles. Ou seja, Lara Resende sugeria ao amigo que fizesse uma proposta para ser mais competitivo, o que poderia suscitar denúncias de favorecimento num processo que deveria ser de transparência total.
- No governo, apostava-se que o diretor do *Banco do Brasil* Ricardo Sérgio de Oliveira, poderoso ante o fundo de pensão do *BB*, o Previ, associara-se ao consórcio Telemar para derrotar as orientações palacianas.

Era uma edição muito além daquilo que a *Época* conseguira ir sob o comando de apurações de Augusto Nunes. Uma pena, afinal só havia transcorrido uma semana desde que déramos os melhores furos de nossas escassas 25 semanas nas bancas. A capa da revista da *Editora Globo* trazia uma miríade de chamadas — quatro. Uma, sobre a Amazônia e como proteger o país da biopirataria. Outra, sobre a renovação da voz de Paula Toller na cena roqueira nacional. A terceira, em torno de alimentos contaminados por agrotóxicos. Por fim, a chamada principal sobre um fundo de uma foto de um fone de telefone lia-se: "Segredos & Mentiras — Fernando Henrique chama a polícia. / Exclusivo: nos EUA, especialista analisa papelório das Ilhas Cayman / Novas revelações sobre o grampo telefônico do *BNDES* / O envolvimento do ex-presidente Collor e seus aliados". Indecisa e claudicante em torno de qual aposta fazer, *Época* apostou em várias coisas ao mesmo tempo e enfraqueceu a edição de número 26 no lugar de colher os louros da vitória.

Segunda-feira, 16 de novembro de 1998. Estava de volta à reunião de pauta na sede da revista, no prédio do bairro do Jaguaré.

Foi uma reunião dura. Todos haviam chegado cedo e a maioria estava cabisbaixa. Augusto Nunes tentava desdenhar a boa edição da concorrente e exaltava as reportagens que fechara. Era um fanfarrão. Disse o que achava, sem contestações. Cobrei duramente a sucursal de Brasília, que relaxara na apuração.

— Vou para Brasília — anunciei, sem sequer pedir ou combinar com Nassar e com Benevides, que eram meus chefes diretos e estavam acima de mim na hierarquia da revista. — Milton, cuida das coisas. Aviso de lá.

Desembarquei no aeroporto Juscelino Kubitschek e fui de imediato para um dos ministérios da Esplanada. Tinha de gastar uma bala de prata que me restava na equipe ministerial. Apostei em um dos ministros que compunham o gabinete palaciano de crise.

— Por que vocês deram cópias dos grampos para o Expedito ler e não nos deram nada?

— Isso vazou para eles dentro do Palácio — respondeu minha fonte.

— Imagino. Ana ou Eduardo Jorge?

— Apostaria no Eduardo. Mas certamente a Ana soube e talvez tenha até acompanhado a leitura. O grampo não incrimina o presidente em momento algum.

— E o Mendonça? O André Lara? — perguntei à fonte. Ela ouvira as fitas.

— Fica chato, mas não os derruba. Ao menos até onde eu ouvi.

— Eu posso ouvir? Eu quero ouvir a íntegra.

— Nem eu ouvi tudo.

— Eu quero tudo. Tudo, ou nada.

— Eu te consigo. Mas hoje, não.

Estava cobrando ali uma longa dívida de lealdades de parte a parte. Meu interlocutor sempre se revelara uma fonte caudalosa, confiável e transparente de informações. Jamais tentara escalar notícia por meu intermédio para obter quaisquer vantagens, mas sabia o valor jornalístico daquilo que se comprometia a me entregar.

— Não fale para ninguém, não telefone para a revista dizendo que terá ou que conseguiu, depois que eu te der. Eu te ligo amanhã, até 16 horas.

Despedimo-nos. Chamei alguns repórteres da sucursal de Brasília para um café. Não queria estar nos domínios hostis das pessoas com as quais vinha mantendo uma briga silenciosa nos bastidores da revista. Os jornalistas Daniela Pinheiro, Ugo Braga e Carlos Alberto Jr., além do repórter fotográfico Sérgio Dutti, acompanharam-me em uma tertúlia especulativa sobre o que poderíamos ter de novidade para não tomarmos novo furo. Não abri para nenhum deles a expectativa sobre o que viria. Às 16 horas a secretária da sucursal brasiliense de *Época* me localizou num dos gabinetes do Congresso.

— Um mensageiro veio aqui, um motoqueiro, e deixou um bilhete para você. Envelope fechado.

— Envelope? Grande? — quis saber.

— Não. Um bilhete na verdade.

— Você pode abrir? E ler para mim?

— Posso. Espera. Aqui: "encontre-me no mesmo lugar de nossa conversa de ontem, às 17 horas. Será uma boa reunião".

— Só isso?

— Só.

Eu ri, sozinho. Era dramático demais, 007 demais, James Bond demais. Entrei no clima.

— Você fuma, né?

— Fumo.

— Então queima essa mensagem no cinzeiro, agora.

— Ôxe, por quê? — perguntou-me a secretária da revista.

— Porque eu estou me sentindo num filme de espionagem. Queima, vai.

Ela queimou o bilhete. Eu segui para a Esplanada dos Ministérios ao encontro de minha fonte infalível.

— Estão aqui: as fitas e as transcrições. Não posso dizer que as transcrições batam com o áudio das fitas. Não ouvi tudo.

Ao receber aquele material, duas fitas K-7 e umas 20 páginas de papel ofício com transcrições copiadas em xerox, sorri de orelha a orelha.

— Ninguém tem?

— Ninguém.

— Nem vai ter?

— Recebendo de mim, não. Há cópias disso no Ministério Público, mas duvido que o procurador Geraldo Brindeiro vaze algo, e na Polícia Federal. O Chelotti (Vicente Chelotti, então diretor-geral da PF) tem ordem expressa de não deixar vazar de jeito nenhum. E não ficou cópia disso no Ministério da Justiça. Se vazar é porque há outro Corvo dentro do Palácio do Planalto — disse a fonte.

Gargalhamos com a lembrança da capa "O Corvo é Graziano", que eu escrevera em minha encarnação de *Veja*. Naquele momento, lutava para derrubar a boa reportagem da minha antiga casa, porque havia sido ultrapassado por ela depois de um bom furo duas semanas atrás. Nada como um dia após o outro.

— E qual a versão que devo adotar para explicar onde encontrei esse material?

Não havíamos pensado naquilo, dúvida que me ocorrera só naquele momento.

— Diga que um coronel da P-2 *(serviço de informações da Polícia Militar do Distrito Federal)* entregou para você. Que você não o viu, não sabe quem é, não pode descrevê-lo. Que ele deixou um envelope, dentro de um saco de lixo, na tesourinha da 102 para a 202 Sul, próximo à Quadra das Farmácias.

Achei esquisita a precisão do endereço. Perguntei o porquê de tanta acurácia.

— Por nada, mas, na dúvida, seja muito preciso. Quem for suficientemente esperto vai saber que você está mentindo. Só as versões combinadas são tão precisas.

Abracei-o, agradeci.

— Vou direto para o aeroporto. Vou dar o áudio na revista.

— Ok, mas não detone o Mendonça de Barros. Diga, em algum momento, que o presidente não quer a demissão dele. E não quer mesmo. Pelo que vi, não tem sentido o Mendonça cair — pediu-me a boa e caudalosa fonte.

Telefonei para a secretária da redação em São Paulo e solicitei uma passagem no primeiro voo. Pedi que passasse a ligação para Nassar, o diretor de redação.

— Nassar, chego aí ainda hoje à noite, por favor me espere. Pede para o Bené *(Roberto Benevides)* esperar também. Tenho ouro puro. Mas não fale para ninguém, muito menos para o Augusto Nunes, que tenho esse material em mãos.

— Opa! Opa! Não fala assim que você mata o turquinho aqui — devolveu, divertido, José Roberto Nassar. Na verdade, a ascendência dele é síria e não turca.

Durante o voo dediquei-me a ler as transcrições. Eram boas, mas soavam extremamente leves e editadas. Se fosse aquilo, o grampo de fato não derrubaria ninguém e o governo poderia celebrar a superação sem danos diretos, apenas colaterais, de mais um escândalo que envolvia gravações clandestinas e chantagens. Por outro lado, pensei em ofertar uma inovação editorial: converter as fitas K-7 para *compact discs*, a tecnologia de mídia que andava naquele momento em paralelo com as velhas fitas magnéticas, e anexar um CD com os áudios dos grampos do *BNDES* durante o leilão de privatização do *Sistema Telebras* a cada exemplar de *Época*. Seria uma forma eficaz de tripudiar sobre *Veja*, furando-a em definitivo. Desembarquei no aeroporto de Congonhas com essa ideia.

Nassar, Benevides e toda a editoria de Política esperavam-me na redação do Jaguaré. Apresentei o que tinha e disse que era necessário escutar todos os áudios e bater com as transcrições, pois suspeitava que havia edição naqueles textos e elas eram favoráveis ao governo ao não expor de maneira comprometedora ninguém que tivesse posições no alto escalão governamental.

— Vamos fechar na quinta-feira à noite. Deixar só os arremates para a sexta-feira. Vamos dar tudo, sair na frente — dizia um determinado Nassar. O entusiasmo dele era evidente, e a mudança de postura ante o furo, alentadora para mim.

Fizemos da edição 27 de *Época* um número primoroso da revista da *Editora Globo*. Claro que a distribuição de CDs com a íntegra dos grampos telefônicos clandestinos foi descartada por ser ilegal do ponto de vista jurídico e inviável do ponto de vista econômico. Decidimos disponibilizar o áudio das gravações ilegais no *site* da revista. Depois da popularização da internet e dos arquivos em *mp3* e *mp4*, isso parece bobagem. Não era assim em 1998, quando a tecnologia de *streaming* de som e imagem, e também a de compactação de arquivos, engatinhava.

Até havia outros assuntos na capa — mas era "a" notícia que se impunha. Tendo uma foto de Mendonça de Barros ocupando quase toda a primeira metade vertical da página de rosto da revista, a chamada "Leia e ouça o grampo — As fitas que estão no inquérito / Acesse o site www.epoca.com.br / Disputas e intrigas palacianas / O poder dos fundos de pensão". Ainda tripudiamos ao colocar a reprodução estilizada de um carimbo de documentos no canto superior direito da capa com os dizeres "Versão Integral" desenhados de forma circular.

Ressabiado com o banho que *Veja* nos dera na semana anterior, eu me articulei com a direção de jornalismo da *Rede Globo*, a pedido de Nassar, para que o *Jornal Nacional* da sexta-feira repercutisse nosso furo e desse os áudios. Disponibilizamos as gravações para a TV ainda na quinta-feira, para que trabalhassem com tempo — desde que dessem visibilidade ao mérito que tínhamos na revista. O diretor de redação de *Época* alinhou com João Roberto Marinho a intensidade da repercussão. Ansioso por sequestrar em definitivo a primazia daqueles furos, fiz gestões junto a determinados formadores de opinião no Congresso. Queria a repercussão imediata de nosso trabalho. Na própria sexta-feira, tão logo a revista chegasse às bancas, o senador Eduardo Suplicy e o deputado Miro Teixeira pediriam a convocação de Luiz Carlos Mendonça de Barros. As bancadas do PT e do PSB pediriam a criação de uma CPI das privatizações. Na esteira da primeira publicação de *Época*, haviam tentado criar uma comissão de inquérito e não obtiveram as assinaturas suficientes. Fariam nova tentativa. A *Rádio CBN* também reproduziria trechos das gravações, dando abertura para saudar o furo de *Época*. Novamente, vale lembrar: o que se tornou usual com o passar dos anos, não era comum no fim dos anos 1990. Mesmo os veículos das *Organizações Globo* pareciam brigar uns contra os outros, sem um alinhamento vertical dos temas tratados e da celebração da eficácia do trabalho conjunto.

Cumpri, desde a linha fina, o compromisso com a pessoa que me entregara as fitas: escrevi que o presidente não queria demitir o ministro das Comunicações. Os diálogos revelariam que até Fernando Henrique se impressionara com o apoio recebido dos jornais brasileiros. Em seus editoriais, as principais publicações brasileiras exaltavam o leilão de privatização do *Sistema Telebras*. Estávamos levando às ruas, mais uma vez, um material jornalístico portentoso, não só pela revelação dos diálogos na íntegra ou pela inovação de disponibilizar o áudio das fitas com as gravações clandestinas, mas também pelos bastidores das movimentações políticas que publicávamos naquela semana, à frente de todos eles — e conservando a linha inovadora de *Época*, sem adjetivar. A reportagem principal da revista da *Editora Globo* naquela semana:

As fitas da discórdia palaciana

As primeiras versões editadas do grampo do BNDES saíram do Planalto com o objetivo de derrubar o ministro das Comunicações. FH está irritado com seus assessores. Íntegra das fitas, obtidas por Época, põe as conversas em seus contextos

Luís Costa Pinto e Guilherme Barros

Há um corvo fazendo ninho no Palácio do Planalto, onde reina o tucano Fernando Henrique Cardoso. O presidente da República sabe que ele despacha entre o 3º e o 4º andares do palácio, frequenta seu gabinete diariamente e tem um espírito destrutivo. Tão destrutivo que está atrapalhando o início formal de seu segundo mandato. "Corvo" foi como o presidente se referiu ao autor da escuta telefônica descoberta

em dezembro de 1995 que expôs as relações impróprias de seu ex-
-chefe de cerimonial, Júlio César Gomes dos Santos, com a Raytheon
— empresa que tinha vencido a licitação para instalar os equipamentos
do Sivam. Lembrou-se da definição na última semana.

O corvo palaciano entregou à imprensa a transcrição editada de
alguns poucos trechos das fitas em que estão gravados os diálogos da
escuta telefônica empreendida na sede do BNDES, no Rio de Janeiro,
nos dias que antecederam e sucederam o leilão de privatização do
Sistema Telebras. Foram pegos na rede de grampos o ministro das
Comunicações, Luiz Carlos Mendonça de Barros, André Lara Resende,
presidente do BNDES, o próprio Fernando Henrique, empresários brasileiros e estrangeiros, consultores financeiros e funcionários públicos
federais. A escuta encurralou Mendonça de Barros, desestabilizou-o,
mas ainda não o derrubou. Ele, porém, pode cair nos próximos dias.
Se deixar o governo, leva consigo André Lara Resende e Pio Borges,
do BNDES.

Época tem cópias das duas fitas cassete de 90 minutos de duração
cada uma que contêm 2h48min de escuta telefônica. Foram gravadas
ilegalmente mais de três dezenas de diálogos. Essas fitas chegaram ao
Planalto pelas mãos do próprio Mendonça de Barros, que as entregou
ao presidente. FH remeteu-as ao general Alberto Cardoso, chefe da
Casa Militar, para investigação. Depois que elas saíram do Palácio —
reveladas por *Época* há duas semanas —, foram enviadas à Polícia
Federal e ao Ministério Público. Nossa reportagem conseguiu as cópias e ouviu-as atentamente. A escuta telefônica é um crime. Fora de
contexto, em desordem cronológica e com truncagem de frases, os
diálogos captados pelos grampos podem, aparentemente, modificar as
intenções dos interlocutores. Isso ocorre no caso da escuta do BNDES.

Num dos trechos das fitas o ministro das Comunicações ouve de
Ricardo Sérgio de Oliveira que ele tinha dado "uns 3 bi de crédito".
E completa a frase: "Se der 30, só vai valer um pouco". Vantagens
pessoais? Eles estariam tramando desviar R$ 30 bilhões? Improvável.
O raciocínio correto, segundo o ministro Mendonça de Barros: os R$
3 bilhões de fiança viabilizariam a entrada dos consórcios no leilão de
privatização. O retorno seria para o Tesouro e, diante da expectativa

(exagerada) de chegar a R$ 30 bilhões, a fiança perderia a importância relativa. A partir desta página é possível ler o mais completo e mais bem contextualizado conjunto de transcrições das fitas do BNDES.

A rede de intrigas do Planalto é extensa e intrincada. O relacionamento do presidente com o ministro da Casa Civil, Clovis Carvalho, e com o secretário-geral da Presidência, Eduardo Jorge Caldas Pereira, licenciado do cargo desde a campanha, está difícil. Vivem falando mal dos ministros da Saúde, da Educação e das Comunicações.

Fernando Henrique buscou no Ceará uma pomba da paz — o governador Tasso Jereissati. Ele pousou em Brasília na segunda-feira, 16 e, em três dias de permanência, teve quatro longas conversas com o presidente. Ouviu muitos desabafos que também foram feitos a pelo menos mais dois amigos presidenciais, um de dentro e outro de fora do governo. "Não posso começar um novo mandato com esse nível de intrigas que se criou", reclamou o presidente a todos eles. "Isso está parecendo os últimos meses dos governos que me antecederam. Por que fazem isso? Para quê?" O senador Antônio Carlos Magalhães também ouviu o desabafo numa conversa durante a qual não havia ninguém do PSDB presente. O presidente foi aconselhado a demitir alguém. Disse que ainda não. A três dos interlocutores mais próximos com os quais falou na última semana revelou a pretensão de convocar o mais breve possível Tasso, José Serra, Paulo Renato, Carvalho, Eduardo Jorge e Mendonça de Barros para uma conversa franca e ampla na qual possam expor suas diferenças.

"Não será uma reunião ministerial, será uma conversa para ver se gente que foi tão próxima um dia ainda poderá continuar convivendo por mais um governo", diz um assessor palaciano.

Mendonça de Barros pediu demissão na noite da quinta-feira, 19, quando depôs por 4h45min no Senado. FH recusou o pedido. "Você foi bem, explicou tudo, não surgiu nada novo. Tenho absoluta confiança no que foi feito", disse o presidente ao ministro. "Fica", determinou. Marcaram nova conversa para a segunda-feira, 23, em Brasília, quando avaliarão os estragos da escuta telefônica na imagem do governo. Nessa conversa Mendonça de Barros apresentará o derradeiro pedido para sair do governo. Se for confirmado no cargo, será porque seu chefe terá considerado superado o episódio do grampo que pôs em xeque o processo de privatização da Telebras.

Depor no Senado foi um duro teste de humildade para Mendonça de Barros, dono de um temperamento arrogante. Funcionou. Ao final do depoimento, a força do grupo de parlamentares de oposição que tenta criar uma CPI mista no Congresso para apurar se houve ou não tráfico de influências no grampo estava reduzida. Entre os senadores eles só conseguiram 16 das 27 assinaturas necessárias para a criação da CPI. Entre os deputados, apenas 90 das 171 de que precisam. O ministro deixou claro que preferia ter visto o consórcio formado pelo Banco Opportunity e pela Telecom Italia vencer o leilão de privatização da Tele Norte-Leste, empresa de telefonia que engloba 16 estados — entre eles o Rio de Janeiro (*Telerj*). Quem levou a Tele Norte-Leste na privatização do Sistema Telebras, ocorrida no dia 29 de julho deste ano, foi o consórcio Telemar — formado pelo Grupo La Fonte em sociedade, entre outros, com a construtora Andrade Gutierrez e o Previ, fundo de pensão do Banco do Brasil. "Nós tínhamos preferência, sim", disse o ministro em seu depoimento no Senado, garantindo que essa opção não o levou a interferir no resultado do leilão. "Tanto que o Opportunity perdeu", asseverou.

Até quem supostamente seria prejudicado com as interferências a favor do Opportunity acha que o ministro agiu corretamente. "Ele tinha razão em preferir o Opportunity, que era mais bem estruturado que a gente", diz Sérgio Andrade, sócio da Andrade Gutierrez e da Telemar. "Todas as conversas que o governo teve com o Opportunity teve conosco."

O governo estava preocupado com o clima criado em Brasília antes do depoimento. Na terça-feira, 17, um ministro e um amigo seu, do Judiciário, chamaram dois deputados da oposição para um jantar. Seguiam instruções de FH, que frequentava o grupo durante a Constituinte de 1987. Os oposicionistas não aceitaram. Sabiam que o presidente pretendia ouvi-los por meio dos amigos comuns para auscultar os humores do Congresso. O presidente do Congresso, senador Antônio Carlos Magalhães (PFL-BA), passou a ser o único observador confiável dos humores do Parlamento que o governo tinha à mão. Tanto que, um dia antes do depoimento líderes governistas, assessores parlamentares do Planalto e ACM acertaram o roteiro do depoimento. Por esse roteiro, senadores governistas tratariam de encher ao máximo, com seus nomes nos primeiros lugares, a lista de perguntas ao ministro. Mendonça de Barros, que regressava de uma viagem a Nova York, onde tinha participado de uma feira de telecomunicações, passou o resto da quarta-feira em São Paulo ensaiando para o depoimento junto com André Lara Resende.

Depois do depoimento, o presidente, ao participar de um evento da Confederação Nacional do Comércio e já tendo recusado o pedido de demissão do ministro, discursou dando apoio velado a Mendonça de Barros. "Erra-se, mas não por má-fé ou por falta de respeito para com o erário", disse Fernando Henrique. "E aí, com diálogo, é sempre possível corrigir esses erros", concluiu, chamando para o entendimento dentro de sua própria equipe.

O presidente da República tenta preservar o ministro Mendonça de Barros. A admissão feita no Senado de que o Ministério das Comunicações preferia que o grupo formado pelo Banco Opportunity tivesse levado a Tele Norte-Leste dificulta essa empreitada. E é a esse suposto favorecimento do Opportunity, banco que pertence aos economistas Daniel Dantas e Pérsio Arida, que Lara Resende e Mendonça de Barros creditam a origem de todo o grampo. Para eles, esse é um caso de R$ 1 bilhão. Explique-se: imediatamente depois do leilão de privatização o ministro das Comunicações recebeu telefonemas de diversos bancos estrangeiros. Diziam que um dos grupos vencedores já estava vendendo sua participação em uma das teles. O governo tinha indicações de que se tratava da Telemar. Mendonça de Barros e Lara Resende se mobilizaram de pronto para pôr 25% do capital da Tele Norte-Leste nas mãos do BNDESPar.

A manutenção de um quarto das ações da empresa telefônica com o banco estatal foi uma derrota para Carlos Jereissati, dono do *La Fonte* e principal sócio da Telemar. O empresário disse à *Época*, em agosto, quando a reportagem da revista começou a investigar a existência de grampos nos telefones do BNDES, que não iria permitir a venda da participação do banco na composição acionária da telefônica recém--privatizada para a Telecom Italia — como queria o governo. "Tenho meios de impedir que isso aconteça", declarou Jereissati naquele momento. Disse que faria chegar ao governo seus argumentos para evitar que o BNDES continuasse a atrapalhar seus planos com a Tele Norte-Leste. O BNDES pretende fazer negócio com a estatal italiana de telecomunicações porque, dessa forma, os cofres do Tesouro Nacional, e não os do Grupo La Fonte, ficariam com o lucro da operação com os italianos.

É por causa dessa operação que Carlos Jereissati, irmão do governador cearense, de quem se separou nos negócios há 30 anos, está no centro de toda a intriga gravada. O ministro das Comunicações acusa-o de entregar ao deputado eleito Aloizio Mercadante (PT-SP) as primeiras fitas que se tornaram conhecidas neste caso. Mercadante nega. Ele diz que há três semanas ouviu o relato de um empresário que lhe teria narrado a existência do grampo — e contado detalhes das gravações. Amigo de Lara Resende, Mercadante procurou-o e falou o que estava acontecendo. "Pelo que me disseram, tem crime na história, André", disse o petista ao presidente do BNDES. "Só não vou denunciar isso porque não compactuo com a maneira ilegal — canalha até — de fazer um grampo para obter provas", advertiu Aloizio Mercadante. Ele se diz surpreso por ver o ministro das Comunicações querendo pôr em seus ombros a responsabilidade da escuta. "Ele é um bobalhão. Não entendo a natureza das brigas que estão ocorrendo no governo e no empresariado, mas sei que houve sujeira na privatização das teles. Não tenho nada com Jereissati, e o ministro fica querendo me jogar culpa nas costas", reclama o petista.

O escândalo da escuta telefônica no *BNDES* está reduzindo o espaço aéreo e o tempo de voo do ministro Mendonça de Barros no governo do tucano Fernando Henrique. Falante, açodado e corajoso, ele é de peitar brigas. Está perdendo esta. E isso é preocupante para o PSDB. Tanto que na quinta-feira, 19, o governador de São Paulo, Mário Covas, organizou uma revoada de todos os governadores do partido ao Palácio dos Bandeirantes, sede do governo paulista. Motivo: hipotecar solidariedade a distância a Mendonça de Barros. "Estão tentando desestabilizar o ministro e isso é absurdo", diz Almir Gabriel, governador reeleito do Pará. "Eu, se fosse o Fernando, não só o mantinha como dava uma promoção: o Ministério da Produção", recomendou o anfitrião Covas.

Se há disputa por dinheiro entre o BNDES e a Telemar agitando o submundo do grampo, o Ministério da Produção é o argumento de poder deste jogo. E os "corvos" o estão atrapalhando. O presidente planejava nomear até a primeira semana de dezembro os ministros da Produção e da Defesa. Para a Defesa, pasta cuja estrutura tornou pública na semana que passou, já convidou o vice-presidente, Marco Maciel. Mas ele não quer aceitar. "Vai ter de aceitar, afinal, se não for ele, o presidente tem um problema nas mãos", argumenta um assessor presidencial. Maciel circula bem nos três ministérios militares e no Estado-Maior das Forças Armadas. É a maior autoridade da República depois do próprio presidente. E tem prestígio suficiente no Congresso e na Esplanada dos Ministérios para evitar que os orçamentos militares — somados, são 3,8% do Orçamento da União — diminuam com os cortes saídos das tesouras do ajuste fiscal. "O Marco não pretende aceitar o Ministério porque é um pepino grande. Só se for uma imposição", diz o presidente nacional do PFL, Jorge Bornhausen, senador eleito por Santa Catarina.

O partido de Maciel e Bornhausen, que também abriga o líder Antônio Carlos Magalhães, sabe que, se FH entregar a prestigiosa Pasta da Defesa para os pefelistas e deixar o Ministério da Produção com o PSDB, o jogo ministerial estará desigual. De saída, alguns fundos de pensão e suas gordas carteiras ficariam sob as asas do titular dessa nova pasta. O BNDES, o Banco do Nordeste, o Banco da Amazônia, a Zona Franca de Manaus e bons pedaços do Banco do Brasil, também. Além disso tudo, o ministro da Produção será o principal interlocutor do empresariado brasileiro em Brasília nos próximos quatro anos, durante os quais tanto o PSDB quanto o PFL precisam fabricar alternativas viáveis de candidatos à Presidência. Se ficar com a Defesa e se a Produção terminar mesmo nas mãos do PSDB — ainda que escape a Luiz Carlos Mendonça de Barros em virtude dos desdobramentos do grampo —, o PFL quer ver criado o Ministério da Habitação e do Saneamento. "Isso não está em jogo agora", garante o líder do partido na Câmara, Inocêncio Oliveira.

Em Brasília, tucano emplumado não pia, não grunhe, não grasna. Ali, no Palácio do Planalto, onde está empoleirado o mais vistoso deles, tucano ralha. "Eu não posso assistir a essa bagunça dentro do governo", desabafou o presidente a um amigo com quem esteve na última semana. "Vou ter de dar um basta. Ou isso, ou o caos", irritou-se. Fernando Henrique não está disposto a entregar de bandeja ao Congresso a cabeça de seu ministro das Comunicações — "não há demissões à vista", mandou avisar na sexta-feira. Mas também não pode macular seu governo sustentando um auxiliar do quilate de Mendonça de Barros se ele não conseguir desenrolar-se sozinho do novelo de fitas que o está empurrando para fora do ninho. Uma das boas estratégias de que dispõe é recomendar a leitura das fitas obtidas com o grampo telefônico. Postas dentro de um contexto e de uma lógica, elas não o incriminam como querem fazer crer seus inimigos. O presidente também não admitirá que os "corvos" cantem a vitória pisoteando a integridade de seu governo. Em 1995, quando se descobriu que o corvo palaciano era o secretário particular da Presidência, Francisco Graziano, ele caiu junto com a vítima de seu grampo — o embaixador Júlio César. O presidente da República avisou que já não será mais tão tolerante com o escândalo do momento. Está na hora de retomar a iniciativa para que o novo governo não nasça enfraquecido.

São 2h48min de conversas gravadas em duas fitas. Excluídos os trechos com conversas pessoais ou diálogos irrelevantes e esperas musicais de telefonemas, você vai ouvir 50 minutos da escuta no *site* da revista. As gravações são perfeitamente audíveis, pois o grampo foi colocado nos aparelhos telefônicos da presidência do BNDES no Rio de Janeiro. Há diálogos do ministro das Comunicações e do presidente e do vice do BNDES com Fernando Henrique, com assessores presidenciais, com banqueiros, com empresários, com consultores financeiros e com jornalistas.

Diálogos que perturbaram o governo
Mendonça de Barros falou mesmo com todos os lados

O primeiro diálogo captado pelo grampo é entre Nelson Sirotsky, da RBS, e o ministro Mendonça de Barros.

Sirotsky: Ministro?
Mendonça de Barros: Pois não, Nelson.

S: Tudo bem?

MB.: Tudo bom.

S: Queria só tomar um minutinho pra te perguntar aí, fazer por telefone... Esse grupo que está aí, nosso Carlinhos Jereissati, o Toninho Dias Leite, tal. Você está olhando bem esse grupo, não?

MB: Olha, hum... Eu não sei o total que eles estão fazendo, entende? Porque...

S: Eu estou trabalhando para a Telemar, tá?

MB: Eu sei. Mas eu não sei se eles têm os recursos todos, né?

S: Eles estão insistindo aqui para botar a Telefónica, né?

MB: Não. O que eu falei para eles é o seguinte: precisa ter alguém que tenha o...

S: Operação.

MB: Operação, certo. Existe um grupo negociando com os italianos, tá?

S: É um outro além daquele?

MB: Não. É mais ou menos. No fundo, você tem assim: tem o Previ e os fundos, que são o fiel da balança, tá?

S: Tá.

MB: Então eles têm duas alternativas. Ou se juntam ao Opportunity e ao Stet...

S: Isso, ou vêm...

MB: Ou vêm para esse grupo. Mas eu falei: olha...

(Cai a ligação, como se Sirotsky falasse de um celular. Tentam por duas vezes, mas não conseguem voltar a se falar naquele momento. A ligação sempre cai ao completar.)

Mendonça de Barros manda ligar para Ricardo Sérgio de Oliveira, diretor da área internacional do Banco do Brasil. Depois de quatro tentativas, conseguem conversar.

Mendonça de Barros: Alô? Alô?

Ricardo Sérgio: Alô.

MB: Ah...

RS: Falei com o Daniel. Ele vai lá procurar o pessoal do Previ. A história é a seguinte: o grupo deles tem a Telefónica (*de España*). Os fundos vêm com o Opportunity (*inaudível*). Devem ganhar.

MB: Tá.

RS: Se por um acaso perderem, os fundos serão convidados no momento dois, tá?

MB: Tudo bem.

RS: Tá.

Cláudio Neves, diretor jurídico do *BNDES*, conversa por quase 10 minutos com doutor Castruci na Procuradoria-Geral da União. Assunto: as estratégias do governo para evitar que liminares derrubem o leilão das teles. O ministro Mendonça de Barros volta a falar com Ricardo Sérgio, do Banco do Brasil.

Secretária do BB: Alô, doutor Ricardo Sérgio?

RS: Pois não.

Secretária: Ah... É o ministro que vai falar. Só um minutinho, por favor. *(Pausa de 40 segundos).*

Secretária: Doutor Ricardo Sérgio, o senhor pode aguardar um minutinho?

RS: Claro!

(Pausa de 30 segundos).

Mendonça de Barros: Alô?

RS: Alô.

MB: Oi.

RS: Fala.

MB: Não, é o seguinte. Tá tudo acertado... Os dois consórcios, né? Agora, o de lá está com problemas com carta de fiança, entende? Não dá para o Banco do Brasil dar, ô Ricardo?

RS: Dá. Eu já acabei de dar.

MB: Deu?

RS: Dei, sim.

MB: (*Com voz de quem está tranquilo, aliviado.*) Ah! Tá vendo como eu conheço você? Não é a Embratel. É a Telemar, né?

RS: Tá tudo bem. Fica frio. O Daniel conversou comigo. Ele falou 37 para o Citibank e os fundos. Então eu dei para a Embratel e dei 874 milhões para a Telemar.

MB: Tá perfeito.

RS: O Banco do Brasil está financiando tudo.

MB: Eu sei, meu filho. Conto com você.

RS: (*Rindo.*) Nós estamos no nosso limite da nossa irresponsabilidade.

MB: Não, não.

R.: (*Rindo novamente.*) Eu dei uns 3 bi de crédito aqui. Se der 30, só vai valer um pouco...

MB: É lógico. Mas nisso aí estamos juntos, pô!

RS: Não, tudo bem. E, na hora que der merda, nós estamos juntos desde o início. Eu estou aqui no Banco do Brasil. Vou ficar aqui até 7h30min, por aí. Se você quiser, pede para ligar no celular — e o telefone direto é 532-xxxx.

MB: Tá bem, eu ligo aí.

A jornalista Míriam Leitão, colunista do jornal *O Globo*, telefona para José Pio Borges, vice-presidente do BNDES. Quer as últimas informações sobre o leilão das teles que ocorreria no dia seguinte.

Míriam Leitão: Alô?

Secretária: Alô. Míriam?

ML: Sim.

S: Só um minutinho, por favor.

(*Pausa de 25 segundos*).

Pio Borges: Alô!

ML: Oi.

PB: Dona Míriam?

ML: Tudo bom?

PB: Tudo bom. Não falta emoção, né?

ML: Não falta emoção.

PB: Acho que está indo bem. A MCI confirmou que está entrando realmente.

ML: E já se sabe com quem?

PB: Vai entrar com algumas participações minoritárias, mas ela entra com quase 80%.

ML: Agora, aí esses minoritários, você não sabe quem são?

PB: Ah, não. Aí, não.

ML: Os espanhóis vão disputar o quê?

PB: Os espanhóis devem entrar certamente na Centro-Sul e parece que estão conversando...

ML: Eles foram aí conversar com você, né?

PB: Foram, foram. Centro-Sul, e estão estudando entrar em outra fixa, mas aí não sei se é São Paulo ou a Telemar, né?

ML: Ainda não decidiram.

PB: Não. Quer dizer, não falaram para a gente.

(*Segue-se um longo diálogo, de 12 minutos, sobre a montagem do leilão e dos grupos. Vamos publicar mais alguns trechos.*)

PB: (*Rindo, sem graça, explicando a entrada de fundos de pensão estatais com grupos privados no leilão.*) É, tem um esquema desse... Mas o negócio é o seguinte: se entrar com mais de 25%, a BNDESPar não entra, né?

ML: Ah, entendi. Agora, que mais eu quero saber...

PB: Não tem. Agora está começando...

ML: Os portugueses estão onde?

PB: Os portugueses estão junto com os espanhóis e devem estar em alguns celulares, não sei se sozinhos também, não sei. Mas na fixa eu acho que eles estão com os espanhóis, só. Agora, o que está pipocando é muita liminar agora, né?

Há a gravação de uma longa conversa de Pio Borges com sua mulher. Falam sobre uma reforma em casa. O ministro Luiz Carlos Mendonça de Barros procura novamente Jair Bilachi, presidente do Previ. Telefona duas vezes. Só consegue falar com ele no segundo telefonema.

Secretária: Boa tarde. Por favor, a secretária do Dr. Jair Bilachi?

Secretária: Só um momentinho, por favor.

(*Música de espera*).

Secretária: Alô. É a secretária do Dr. Bilachi?

Secretária: Sim.

Secretária: Aqui é do BNDES e quem quer falar é o ministro Luiz Carlos, mas ele pegou outra ligação. Você poderia aguardar comigo um momentinho?

Secretária: Com certeza.

(*Espera de 1 minuto*).

Secretária: Alô, Dr. Bilachi, por favor um momentinho.

Jair Bilachi: Ministro!

Mendonça de Barros: Oi, Jair.

JB: Como está o senhor, tudo bem?

MB: Tudo bem.

JB: Oh, ministro. Da nossa parte aqui nós já soltamos a luz branca e já estamos chamando o Daniel (*Dantas*) para ver se a gente fecha tudo.

MB: Ah. Tudo bem. Então espera. Espera um pouquinho. Fala com o Pérsio (*Arida*) aqui.

JB: Alô, Pérsio, em cima daquilo que o Lincoln negociou com você aí. Ele trouxe para cá, a gente fez algumas ponderações e tem algumas alterações fundamentais que nós já estamos ligando aí para o Daniel, para você, para a gente sentar e ver se bate o martelo.

Pérsio Arida: Tá bom. Eu posso ir já, se você quiser.

JB: Você combina um *conference call* ou o Daniel está vindo para cá? Você quer vir pra cá já?

PA: Eu posso ir pra aí. Fica até mais fácil.

JB: Então venha você e o Daniel.

PA: Olha, só tem uma coisa que me preocupa, que é a contragarantia de vocês à fiança bancária. Porque o Banco do Brasil aparentemente não está disposto a dar fiança para a Telemar. Eu tenho a fiança do Citi (*Citibank*), mas eu tenho a fiança da contragarantia.

JB: Mas quanto tempo você leva para chegar aqui?

PA: Olha. São 3h15min. Eu vou chegar aí às 3h30min.

JB: Então, 3h30min. Aí a gente discute isso aqui in loco.

PA: Tá bom, porque tenho prazo.

JB: Agora pede para o Daniel vir também.

PA: Tá bom. Eu vou atrás dele.

JB: Tá bom.

PA: Tá bom. Espera aí que o Luiz Carlos quer falar com você.
(*O ministro volta ao telefone*).

MB: Alô.

JB: Ministro?

MB: Sabe o que é? Nós estamos aqui. Eu, o André, o Pérsio e o Pio. Mas nós estamos muito preocupados com a montagem que o Ricardo (*Sérgio, do BB*) está fazendo do outro lado, entende? Porque está faltando dinheiro, doutor. E a gente está sabendo que uma das alternativas depois é fundir as empresas com a holding. Aí fica um negócio que não fica limpo, não é? (*O ministro dá um grande suspiro ao telefone, lamentando.*) É a minha grande preocupação. E o presidente já ligou de novo e quer que a gente ponha em pé esse negócio com a Telemar porque senão o que aparentemente pode ser um grande sucesso pode ficar um negócio meio amargo se não for uma coisa importante como a Telemar, né?

JB: Ministro, nós estamos concentrando forças nesse aqui, como nós dissemos. Nós achamos que a nossa proposta é bem diferente do que eles estão colocando de ontem para hoje, mas é justa.

MB: Tá, tá.

JB: Na linha que nós sempre tratamos todos os negócios com o senhor e com os outros.

MB: Tá.

JB: Agora, ministro, nós estamos cacifando aqui.

MB: Tá.

JB: Essa questão desse outro consórcio é uma coisa que até o Ricardo deveria conversar depois com você aí.

MB: Tudo bem. Mas o importante para nós é que montem com o Pérsio, evidentemente chegando a um acordo, e tudo o que precisar aqui nós ajudamos, entende? Agora vocês precisam se entender.

JB: Lógico.

MB: E agora nós estamos com esse probleminha de tempo aí que é a carta de fiança, que inclusive esse negócio do Banco do Brasil — eu não quero entrar no mérito deles lá — mas é chato agora no meio da tarde dizer que não vai dar.

JB: Deixa eu falar agora com o Ricardo Sérgio. Eu vou falar com ele também.

MB: Tá bom.

JB: E ele tá onde?

MB: Não sei. Eu estou tentando ligar para ele para falar com ele e eu sei que eles estão falando com a Telefónica de España. Está um negócio assim meio esquisito... A soma, os nossos números, não batem com o número total da coisa.

JB: Mas eu acho que nesse caso aí, porque o senhor está sabendo que nós discutimos esse consórcio aí.

MB: Eu sei, eu sei, eu sei.

JB: E eu te falo mais. A tendência nossa aqui dentro... Negocialmente o outro é melhor.

MB: Eu sei.

JB: Do que esse que nós temos, mas como a gente tinha esse compromisso...

MB: Não, tudo bem, tudo bem.

JB: Agora aí precisa se discutir essa opção aí. Agora eu acho que precisa ser o Ricardo Sérgio e você.

MB: Eu vou falar com ele, tá?

JB: Eu vou falar com ele agora. Devo eu falar com ele agora.

MB: Tá, tudo bem.

JB: Aí em seguida eu te ligo porque aí eu vou falar com ele da posição que nós estamos aqui, que eu acho que é interessante, que aí ele conversa com vocês.

MB: Tá bom.

JB: Tá bom, ministro.

Cláudia Jaguaribe, mulher de André Lara Resende, telefona para ele novamente. Falam de assuntos de família, num diálogo carinhoso. O secretário de Comércio Exterior, José Roberto Mendonça de Barros, irmão do ministro das Comunicações, telefona para Luiz Carlos Mendonça de Barros. As secretárias esperam, a ligação entre elas cai uma vez, até que José Roberto pode enfim falar com o irmão.

José Roberto: Alô?

Mendonça de Barros: Alô?

JR: Oi!

MB: Oi!

JR: Tudo bem?

MB: Tudo bem.

JR: Muita emoção, não?

MB: Estamos aqui. Aqui estamos arrumando as coisas. Mas acho que vai bem.

JR: E a invasão, não deu ibope?

MB: Não, negociamos aqui. Sabe o que é, Beto? É engraçado. As coisas aí em Brasília ganham uma conotação completamente diferente do que aqui. Entrou aqui um grupo de 80, 90 pessoas do MST e aí nós temos aqui os nossos comunistas que servem...

JR: Comandado pelo Sergio Bessermann.

MB: Não, o Sergio Bessermann está de férias. É um outro que tem aqui que ligou lá, conversou com os caras e aí fizeram um manifesto. Assinou o manifesto e saíram, sem problema.

JR: Mas a hora que entrar o MST no BNDES contra a privatização da Telebras, aí acaba...

MB: Mas depois é o seguinte... O BNDES tem um sujeito, um presidente que é muito próximo das lutas populares. (*Faz esse comentário em tom irônico*).

JR: É lógico. (*Rindo*).

MB: A única exigência é que o presidente descesse lá para falar com eles. Aí o André foi lá, fez um *speech*, e tudo bem.

JR: Ah! Fez um *speech*?

MB: Fez, fez.

JR: Ah, quero uma foto. Fez uma foto?

MB: Não, não fez. Você acha que o André fez? Tem do nosso comunista lá, que subiu no negócio lá.

JR: Agora você percebeu que vai ficando perigoso, né? O Bandeira de Mello entrou com uma ação lá em Campinas.

MB: Esse é um babaca.

JR: Agora fodeu.

MB: É, agora fodeu. Porque esse, realmente... A Carola agora vai ficar tranquila, né?

JR: Que babaca que é esse cara, né? Entrou em Campinas, pô!

MB: É pro cara lá do, do, do...

JR: Mas deve ter entrado com aquela arrogância dele, né?... De que o homem não pode ser elegível, aquele negócio todo. Mas eu dei muita risada a hora que eu vi — Bandeira de Mello entrou em Campinas. Falei. Ah... Agora acabou. Agora pode ir para casa.

MB: Agora, nessa sala de operação tá uma operação de levanta o consórcio, depois dá uma rasteira, joga lá embaixo. Ô, tá engraçado.

JR: Essa frase sua é antológica: «todo mundo mente, inclusive eu». (*Ri*). E o nosso governador de Pernambuco, ele não fez, né? Não fez nenhuma ligação, né? Enche o saco que você está pedindo e o...?

MB: Ele mandou uma carta pra mim aqui, uma carta de bosta. Não vou nem responder.

JR: Xingando é?

MB: Não. Fino, né?

JR: Mas mandando ver, né?

MB: Você viu que a Dora Kramer...

JR: É. Deu uma porrada.

MB: É, porque disse que isso é uma coisa, vamos dizer, são movimentos políticos...

MB: Eu tenho uma boa notícia, vai. A MCI vai entrar.

JR: Ah, é?

MB: É. Tanto que agora nós estamos aqui na gangorra, nós estamos agora derrubando o outro consórcio, que é mais fraco. (*O ministro ri*).

JR: Tá, tá.

MB: Não, sabe por que, Beto? Porque você controla o dinheiro, na boa. O consórcio é feito aqui, pô. Evidente, a MCI, como é grande, independe. Ela vai entrar junto com a Telefónica, então não precisa de dinheiro do BNDES. Agora, mas esses consórcios borocoxôs que estão sendo formados aqui é tudo aqui. (*Ri de novo, dando um tom de conversa íntima*). Então, o Pio ora levanta, aí manda uma carta...

JR: Certo, certo.

MB: Eu espero que no final dê tudo certo (*rindo*), viu?

JR: Vai dar.

MB: Tá bom.

JR: Você vem hoje à noite pra cá?
MB: É, eu estou indo às 7 horas, tá bom?
JR: Tá bom.

O ministro das Comunicações manda ligar para Ricardo Sérgio, no Banco do Brasil, e diz que não gostaria de prorrogar o horário no qual os bancos deveriam dar as garantias. Mendonça de Barros e Lara Resende falam com ele. Eduardo Modiano, ex-presidente do BNDES que hoje trabalha como consultor financeiro no Rio, telefona duas vezes para a presidência do banco. Quer estender um pouco esse mesmo prazo. Consegue uma prorrogação de 30 minutos.

O ministro telefona mais uma vez para Ricardo Sérgio, do Banco do Brasil. Estão descontraídos.

Ricardo Sérgio: Quem fala?
Mendonça de Barros: Mendonça, Ricardo.
RS: Nós mandamos segurar meia hora lá.
MB: Agora, como é que tá o dois heim?
RS: O dois é o seguinte: não estou abrindo para o BNDES, só pra você.
MB: Hum.
RS: Se o Opportunity ganhar morreu, acabou. Se não ganhar já está convidada e estão assinando agora, a Telefónica de España entra como operadora.
MB: Hum.
RS: Entendeu?
MB: Sei.
RS: Aí os fundos, se perderem lá, serão convidados para entrar aqui no limite do 19,99.
MB: E esse consórcio tem garantia para dar na bolsa?
RS: Já foi dada.
MB: Já foi dada, né?
RS: Já foi dado tudo. É que os caras estão querendo depois que já foi dada a garantia, a Andrade Gutierrez deu no Bradesco, alguns deram no Unibanco, nós demos para alguns aqui que era onde estarão abrigadas...

MB: Agora acertaram com o BNDESPar depois do financiamento.

RS: Não, não tem BNDESPar.

MB: Porque tem um problema que o BNDESPar está levantando que é o do pari passu, lá.

A conversa continua, e o assunto é este financiamento. O grampo capta o superintendente da Bolsa do Rio, Sérgio Berardi, conversando com Pio Borges sobre a estratégia de segurança do leilão das teles, que ocorreria no dia seguinte.

Mendonça de Barros liga mais uma vez para Jair Bilachi. É a última conversa entre os dois antes do leilão.

Jair Bilachi: Alô?

Secretária: Alô. Doutor Jair Bilachi?

JB: Sim?

Secretária: Por favor, só um momentinho.

MB: Alô?

JB: Ministro?

MB: (*Seco*) Oi.

JB: Sim?

MB: Como estão as coisas?

JB: Estão andando aqui. Estamos todos reunidos. Estamos discutindo. Estamos avançando.

MB: Tá. Me avisa aqui, heim!

JB: Pode ficar... Que estamos... Fica tranquilo.. Está avançando.

MB: Tá bom!

JB: Eu falei...

MB: (*Interrompendo*) A Embratel ficou certa lá na opção de venda.

JB: Na Sprint?

MB: É.

JB: Eu conversei de manhã com o Langoni, que é adviser, e está tudo acordado. Ele só estava redigindo e só falta trazer aqui para a gente ver...

MB: Tá, tá, tá bom. Eu vou ligar para ele.

JB: Ele vai trazer aqui...

MB: Tá bom. (*Encerra o diálogo, secamente*).

Mendonça de Barros telefona para Jerry de Martino, representante da MCI, empresa americana que terminou por comprar a Embratel. Comunica-o que estará em Brasília no dia do leilão e que ligaria para comemorarem juntos o sucesso da venda das teles. "Espero que eu ganhe", diz Martino.

Pérsio Arida telefona para Lara Resende. Tenta ganhar mais tempo para apresentar garantias.

PA: Alô?

LR: Alô, oi. Pérsio, não adianta, são 8 horas.

PA: Tá ótimo.

LR: Agora ele mostrou uma certa... Bom será que vocês vão conseguir mesmo, pá, pá, pá....

PA: Não, consegue, consegue...

LR: (*Irritado*) Porra, isso é carta de baralho de novo, Pérsio?

PA: (*Ri e engasga para responder*) Mandar o papel sem reconhecer a assinatura na undécima hora é... Bom...

LR: Então tá. Dá um alô para ver se chega lá, porque senão...

PA: Não, está uma confusão. Tá bom. Tá ótimo.

LR: E Pérsio uma última coisa. Amanhã não vou para a Bolsa de manhã. Vou ficar aqui. Eu quero falar com você, antes. Pra saber o que você tem para sentir o pulso, porque se precisar nós vamos ter que detonar a bomba atômica.

PA: Tá bom. A que horas você quer falar?

LR: Bom, estarei às 9 horas aqui.

PA: Tá bom.

LR: Qualquer coisa você me procura antes, você sabe o meu celular, não sabe?

PA: É aquele antigo?

LR: É o meu antigo, pessoal de São Paulo. É melhor que ter o do carro.

PA: Tá bom. Um abraço.

Lara Resende liga para a casa de sua mãe, perguntando se tem jantar para ele.

O presidente Fernando Henrique liga para o ministro das Comunicações e para o presidente do BNDES.

FH: Alô?

MB: Presidente?

FH: E você tá bem?

MB: Tudo bem. Tô com o André aqui.

FH: Ah, é?

MB: É.

FH: Esse é?!?!

MB: Nós tivemos, inclusive o MST invadiu... Foi uma negociação. A vantagem do BNDES e que nós temos vários partidões aqui. Nós estamos praticamente com o quadro fechado. Temos a notícia ruim que a Bell South não vai entrar.

FH: Eu já sabia. O... Como é que chama? O rapaz me telefonou.

MB: Eles estavam querendo mais tempo. Mas aquela nossa conversa. Aí fica com medo de dar a maior ré. A boa notícia é que a MCI vai entrar na Embratel.

FH: Tá ótimo.

MB: É uma empresa grande, tá entrando com os espanhóis e com isso cria competição na Embratel. E nós estamos com um consórcio também para a Telemar.

FH: Sei.

MB: Então é capaz das fixas saírem todas no preço mínimo. E a Embratel vai ter competição. E vai ter uma competição grande nas celulares.

FH: Mas mesmo a Telesp sai com o preço mínimo?

MB: Sai. Porque é a Bell South que seria a contraparte lá. Os espanhóis ficam com o sul. A Itália com (*inaudível*). E o Opportunity com os italianos e com os fundos na Telemar. Na Embratel tem o grupo do Opportunity mais a Sprint americana com os fundos. E tem o grupo que nós achamos que seria melhor ganhar que seria o MCI com a Telefónica, que é uma empresa grande americana, que fatura mais que o dobro que a Telebras toda. E no celular sim. Nesse aí vai ser uma briga de foice.

FH: Você acha que no conjunto vai dar quanto?

MB: Vai dar uns 16 bi, acho.

FH: Sei.

MB: Que é um pouco que eu tinha dito. Nosso preço mínimo é 13.400. E nós chegaremos a uns 16 bi, que é muito dinheiro.

FH: Ajuda, né? (*Risos*) Ajuda na dívida...

MB: Mais, mais do que isso a gente fica com empresas sólidas. Tem aí um monte de loucura que nós bombardeamos aí porque também não adianta criar competição, mas depois criar problema para frente.

FH: Não. Tem que ter coisa que funcione, que atenda a população.

MB: Então eu acho que vai ter. Se a Bell South entrasse aí embaralhava tudo isso. Por que ela ia disputar São Paulo, ia levantar o preço de São Paulo. Se ela ganhasse, expulsava os italianos para outro lugar.

FH: O, como é que chama? O Safra me telefonou ontem do Canadá de onde ele tá dizendo isso, que não ia. Que a Bell South precisava de mais tempo.

MB: Foi aquela nossa conversa. Quer dizer. Mas aí passa mesmo achando que a Bell South não estava certa. A decisão que nós tomamos foi isso. Elas pediram duas semanas, mas não davam certeza de que em duas semanas iam ser eles. Aí não adiantava.

FH: E as ações?

MB: As ações. Pipocaram um bando de ações agora. Mas... Vai dar um trabalhinho a mais, mas não vejo problema algum. Não tem nada de substância.

FH: Sei.

MB: E no fundo a imprensa está muito favorável, os editoriais, tudo.

FH: Está demais. Exagerando até... (*Risos*).

MB: Não. Foi uma catarse. Em termos de... Não sei se o senhor leu no *Estadão* de hoje dizendo que o sucesso do leilão para eles é o fato do governo ter tido coragem de mantê-lo mesmo com a pressão, com esse negócio todo.

FH: É.

O ministro fala com Lara Resende por telefone. Mendonça de Barros já estava em Brasília.

Mendonça de Barros: Oi.

Lara Resende: Oi. Eu tive aqui com o Pérsio. Ele acha exatamente isso.

MB: Só tem um jeito deles combinarem um ágio com o Banco do Brasil.

LR: Ele perguntou se eles limitarem. Eu disse não, o negócio é o seguinte: vocês primeiro dão um play a noite inteira. E depois o seguinte: desrespeita a autorização, abuso de poder, se for o caso, para depois nós bancarmos. Ele disse tudo bem, nós temos certeza. Já aconteceu um caso igualzinho. Ele veio aqui para falar isso.

MB: Então combina. Discute primeiro um número mais embaixo. E na última hora...

LR: Exatamente. Na última hora sobe. E eu falei para ele: concentra nisso. Esquece lá o outro. Se virar a bomba atômica presidencial a gente vai ter um ônus complicado.

MB: Eu sei, eu sei. Agora, de qualquer maneira (...) vamos ver. Para esperto, esperto e meio.

LR: Exatamente. Vamos ficar com isso guardado.

MB: É preferível que depois eu ligue para o Previ e diga que infelizmente nós fizemos isso porque tinha esse risco.

LR: Exatamente.

MB: Começa a falar em um número mais baixo.

LR: Falei com ele para falar o tempo todo em um número mais baixo... (*inaudível*) Tem uma confiança grande... Eles podem até ir alto. Então, tá andando.

MB: Tá bom. E a Sprint?

LR: A Sprint é o seguinte: nós tamos agora fazendo corpo mole.

MB: Sei, sei.

LR: O que interessa é que não se saiba que eles não vão mais bidar. Não me incomoda. Até o final tá como se fosse rolar.

MB: Tá bom.

LR: Tá bom, um abraço.

O ministro Luiz Carlos Mendonça de Barros pediu demissão ainda no domingo, quando a revista nem sequer acabara de ser distribuída em todo o país. O presidente da República convenceu-o uma vez mais a esquecer aquele pedido. Fernando Henrique

Cardoso apelou para que tentasse resistir até uma convocação no Congresso Nacional, à qual deveria comparecer. Os senadores Antônio Carlos Magalhães e José Sarney tentavam criar um clima ameno para a apresentação de explicações de Mendonça no Parlamento. Requerimentos da oposição solicitando a transmissão do áudio dos grampos ao vivo, em caixas de som, no plenário do depoimento, produziram uma imagem devastadora contra o homem que deveria personificar o ministro forte do segundo mandato presidencial. Mendonça deixou o Congresso e, na mesma noite, deixaria o governo federal. Entre os dias 22 e 26 de novembro, demitiram-se, ainda, o secretário-executivo da Câmara de Comércio Exterior e irmão de Luiz Carlos, José Roberto Mendonça de Barros; seu subsecretário Rogério Mori; o presidente do *BNDES*, André Lara Resende; seu vice, José Pio Borges; e o diretor da área Internacional do *Banco do Brasil*, Ricardo Sérgio de Oliveira.

Nenhuma das ações judiciais ajuizadas contra eles ou mesmo contra os empresários envolvidos no caso dos grampos do *BNDES* prosperou. Todos os gestores públicos e economistas citados nas gravações ou gravados clandestinamente foram absolvidos nos processos judiciais anos depois.

O dossiê Cayman morreu na praia. Era falso. A notícia da tentativa de chantagem, como déramos, era verdadeira. O diretor-geral da Polícia Federal, Vicente Chelotti, abriu um inquérito protocolar para apurá-lo. Depois, foi acusado de usar o papelório para se manter no cargo quando o ministro Nelson Jobim quis demiti-lo. Fernando Henrique entrou com uma ação judicial contra Paulo Maluf, Leopoldo Collor e o ex-presidente do *Banco do Brasil*, Lafayette Coutinho, em razão do papelório. Em 2003, fui chamado a depor nesse processo como testemunha do ex-presidente da República. Ao fim do meu depoimento, o juiz decidiu reduzi-lo a termo e colocar-me na condição de informante, porque a minha ficha de filiação ao PSDB seguia válida em razão de jamais ter sido expressamente invalidada.

Devastado pelo escândalo da privatização do *Sistema Telebras*, Fernando Henrique telefonou para o líder da oposição, Luiz Inácio Lula da Silva, do PT. Chamou o adversário para uma conversa sobre o futuro, a fim de pedir uma trégua que lhe permitisse iniciar, enfim, o segundo mandato. Havia o espectro de uma crise financeira internacional atingindo os mercados. A China, o Japão e a Coreia do Sul tinham enfrentado turbulências em 1997. A Rússia, em 1998. Como consequência disso, uma grande perda de valor das *commodities* em todo o mundo fez com que a crise financeira atingisse em cheio o Brasil. Lula perdera a eleição, mas se cacifou como líder das oposições. A trégua foi concedida, porém durou pouco.

*   *   *

Não houve festa pública nem mesmo grandes celebrações privadas no dia 1º de janeiro de 1999, data em que Fernando Henrique Cardoso se tornou o primeiro brasileiro a ser reempossado na Presidência da República para novo mandato presidencial subsequente. O Brasil estava quebrado. A segunda posse de FH se deu sem comemorações na Esplanada dos Ministérios, sem jantar de gala no Itamaraty.

O país passava por um processo de desindustrialização em razão da sobrevalorização cambial. A moeda brasileira estava cotada a 1,19 real por dólar, numa taxa de câmbio engessada. Havia muitos meses, representantes de setores produtivos nacionais e mesmo integrantes do governo alertavam para os riscos da manutenção daquela sobrevalorização. Produtos saídos daqui não encontravam mercado no exterior em razão do elevado custo da moeda local. Importadores tinham no país um ótimo mercado consumidor. A justificativa de manter o câmbio deprimido para reduzir a inflação não era mais válida: vencêramos o dragão inflacionário desde 1996, na esteira do sucesso do Plano Real. A sobrevalorização só encontrava uma explicação, e ela era política. O governo a manteve artificialmente, pagando um alto custo econômico, a fim de fazer FH vencer a eleição de 1998 ainda no primeiro turno.

Terça-feira, 12 de janeiro de 1999. Eu estava no Rio de Janeiro e tinha uma conversa marcada com o presidente do *Banco Central*, Gustavo Franco. Ia à sede carioca do *BC*, junto com Guilherme

Barros, responsável por marcar a agenda e de quem Franco era fonte desde priscas eras. Acompanhávamos a dificuldade com a qual o governo e sua autoridade financeira lidavam com as instabilidades do mercado. Naquele momento o real era uma moeda sob ataque especulativo. Franco, um dos defensores da sobrevalorização monetária, perdia espaço na equipe econômica. Ninguém de fora de um restrito grupo palaciano e de dentro do Ministério da Fazenda levava a sério a adoção do sistema de bandas cambiais. Nele, a cotação do dólar flutua entre patamares mínimo e máximo estabelecidos pelo *BC*. Se o preço fugir daquele intervalo preestabelecido, para cima ou para baixo, o governo intervém, comprando ou vendendo dólares para acalmar os humores de investidores e de especuladores. Franco digladiava contra os adeptos internos dessa tática de contenção de altas de moedas estrangeiras, quando nos recebeu na bela sala da sede do *Banco Central* no Rio. Havia chá, frutas e água com gás à nossa espera.

— E aí, presidente? Compro ou vendo dólar? — brincou Guilherme ao entrar no gabinete de Gustavo Franco.

— Fique como está. Na crise, a prudência é a melhor conselheira.

Foi uma boa maneira de abrir a conversa num dia que se prenunciava tenso. Começamos com amenidades. Aos poucos, fomos introduzindo o tema que desejávamos abordar. Pensávamos, eventualmente, em fazer uma reportagem de capa: o impacto da sobrevalorização do real na indústria nacional, a chamada desindustrialização. Linhas de produção inteiras estavam sendo paralisadas em todo o país. Unidades fabris de porcelanatos, de automóveis, de vidros e equipamentos eletrônicos estavam saindo do Brasil. Mantinham o mercado consumidor brasileiro, mas estruturavam as plantas produtivas na Argentina, no Paraguai, na Colômbia e até no México, dadas as vantagens cambiais. Os empregos ficavam lá fora.

— Serei provocador: será que a nossa vocação, enquanto Nação, é ser um imenso parque fabril? O que se produz de fato no Vale do Silício? Criar benefícios para a indústria, a custos tributários enormes para toda a população, é o melhor caminho? — especulou o presidente do *Banco Central*.

Ele não afirmara nada, mas o rumo da prosa começou a nos assustar. Estávamos em discussão acalorada quando o ramal direto da mesa de Gustavo Franco tocou. Só ouvimos o "como vai o senhor?". Passou a dar sinais de desconforto com a nossa presença diante de sua escrivaninha. Guilherme, mais sensível e educado em momentos como aquele, fez sinal para mim e convidou-me a levantar, a fim de deixar o anfitrião mais à vontade em sua própria sala. Meu instinto e minha plena ausência de vergonha diriam para ter ficado ali. O presidente do *Banco Central* desligou o telefone, chamou-nos de volta à sua mesa, disse que não poderia seguir a conversa, porque estava embarcando de imediato para Brasília.

Quarta-feira, 13 de janeiro de 1999. Gustavo Franco fora derrotado na defesa de suas teses ante a diretoria do *BC* e no Ministério da Fazenda. Aquele dia amanheceu com a decretação de uma mididesvalorização do real ante o dólar norte-americano de 8,76%. O nervosismo do mercado, a impaciência de investidores e a quebradeira generalizada na indústria local precipitaram o *default* da moeda brasileira. Francisco Lopes, economista respeitado nos meios acadêmicos, amigo próximo do ministro da Saúde, José Serra, e adepto secular da teoria de desvalorização do real, foi anunciado como sucessor de Franco na presidência do *BC*. Chico Lopes, como era conhecido no mercado e entre formadores de opinião da mídia, fora o arquiteto da "banda cambial diagonal endógena". O piso e o teto de flutuação do dólar, naquele primeiro momento, foram estabelecidos respectivamente em R$ 1,22 e R$ 1,32 por dólar. A adoção precipitada do novo sistema cambial, entretanto, gerou novas desconfianças no mercado e o Brasil passou a experimentar inédita fuga de capitais. Renovaram-se os ataques especulativos contra a nossa moeda. As reservas internacionais foram baixando de nível e se aproximavam de ridículos US$ 40 bilhões — com esse montante, o *Banco Central* brasileiro não conseguiria seguir reagindo ao bombardeio hostil dos especuladores contra o real.

O colchão de credibilidade do presidente Fernando Henrique queimou feito palha na liquidação de dólares daquele janeiro devastador de 1999. Dois dias depois da adoção da "banda diagonal endógena" de Chico Lopes, com Franco já afastado da mesa de operações do *BC*, a moeda americana explodiu — a cotação chegou ao teto de R$ 1,65, fechou a R$ 1,47 e quebrou o governo expondo a inação estatal por ausência absoluta de ferramentas que permitissem ao Palácio do Planalto reagir. Foi quando o ministro Pedro Malan decidiu liberar o câmbio, abandonando as bandas de flutuação. Tendo virado presidente do *Banco Central* para operar o sistema teórico de administração de cotações de moeda ao qual se apegara, Chico Lopes caíra rapidamente em desgraça. Permaneceu no cargo, mas um reflexo decorrente daquilo que já considerava maxidesvalorização do real iria derrubá-lo na sequência.

Com o privilégio de ter visitado o ponto onde se localizava o epicentro do terremoto que abalou as estruturas da equipe econômica de Fernando Henrique, Guilherme Barros escreveu naquela semana a melhor reportagem sobre o episódio. Jorge Bastos Moreno, em *O Globo*, conseguira antecipar no último clichê do jornal, de madrugada, a queda de Gustavo Franco. Mas o fôlego de Guilherme para contar a história toda, redonda, era muito maior e ele o fez daquela forma no fim de semana. Em nossa guerra particular com a *Editora Abril*, avançáramos mais algumas casas.

Duas instituições financeiras de médio porte, os bancos *Marka* e *FonteCindam*, que tentavam construir a reputação de *boutiques* de investimentos e financiamentos, estavam extremamente expostos a riscos quando ocorreu a desvalorização do real. Luiz Antônio Gonçalves, um ex-diretor de carreira do *Banco Central*, era o dono do *FonteCindam* e desenvolvera para seu negócio a fama de uma casa bancária pequena, enxuta e certeira nas apostas e indicações que fazia a seus clientes. Salvatore Cacciola, um ítalo-brasileiro orgulhoso, que gostava de ser visto nas altas rodas sociais do Rio de Janeiro como anfitrião sofisticado e *bon vivant* exemplar, estava à frente do *Banco Marka*. Tanto Cacciola quanto Gonçalves indicavam para seus clientes a aposta segura na manutenção da estabilidade do real e, mesmo no início das tempestades contra a moeda brasileira, ainda em dezembro de 1998, insistiram para que muitos deles conservassem suas posições em investimentos lastreados no real sobrevalorizado. A mididesvalorização do dia 13 de janeiro deixou tanto o *Marka* quanto o *FonteCindam* insolventes — ou seja, com o patrimônio a descoberto e sem capacidade de resgatar as posições em aberto no mercado financeiro sem auxílio do *Banco Central*.

Quando a midi se converteu em maxidesvalorização, dois dias à frente, ambas as instituições estavam na lona. O *Banco Marka* fechou a tarde de 15 de janeiro de 1999 com um valor equivalente a 20 vezes o seu patrimônio líquido comprometido em contratos de venda no mercado futuro de dólar.

Inicialmente, por serem bancos sem agências nas ruas e não se dedicarem ao varejo do mercado, as quebras de *Marka* e *FonteCindam* pareciam silenciosas. O governo agiu a tempo e a hora, fazendo a intervenção no controle das instituições; afastou os donos do negócio, proibiu-os de atuar no mercado e deu início às tratativas para executar a liquidação das duas casas bancárias. Seria tudo mais simples do que ocorrera com o *Econômico* e com o *Banco Nacional* no início do Plano Real. O dano colateral imediato, contudo, era a demissão de Chico Lopes da presidência do *BC*. Enredado na espiral do furacão cambial, Lopes foi demitido no dia 31 de janeiro. Fernando Henrique Cardoso foi buscar entre os principais conselheiros do megainvestidor internacional, George Soros, o nome que cuidaria de acalmar o mercado brasileiro, restaurar alguma credibilidade do Brasil no exterior e recuperar a capacidade de tração da autoridade monetária do *Banco Central*: Armínio Fraga.

Determinado a salvar sua instituição, o patrimônio pessoal e a fama de deter sempre boas indicações de investimentos, Cacciola pôs para fora a ousadia inquieta da personalidade italiana. Com o *Banco Marka* em processo de liquidação, passou a falar mais do que devia com tudo e com todos. Era uma nova bomba ambulante, fora de controle. No dia 10 de abril, a *Veja* trazia em sua capa o *slash* onde se lia *"Exclusivo — O caso Marka: informações privilegiadas do BC"*.

Numa ótima reportagem assinada pelos jornalistas Policarpo Jr. e David Friedlander, a revista contava os bastidores da agonia de Cacciola e expunha a possibilidade de informações privilegiadas terem vazado do *Banco Central* durante a desvalorização cambial de janeiro de 1999. Perfis díspares que se complementaram naquele trabalho, Friedlander sempre foi um excelente perdigueiro do jornalismo de negócios. Já Policarpo, construíra a reputação na área de investigações policiais. O que trazia a reportagem dos dois:

- Cacciola sustenta a aposta na sobrevalorização do real, bancando investimentos de clientes lastreados na moeda brasileira, porque um informante "de dentro do *Banco Central*" dizia que a mudança cambial brasileira só seria feita em fevereiro.
- O informante de Cacciola, dizia a amigos o ex-dono do *Marka*, era "da cúpula do *BC* e havia dois anos recebia remuneração mensal de US$ 125 mil para passar informações privilegiadas para ele.
- Segundo a reportagem da revista da *Editora Abril*, Cacciola ainda dizia para amigos e ex-clientes que outros três bancos de investimentos, todos do Rio de Janeiro, também pagavam a mesma quantia mensal para o "informante da cúpula do *BC*" passar informações privilegiadas. Uma dessas instituições, dizia o ex-controlador do *Marka*, era o *FonteCindam*. O banco de Luiz Antônio Gonçalves recebera US$ 120 milhões de ajuda do *Banco Central* para zerar suas posições em dólar na esteira das desvalorizações do real, mas também quebrou, como o *Marka*.
- Que os bancos contratantes da "fonte privilegiada" depositavam a propina total de US$ 500 mil mensais na conta de uma empresa criada num paraíso fiscal exclusivamente para esse fim. A empresa ancorada num paraíso fiscal teria um fundo de investimentos de onde o dinheiro ilegal sairia para cumprir o fim a que o proprietário da conta desejasse dar.

Mais uma vez, estávamos obrigados a correr atrás da concorrência com o veículo da *Editora Abril*. E novamente o governo do presidente Fernando Henrique, o homem cordial que não conseguia exercer seu maior atributo competitivo — a serenidade — era arrastado para o centro de um furacão de denúncias que ameaçavam seriamente a capacidade de o Palácio do Planalto manter a governabilidade.

Com ordem judicial de busca e apreensão nas mãos, um delegado e agentes da Polícia Federal cumpriram os mandados na residência de Chico Lopes no Rio de Janeiro. O espanto de ver um dos ícones da academia fluminense acuado, tendo de responder a um inquérito policial depois de presidir o *Banco Central* brasileiro, foi superado pelo resultado perturbador da ação de vasculha na casa de Lopes. Os agentes federais encontraram no quarto dele, dentro de um cofre, um bilhete assinado pelo economista Luís Augusto Bragança. Ex-sócio de Chico Lopes na consultoria *Macrométrica*, o bilhete dizia que o saldo de US$ 1,67 milhão depositados em uma conta no exterior pertencia ao ex-presidente do *Banco Central*. Nova bomba estava armada no coração do Planalto. Daquela vez, com a reportagem de *Veja*, a sedução de FH não foi suficiente para debelar o fogo na tropa do Congresso. As oposições conseguiram assinaturas suficientes e criaram a CPI dos casos *Marka* e *FonteCindam* no Congresso Nacional.

* * *

Estivesse em casa, na redação, ou mesmo em uma entrevista externa, entre 19 e 19 e 30 horas, parava o que fosse preciso todos os dias para telefonar para meus filhos no Recife. Era a hora em que tinham voltado da escola, antes de irem dormir. Podíamos falar à larga. Num princípio de noite daqueles tempos, durante um telefonema para eles, escutei Cristina anunciar ao longe: "Rodolfo, antes de desligar quero falar com o teu pai". Logo depois, ele transferiu a ligação.

— Lula Costa Pinto, você não sabe o que sua filha aprontou.

Sempre foi daquele jeito, repetindo a forma como me chamavam na universidade, onde nos conhecemos, *"Lula Costa Pinto"*, que a minha ex-mulher refere a mim quando quer iniciar alguma conversa mais amena. Ainda hoje, segue assim.

— Bárbara?

— Claro, né!

Risos.

— O que foi que ela fez?

— Ela estava aqui, comigo, enquanto eu arrumava uma gaveta com coisas antigas, objetos que estavam meio jogados desde a mudança de volta para Recife. Aí, ela viu um álbum com fotos de nosso casamento e arregalou o olho, botou a mão na boca, virou-se para mim e falou assim: "oxe, mãe... *Tu conhece* (sic) meu pai tão bem assim a ponto de tirar foto junto com ele e tudo, é?!?"

Demos uma longa e inusitada gargalhada. Bárbara, filha de um casal desfeito em sua gestação, rápida e sabiamente aplacou os traumas e nos uniu ainda mais com uma tirada singela de criança. Até hoje o episódio é lembrado em reuniões das famílias nucleares — seja em Brasília, no Recife ou em São Paulo, onde minhas duas filhas dividem o apartamento e as respectivas rotinas profissionais.

Tempos depois, contei desse telefonema a Guilherme Evelin, um amigo que se mudara de Brasília para São Paulo a fim de trabalhar conosco em *Época*. Guilherme comentou o assunto com Marleth Silva, jornalista curitibana, amiga de Dalton Trevisan. Mestre de contar grandes histórias em pequenos textos, o autor de "O Vampiro de Curitiba" transformou a surpresa de Bárbara ante a foto dos pais, juntos num casamento, quando só os vira separados em cidades distintas, em inspiração para um de seus microcontos em dois dos últimos livros que publicou — um, pela Editora Record, "Pico na Veia". O outro, uma edição artesanal e numerada com apenas 250 exemplares. Daquela forma, Trevisan terminou por eternizar nossa sofisticada e bem-sucedida engenharia familiar.

*   *   *

Segunda-feira, 26 de abril de 1999. Empurrado para o cadafalso pelo presidente do Senado Federal, Antônio Carlos Magalhães, que enxergava na amizade dele com o ministro José Serra uma forma de vingar a liquidação extrajudicial do *Banco Econômico*, contra a qual se batera tenazmente em 1995, o ex-presidente do *Banco Central*, Chico Lopes, abria a agenda da semana no banco dos réus da comissão parlamentar de inquérito do Congresso. Confiante no que falaria aos parlamentares, sem ter à disposição quaisquer *habeas corpus* preventivo que o permitisse calar ante perguntas desconfortáveis efetuadas na CPI, Chico Lopes avisou aos integrantes da Comissão que não assinaria o termo de só falar a verdade. CPIs estão investidas de poder de polícia e, por vezes, convertem-se em tribunais inquisitórios. Uma vez flagrado em mentira ou contradição, um réu ou testemunha pode receber voz de prisão no Parlamento. Recusar-se a assinar o termo de compromisso com a verdade é o mesmo que admitir a mentira. Ao manter sua recusa ante os integrantes governistas da comissão, o ex-presidente do *Banco Central* foi levado a uma sala para falar com ACM.

— O senhor terá de assinar esse termo — explicou o presidente do Senado. — Se não assinar, o relator da CPI pode mandar prendê-lo.

— Correrei esse risco — respondeu Chico Lopes. Suava em bicas. Pediu a um jornalista que o acompanhava para arrumar um segundo lenço, a fim de poder enxugar a fronte. — Estou cumprindo determinação de meus advogados.

— Chico Lopes, por favor, assine o termo. Você só tem a perder não o fazendo. Assine e nós saberemos como conduzir o interrogatório — apelou o líder do governo no Congresso, o senador José Roberto Arruda.

— Não.

Antônio Carlos e Arruda liberaram-no para retornar à sala da Comissão Parlamentar de Inquérito. O burburinho era generalizado. Assistia a tudo a partir de um monitor instalado acima de minha baia, na redação de *Época*. O ramal direto tocou.

— Lulinha, põe no *site* da revista agora: presidente da CPI vai dar voz de prisão a Francisco Lopes. Pela primeira vez na história do Brasil um ex-presidente do *Banco Central* vai parar na cadeia.

Era Guilherme Barros, que estava em Brasília mergulhado na cobertura financeira. O diálogo de bastidores entre Lopes, ACM e Arruda ainda não havia vazado para ninguém. Em razão da audiência conquistada com a divulgação dos diálogos dos grampos clandestinos no caso da privatização do *Sistema Telebras* o *site* de

Época na internet obtivera um salto considerável de acessos — estávamos começando ali a guerra por cliques, *likes* e assemelhados no jornalismo virtual.

— Que maluquice é essa, Guilherme?

— Vai, sim. Pode escrever.

— E se não for?

— Vai. Daqui a pouco todo mundo vai saber. Põe, cacete!

Obedeci, deixando-o pendurado na linha enquanto escrevi. Assim que apertei o botão de "publicar" na tela do sistema da revista avisei ao chefe da sucursal do Rio, em *portunhol* castiço misturado com uma pitada de italiano *carcamano*:

— *Estoy con el culo en la mano, cazzo!*

— Sossegue.

Voltei à tela da TV onde se desenrolava a CPI.

— Senhor Francisco Lopes, depoente, o senhor assinará o compromisso de não faltar com a verdade durante o depoimento a essa Comissão Parlamentar de Inquérito? — perguntou o senador maranhense Bello Parga, presidente da CPI.

— Não.

— O senhor está ciente das consequências dessa recusa?

— Sim.

— Senhor Francisco Lopes, ex-presidente do *Banco Central* do Brasil, eu decreto a sua prisão por desacato às regras legais que regem as Comissões Parlamentares de Inquérito, com base no artigo 206 do Código de Processo Penal. Peço ao senhor delegado de Polícia Federal, presente nesta sala, que lavre o flagrante de prisão e leve o réu para as instalações da Polícia Federal. Solicito também ao senador Romeu Tuma que acompanhe o preso até a delegacia federal e testemunhe a lavra do ato de prisão dentro dos conformes legais e constitucionais.

O Plano Real havia convertido Fernando Henrique Cardoso de um derrotado vocacional nas eleições majoritárias que disputara, em presidente da República eleito e reeleito em primeiro turno. O mecanismo do Real se alimentara da excelência de comando de Pedro

Malan à frente do *BC* durante a fase de elaboração e implantação do plano de combate à inflação. O impacto de ver um ex-presidente do *Banco Central* do mesmo Fernando Henrique sair preso de uma Comissão de Inquérito do Parlamento brasileiro era devastador. As reservas nacionais estavam na lona. A moeda fora desvalorizada na ordem de 38% ao cabo do processo de implantação e desistência das bandas cambiais. A Bolsa de Valores patinava. O desemprego se ampliava. O Fundo Monetário Internacional (FMI) voltava a visitar o governo brasileiro e dar as cartas na indução daquilo que a administração econômica do país devia fazer, trazendo com ele a memória nefasta dos anos 1980 e das imposições do FMI.

Sem conseguir ser inaugurado da maneira como o sociólogo Fernando Henrique Cardoso planejara, com galhardia, o segundo mandato teria um marco histórico já ali: o fim precoce de um projeto de poder que o ministro Sérgio Motta, nos dias de sonho grande, especulara que duraria 20 anos.

Era tudo fantasticamente imprevisível.

Posfácio

AS TRAPAÇAS
DA HISTÓRIA

Por Juliana Fratini*

Comento aqui uma época que não vivenciei politicamente, em razão de minha pouca idade quando tudo aconteceu. Nasci em 1984, período em que a democracia brasileira retornava, aos poucos, à vida. É fato que os acontecimentos políticos e sociais da década de 1990, dos quais Luís Costa Pinto relembra com precisão, leveza e bom humor, marcaram-me de algum modo. Hoje, já adulta e conduzida por um jornalista experimentado, tive *flashes* ao ler parágrafos desta história. A diferença: agora, tenho a mente talhada para a política. Tornei-me cientista política e foi assim que o meu caminho se cruzou com o de Lula[4].

Quanto à democracia brasileira, assim como eu hoje, na casa dos trinta e poucos anos, ela segue na luta para atingir o ápice de seu potencial, apesar dos percalços no caminho.

Mas, por que teria eu esses *flashes* se "nada vivi"? É o que fiquei me perguntando ao terminar o volume 2 de *Trapaça*. A resposta: por causa do amplo e intenso trabalho jornalístico realizado no Brasil nas últimas décadas.

Não é escasso o volume de conteúdo político veiculado nos canais de TV, nas rádios, nas revistas, nos jornais, além das propagandas de *outdoors*. Não há democracia sem imprensa livre, afinal. Imprensa livre é premissa básica para a sustentação deste regime político. Assim como não há democracia sem eleições livres e regulares,

---

[4] "Lula" é apelido de Luís Costa Pinto.

nas quais os opositores têm a oportunidade de se apresentar; voto universal; liberdade de manifestação, associação e fé religiosa; instituições operando como sistema de freios e contrapesos (*check and balances*), no sentido de evitar que poderes se excedam.

De Schumpeter a Dahl, e passando por Przeworski (teóricos políticos), são essas as condições elementares para um regime democrático. Mas a questão que se impõe, aqui, é que os jornalistas foram alguns dos principais articuladores do regime democrático, fiscalizando todo o mecanismo para o seu funcionamento. Sem o trabalho deles, é muito improvável que a democracia se estabelecesse e se consolidasse no país. É sobre isso que vou tratar neste posfácio.

Além do próprio Lula, nomes (em ordem alfabética, e citando alguns na esperança de que todos os demais jornalistas personagens ou não deste livro se sintam representados) como Daniela Pinheiro, Eduardo Oinegue, Eliane Trindade, Elio Gaspari, Felipe Patury, Fernando Rodrigues, Helena Chagas, Josias de Souza, Leonardo Attuch, Mário Sérgio Conti, Milton Abruccio, Mônica Bergamo, Patrícia Andrade, Paulo Moreira Leite, Ricardo Kotscho e Xico Sá foram propulsores da nova democracia brasileira. O mais surpreendente, no entanto, é que neste século (XXI) e nesta década (2020), o trabalho da imprensa esteja sofrendo infindáveis ataques, geralmente por parte de figuras autoritárias, quase sempre dispostas a ganhar por meio de narrativas desdenhosas das regras democráticas. No desempenho de suas funções, como as de apurar notícias e expor fatos, os jornalistas se tornaram os novos "comunistas", ainda que a maior parte nunca tenha sido de fato. (Será que Lula foi chamado de comunista neste ano?)

Realidade em nosso tempo presente, as redes sociais promoveram a maior cisão entre indivíduos e instituições na sociedade contemporânea. Por proporcionarem a relação direta entre os usuários (nos quais incluem-se políticos e eleitores), ampliaram, também, o efeito colateral do personalismo político, mitigando os esforços das instituições "tradicionais" (nas quais incluem-se universidades, partidos políticos, os Três Poderes e a imprensa) de sustentar narrativas empiricamente verificáveis e pautadas na razão de um modelo específico de organização do poder, voltado para a manutenção do regime democrático.

Em outras palavras, as redes sociais, enquanto "terras de ninguém", constituíram-se novos ambientes de disputa simbólica pelo poder, nos quais o crivo das instituições tradicionais tornou-se, em grande medida, dispensável — em especial, o bom trabalho jornalístico, que é o espírito que anima este livro.

Importante frisar, antes desse personalismo, o principal contato que o cidadão tinha com o político ocorria por meio da imprensa. Essa relação era saudável, haja vista que a imprensa, regulada, sempre foi obrigada a seguir uma série de protocolos com base no código de ética do jornalista, além do código de ética das redações. O fato é que neste novo contexto comunicacional, em que as redes passaram, em alguma medida, a concorrer com a imprensa, a opinião pública passou a ser formada por narrativas pouco confiáveis. A vida dos jornalistas ficou muito mais difícil no início da segunda década dos anos 2000 — e a da democracia também.

Contextualmente, nas últimas décadas, cidadãos de muitos países passaram a questionar os motivos que levavam as diferentes lideranças a agir de modo "negativo" para manter o poder pessoal, de Estado ou institucional. O argumento dessas lideranças, embora fosse racional, levava, muitas vezes, a resultados irracionais, ou a entregas pouco satisfatórias. Exemplos disso no Brasil, contados neste livro, são os casos da aprovação de emendas parlamentares para a realização de obras a partir das quais congressistas se beneficiavam recebendo propinas, geralmente pagas por empreiteiras, conforme desvendado na CPI dos Anões do Orçamento, em 1993, durante o governo Itamar Franco. Outro caso é o da construção da Barragem do Castanhão, maior obra hídrica do governo Fernando Henrique Cardoso, em 1996, no Ceará, quando deputados pediram 4% do valor total da obra à construtora, conforme escreve Costa Pinto. Quer dizer, é racional que parlamentares averiguem e aprovem emendas para a realização de obras que beneficiem a população; é racional que haja uma tramitação específica dentro das casas legislativas e em conformidade com o rito democrático para que emendas sejam ou não aprovadas; é racional e até razoável que parlamentares trabalhem para a manutenção de seu poder pessoal por meio da aprovação de emendas; mas não é racional e muito menos razoável que façam essa entrega à custa do orçamento público, recebendo propinas. O mesmo vale para os demais políticos, sejam senadores, ministros, presidentes, governadores, deputados estaduais, prefeitos, vereadores, juízes, além de gestores públicos, independentemente da hierarquia que ocupam nas instituições públicas.

Outro exemplo exposto por Luís Costa Pinto é do chefe do cerimonial do então presidente Fernando Henrique Cardoso, o embaixador Júlio César dos Santos, que fazia *lobby* para se beneficiar da venda de equipamentos estratégicos na área de aviação civil — a ideia dele era a de fazer com que o Congresso incluísse no orçamento de 1996 um negócio que ultrapassava a casa do bilhão de reais. E não é que a corrupção tenha iniciado no governo FHC ou no governo Itamar Franco, quando este livro começa. Fernando Collor de Melo, primeiro presidente eleito por voto popular depois da ditadura militar iniciada em 1964, caiu porque estava envolvido em negócios ilícitos (história narrada no volume 1 de "*Trapaça — Saga Política no Universo Paralelo Brasileiro*"). Itamar ascende à Presidência com boa reputação porque, dentre outras coisas, ocupou a vice-presidência da CPI da Corrupção quando senador, tendo como tarefa apurar desvios de verbas públicas federais durante o mandato de José Sarney, época em que a democracia já estava, a rigor, restabelecida!

Interessante é o fato de o ex-presidente da Câmara que "impichou" Collor, Ibsen Pinheiro, ter sido acusado de corrupção. Quem poderia imaginar uma travessura desse tipo tão cedo, poucos meses depois do *impeachment*, e poucos anos depois de a Câmara ter tido um papel fundamental na elaboração da Constituição Cidadã de 1988, o sustentáculo da nossa jovem democracia?

Ibsen teve o mandato cassado, mas depois foi absolvido pelos supostos crimes. Porém, outros parlamentares que estavam de fato envolvidos com os crimes não tiveram o mesmo fim melancólico de Ibsen e permaneceram parlamentares por mais algum tempo.

Triste é perceber a democracia violada em tenra idade, descaradamente, pelos homens que exerciam o poder em nome do povo. Assim como é triste perceber que a imprensa e a Justiça falharam na condução do caso Ibsen. As instituições acertaram em alguns aspectos, mas erraram feio em outros.

A democracia dos anos 1990 funciona, portanto, com falhas procedimentais. Como afirma José Carlos Alves dos Santos, funcionário aposentado do Senado, um dos maiores especialistas em orçamento público, preso por corrupção e acusado de matar a mulher — conforme escreve Costa Pinto —, ocorre que:

> [...] com a Constituição de 1988, o Congresso Nacional ganhou poderes para alterar o Orçamento. Aí a coisa (o roubo) começou: a primeira vez que recebi dinheiro (irregular, para mexer nas verbas) foi em 1989.

É impossível não traçar um paralelo entre os acontecimentos da década de 1990 com o passado recente brasileiro, quando a então presidente Dilma Rousseff também passou por um processo de *impeachment*. Collor estava envolvido em esquemas de corrupção, Dilma foi acusada de cometer "pedaladas fiscais"[5]. Ocorre que, enquanto no início da década de 1990 o *impeachment* foi entendido como um mecanismo salutar e necessário para a preservação da ordem democrática, na segunda década dos anos 2000, o mesmo mecanismo provocou um intenso desgaste social e político.

A diferença está no fato de que o *impeachment* de Collor foi um pedido que emanava de diversos nichos sociais e políticos, enquanto o pedido de *impeachment* de Dilma nunca foi consensual em qualquer nicho (embora muitos argumentassem que o *impeachment* dela também se constiuía em meio de preservação da ordem democrática). Na prática, o *impeachment* de Dilma foi o início de uma grande e intensa polarização no país. Especialistas

---

[5] Pedaladas fiscais significam o ato de burlar a operação de repasse de verbas do Tesouro Nacional a bancos públicos e privados com a finalidade de maquiar a situação fiscal do governo.

atribuem muitos motivos à queda da presidenta, mas, em geral, acordam que faltou habilidade política, também muito prejudicada por uma crise econômica incipiente.

Uma curiosidade é que eu, ainda criança quando Collor foi "impichado", registrei a imagem de um homem altivo com corpo atlético fazendo cooper *(creio que ele aparecia assim com alguma frequência na televisão, jornais e revistas). Também registrei imagens dele com as mãos dadas a uma mulher loira, bonita, igualmente altiva, que na época era a esposa, Rosane — embora não soubesse o nome dela ainda.*

É claro que os inúmeros casos de corrupção no Brasil da década de 1990 foram observados pelos respectivos ritos procedimentais de cada poder público com a finalidade de resguardar a ordem, manter a paz e garantir o regime democrático. Procedimentos complexos, muito bem elaborados, muito bonitos e muito racionais. Contudo, faltou "combinar com os russos" que a população deveria se manter fiel à crença nos procedimentos, sem questionar a sua eficácia, os seus operadores e a sua validade. Isto é: toda ação possui uma reação, traz consequências e aponta para acontecimentos futuros. Seria ingenuidade acreditar que nada mais aconteceria além dos ritos procedimentais racionais, como se cidadãos não existissem, não percebessem falhas nesses procedimentos e não sentissem o que acontecia no país. Por exemplo, é possível supor que, no terceiro volume da trilogia "*Trapaça*", Luís Costa Pinto, como representante de uma imprensa atenta, exponha outros casos nos quais o comportamento ilícito de políticos, profissionais de instituições públicas e empreiteiras esteja em evidência. Assim como deverá mostrar as falhas procedimentais durante e contra os governos petistas dos anos 2000.

As instituições políticas, com histórico persistente de ilicitudes, uma hora teriam a legitimidade questionada; e isso realmente aconteceu na segunda década do século XXI.

É importante considerar que o questionamento não passa a ocorrer apenas porque políticos brasileiros "pisaram na bola" antes, durante ou depois dos anos 1990.

Primeiro, porque, apesar de as eleições serem regulares, o voto universal e de a oposição conseguir, razoavelmente, se apresentar à disputa, não é possível dizer que eram exatamente livres e idôneas. Por exemplo, Luís Costa Pinto conta ter havido compra de votos para a aprovação da emenda a favor da reeleição que beneficiaria Fernando Henrique ante a candidatura de Paulo Maluf. Lula dá a entender que, naquele momento, tanto a elite política quanto a imprensa (e muito provavelmente o meio acadêmico do qual FHC fazia parte) eram favoráveis à emenda — mas isso, a rigor, não poderia justificar a compra de votos a favor da emenda, correto? Ou, nesse caso, porque se tratava de algo supostamente bom para o país, poderia? Sem contar que os próprios cidadãos, em boa medida, reproduziam os ataques contra a ordem democrática. Há uma passagem em que Costa Pinto conta a história de um taxista que lhe confessou possuir diversos títulos eleitorais (além do pessoal, outros tantos falsos), os quais utilizava para barganhar litros de combustível com os candidatos. Para o taxista as eleições eram um negócio. Ponto.

Segundo, não é possível dizer que os direitos civis estivessem assegurados de maneira igualitária, embora a "Carta Cidadã" visasse a isso. Mesmo no Brasil democrático da década de 1990, algumas pessoas teriam "mais sorte" que outras, a depender da sua capacidade de influência. Há exemplos no livro. Um deles é o caso dos jogadores da Copa de 1994 e a confusão da (não) liberação de seus pertences pela Receita Federal quando retornaram ao Brasil, logo após sagrarem-se vitoriosos. Ameaças foram feitas por jogadores e equipe técnica a profissionais públicos no cumprimeito do dever e seriam levadas a cabo se as bagagens continuassem presas. Outro exemplo que chama atenção é a "moral alagoana", que perdoaria policiais militares que pudessem ter abatido uma mulher que, supostamente, teria matado o companheiro e chefe adorado deles — era o que especulava o governador de Alagoas, Divaldo Suruagy, sobre a morte de PC Farias.

De modo geral, a lógica do "você sabe com quem está falando?" seguia firme e forte nos anos 1990 (driblando a hipocrisia, pode ser que o leitor, a depender de sua flexibilidade moral, até concorde com o desfecho de um ou de ambos os casos, após ler a história mais detalhada contada por Costa Pinto aqui).

O terceiro ponto sobre o porquê de parte da população ter passado a questionar a legitimidade das instituições democráticas e seus procedimentos nos anos 2000, pode estar vinculado às questões econômicas e a ausências de políticas sociais capazes de promover maior justiça social ou, pelo menos, vida digna aos cidadãos. Durante o governo Itamar, ministros da Fazenda iam e vinham e, como se sabe, até o estabelecimento do Plano Real a economia era um desastre. A instabilidade econômica era muito grande; a fome e a pobreza geravam insegurança. Não é possível dizer que todos os cidadãos tivessem acesso à educação, à saúde ou ao saneamento básico — aliás, nem mesmo nos dias atuais os cidadãos os possuem, ainda que, na primeira década dos anos 2000, os governos petistas tenham investido muito nessas áreas. Outro ponto é que uma tragédia abalaria ainda mais a sociedade naqueles tempos: o desmoronamento do Palace II, em 1998. O episódio fez com que famílias cariocas perdessem tudo, inclusive vidas. Sérgio Naya, o engenheiro proprietário da construtora do edifício e também parlamentar, acabou cassado. Mas como um parlamentar, membro da elite econômica do país, poderia ter sido tão ganancioso e irrespon-sável ao construir um edifício privado com materiais de quinta categoria e ainda lucrar com isso?

A respeito dos problemas econômicos do governo Itamar que mar-caram a minha infância, lembro muito bem o seguinte: queria uma bicicleta como presente de aniversário e, para isso, minha família se uniu numa vaquinha com um montante X de dinheiro que se trans-formaria, dias depois, num montante Z para que a bicicleta pudesse ser comprada por um valor Y! Isso, sei bem hoje, representava a instabilidade econômica daquela época e a inflação. Também recordo que o dinheiro mudava de nome toda hora, até surgir uma unidade monetária que na minha cabeça era a "UFF" (entendia assim o que era, na verdade, a "URV"[6]) e que minha mãe precisava contar as "UFFs" para saber quanto valia cada coisa. Enfim... Luís Costa Pinto, evidentemente, conta aqui a história dos problemas econômicos da década de 1990 com mais assertividade do que as minhas lembranças podem proporcionar.

Ainda na década de 1990, o setor financeiro passou por muitos problemas, como o caso do banco *Econômico*, que congelou o dinheiro de muitos correntistas. Havia o temor de quebradeira geral e não fazia muito tempo os brasileiros tinham passado pela péssima experiência do "confisco". O "risco sistêmico" era iminente e, assim, foi instituído o Programa Especial de Reestruturação do Sistema Financeiro, o Proer, haja vista que outros bancos maiores do que o *Econômico* estavam prestes a ruir, conforme conta Costa Pinto. Neste caso, a impressão que temos é de que as elites bancárias foram protegidas pelos governos Itamar e FHC. Além desse, outro escândalo "econômico" marcou aqueles anos: a "farra dos precatórios", dos quais R$ 6 bilhões em títulos públicos foram lançados no mercado de maneira irregular, remunerando de maneira ilegal corretoras, além de favorecer bancos privados e fundos de pensão com lucros exorbitantes. A Justiça interveio, ocorreram punições, mas, de qualquer maneira, o estrago já havia sido feito.

Importante dizer aqui, muitas das passagens expostas até o momento nos servem para refletir o quanto, desde há muito tempo, os cidadãos brasileiros têm vivenciado as desigualdades civis e econômicas, a continuidade de casos de corrupção, a ineficiência da Justiça em algumas situações e o protecionismo classista — todos falhas procedimetais do regime democrático —, dentre outros problemas. O fato é que esses acontecimentos funcionam como uma espiral de deslegitimação das instituições e procedimentos, abalando a confiança na razão e na própria democracia. Em relação à imprensa, por mais que tenha realizado o trabalho de fiscalizar os desvios do sistema, é uma instituição que faz parte do sistema

---

[6] A URV foi utilizada durante a transição da moeda para o Real. Cada 1 Real equivalia a 2.750,00 Cruzeiros reais.

(é independente, mas não está descolada dele) e, por isso mesmo, tem sido acusada, no século XXI, de ser condescendente com o que o sistema oferece de pior. A imprensa errou e erra também, é verdade, mas as histórias recentes do país mostram que ela continua tendo papel fundamental para concatenar as melhorias que a sociedade demanda da política.

Em 2020, experimentamos uma guerra de narrativas e de modelos comunicacionais. Em relação às narrativas, o fim do comunismo e o estabelecimento de políticas neoliberais, a permancência de guerras, a crise do Estado de bem-estar social e o aumento da globalização foram elementos importantes para engrossar o coro contra as instituições democráticas. De um lado, emergiram demandas para a implantação de políticas de caráter nacionalista e conservador; de outro, a ampliação de políticas internacionalistas, progressistas e mais inclusivas. O ponto é que, mais do que receber e depurar as informações jornalísticas sobre os temas que lhe causavam interesse ou desconforto, a população passou a consumir conteúdos despidos de revisões técnicas, bem como foi instigada a manifestar sentimentos e a produzir consteúdos sobre assuntos dos quais tinha pouco conhecimento especializado. Foi nesse sentido que o modelo de comunicação digital, via redes sociais, passou a competir com o modelo de comunicação da imprensa.

Mas é preciso deixar claro o seguinte: embora as redes sociais sejam meios de comunicação, privilegiam o "relacionamento" e não a notícia. Isso quer dizer que o que tem mais peso para elas é o quanto a mensagem é capaz de tocar o interlocutor de maneira afetiva — portanto, subjetiva. Mobilizar sentimentos como raiva, medo, tristeza, revolta e adoração tornou-se algo muito mais fácil por meio das redes do que por meio da imprensa. A imprensa, mesmo quando sensacionalista, nem de longe acompanha a velocidade e a voracidade das redes. Lula, o nosso jornalista exprimentado, deixa claro aqui o quanto é importante escrever um texto jornalístico limpo de adjetivos. Já o comunicador digital, usa e abusa dos adjetivos e o faz sem qualquer constrangimento. A lógica do comunicador de redes e a do jornalista são bastante diferentes, portanto.

Luís Costa Pinto também deixa claro em cada linha deste livro que é preciso muito mais do que uma boa fonte ou saber escrever um bom texto para ser um bom jornalista. A profissão requer tanto amabilidade quanto grande capacidade de distanciamento: os fatos precisam ser apresentados como são, e não como o locutor ou interlocutor gostaria que fossem. Todavia, a objetividade não pode ser fria a ponto de desestimular o leitor da matéria. Outro ponto é que o bom jornalista precisa equilibrar atrevimento e humildade. O próprio Lula, que passou por alguns dos maiores veículos de imprensa impressa do país, demonstra aqui, com exemplos, o que é ter ou carecer destas habilidades.

A história contada de um passado distante mostra pouca coisa, também, quem foi Lula dentro dela. Saber como um profissional da imprensa, como protagonista, lidou com os desafios de cobrir acontecimentos adversos em uma época em que o rito democrático era uma novidade, é algo instigante. E toda essa *expertise*, claro, é muito diferente do trabalho de um "postador" ou reprodutor de conteúdos aleatórios e "certezas políticas" em redes sociais. "A internet deu voz aos imbecis", disse Umberto Eco. A liberdade de expressão nas redes sociais foi extravazada em conteúdos insidiosos, virulentos e sem qualquer compromisso com nada. Sem mediação especializada, plataformas virtuais se tornaram inimigas do saber científico, das técnicas de apuração e da exposição de dados. Com a intenção de forjar "novas realidades" — portanto, longe de regras habituais —, estrategistas, mercenários, desocupados, alienados e todo tipo de "espírito de porco" passaram a operar como disseminadores de *fake news*.

Além de desinformar uma população malformada, com baixa cultura política, desiludida e um tanto incapaz de distinguir verdades de mentiras, operadores das narrativas *fake* trilharam o caminho do assassinato de reputações, provocando, assim, significativos danos à democracia, ao "desinformar" em detrimento de informar. A principal diferença entre a imprensa — como mediadora principal da política com a sociedade — e os comunicadores de redes sociais é que a imprensa sempre foi parte de um jogo em que todos sabiam as regras. Já no caso dos comunicadores digitais, não havia regras para eles, o que significa que, independentemente do que fizessem, não seriam punidos.

Demorou para que a justiça brasileira tomasse medidas contra a disseminação de conteúdos falsos e depreciativos no ambiente digital. Apenas no ano de 2018 — portanto, oito anos depois de as campanhas políticas digitais começarem a ser realizadas em larga escala no Brasil —, é que foram tomadas medidas jurídicas, com a finalidade de impedir procedimentos comunicacionais antiéticos. Nesse ano, entrou em vigor a Lei Geral de Proteção de Dados (Lei n°. 12.965/2018), atribuindo novas responsabilidades aos profissionais da comunicação digital e visando preservar, dentre outras coisas, a liberdade de expressão, a privacidade e o direito à imagem, dispondo sobre como informações pessoais poderiam ser coletadas e tratadas. As medidas, no entanto, levariam até 18 meses para serem implementadas, o que possibilitou a continuidade da ação errática de estrategistas digitais durante as eleições 2018.

Não menos importante, em 2018, o Tribunal Superior Eleitoral (TSE) lançou uma cartilha explicando as regras para as campanhas digitais: foram permitidas propagandas em plataformas *online*, *sites* dos candidatos, partidos ou coligações, blogs, redes sociais e *sites* de mensagens instantâneas. O investimento para obter destaque em *sites* de busca, por meio de "palavras-chave", também foi permitido. Todos os investimentos realizados nas campanhas digitais deveriam constar na prestação de contas dos candidatos. As proibições recaíram sobre as propagandas em *sites* de pessoas jurídicas, oficiais ou hospedados por órgãos da administração pública, além de proibida a venda de cadastros de endereços eletrônicos. Outro ponto é que a Justiça disciplinou o impulsionamento de conteúdo nas redes (quando o candidato paga para aparecer mais no *feed* das plataformas), além de vetar o uso de robôs para inflar o interesse em temas políticos. Para evitar a propagação de conteúdos difamatórios, juízes eleitorais foram autorizados a retirar do ar conteúdos falsos e fornecer direito de resposta aos ofendidos, além de proibir a divulgação de notícias por meio de perfis falsos.

Ocorre que, antes de existirem essas regras, o ambiente digital já estava tomado por comunicadores, estrategistas e *outsiders* construtores dos novos modelos de narrativas políticas que dispensavam a apuração jornalística. Eleito em 2018, o presidente Jair Bolsonaro utilizou o espaço das redes para fazer sua campanha pautada no lavajatismo[7] e no sentimento antipetista, assim como na desconfiança que recaía sobre o sistema democrático, suas instituições e seus procedimentos. A questão que se coloca aqui é que, nos estudos políticos científicos sobre a qualidade da democracia, a falta de confiança nos três poderes já era uma das mais elevadas entre os brasileiros, muito antes do lavajatismo, do antipetismo ou do bolsonarismo[8]. Essa desconfiança foi construída em décadas, conforme expõem os dois volumes de "*Trapaça*".

A realidade mostra que a história da democracia brasileira é marcada por atos de corrupção, alienação e injustiças, apesar de todos os mecanismos criados para evitar e punir estes desvios. Por esse motivo, absolutamente todos os presidentes eleitos por meio do voto direto utilizaram o mesmo argumento de "tornar a política mais limpa": foi assim com Collor, por meio do discurso de romper com "a velha política" e "caçar marajás"; com Itamar, "o impoluto", quando assumiu a Presidência depois da queda de Collor; com FHC, "o intelectual limpo e bem preparado"; com Lula da Silva, o "homem do povo" que adotara o discurso do "nós contra eles"; com Dilma Rousseff, que ganhou no primeiro mandato o apelido de "faxineira", por eliminar diversos ministros de seu governo; com Temer, que assumiu a Presidência com a queda de Dilma — Temer, para alguns, parecia trazer salvação imediata ao país, depois de descobertos inúmeros casos de corrupção durante

---

[7] Movimento surgido a partir da "Operação Lava-Jato", da Polícia Federal, iniciada em 2014, que trata de um conjunto de investigações sobre lavagem de dinheiro e propina para políticos diversos, de diferentes partidos. O PT, no entanto, foi o partido mais atingido pelas investigações, porque ocupava o poder havia mais de 12 anos quando a Operação entrou em vigor. Dentre os envolvidos, além de políticos, estavam doleiros, empresários, diretores de empresas, como a Petrobras e empreiteiras, bem como servidores públicos.

[8] Quem tiver mais interesse pelo tema, basta buscar artigos do cientista político José Álvaro Moisés, da Universidade de São Paulo.

os governos petistas; e foi assim com Jair Bolsonaro, que prometia "acabar com tudo isso aí".

E assim como Bolsonaro, muitos *outsiders* foram eleitos com o mesmo discurso de "tornar a política mais limpa", utilizando para isso as mesmas plataformas de comunicação digital. O grande problema é que boa parte das novas lideranças eleitas em 2018 passou a desprezar o bom jornalismo, sobretudo o presidente da República eleito, que atualmente promove a maior "caça às bruxas" aos jornalistas. E por que ele faz isso? Simplesmente porque despreza as regras democráticas e não se permite ser fiscalizado. Já a narrativa de Bolsonaro e *outsiders* para conquistar o poder criticando as instituições políticas foi, no entanto, controversa, uma vez que todos precisaram delas para se candidatar *(a propósito, aquele que "desdenha do que quer comprar" é um grande trapaceiro)*. O mais controverso é o próprio Bolsonaro que, mesmo depois de eleito, passou a utilizar o poder adquirido para atacar, também, os poderes Legislativo e Judiciário, além de desrespeitar a Constituição Federal, enaltecendo torturadores da Ditadura Militar.

Por tudo o que já foi exposto até o momento sobre o histórico de corrupção das instituições públicas brasileiras, e sendo bastante razoável, é possível compreender algum sentido na aversão que muitos bolsonaristas possuem por essas mesmas instituições. Não que isso justifique, por si só, demandas bolsonaristas recentes pelo fechamento das casas legislativas, por meio de ações orquestradas na internet — o que vimos ocorrer com frequência no ano 2020. O eventual fechamento, supomos, seria uma das ações mais antidemocráticas da história política brasileira. Todavia, a escalada do autoritarismo continua, sobretudo porque a Justiça não tem tomado medidas muito mais efetivas quanto a essas manifestações. As instituições estariam, afinal, funcionando? Qual a porcentagem de efetividade elas conseguem obter?

Atualmente, o governo Bolsonaro é investigado por possuir um "gabinete do ódio", supostamente instalado no Planalto, de onde são espalhadas informações depreciativas sobre o sistema e as instituições políticas, o conhecimento científico, outras lideranças e a imprensa. Não obstante, em 2020 foi instalada a CPMI das Fake News para investigar "os ataques cibernéticos que atentam contra a democracia e o debate público, a utilização de perfis falsos para influenciar os resultados das eleições de 2018; a prática de *cyberbullying* sobre os usuários mais vulneráveis da rede de computadores, bem como agentes públicos; e o aliciamento e orientação de crianças para o cometimento de crimes de ódio e suicídio", de acordo com informações do *site* do Senado Federal, em abril de 2020. O mais interessante é que investigações primárias sobre as ilicitudes cometidas no ambiente digital durante as eleições de 2018 partiriam de ninguém menos que uma jornalista, Patrícia Campos Mello, do jornal *Folha de S. Paulo*. Apesar de ser premiada e reconhecida internacionalmente pelo bom trabalho jornalístico, Patrícia foi fatalmente hostilizada nas redes durante meses seguidos por apoiadores do presidente Jair Bolsonaro.

É possível que Luís Costa Pinto conte, no Volume III de "*Trapaça*", os principais acontecimentos políticos da primeira década dos anos 2000, mas, caso decida se estender um pouco mais na história pós-*impeachment* de Dilma, deverá incluir os embates supracitados. Particularmente, pude desenvolver um pouco mais o tema da "trapaça virtual", porque a época da "Internet política" eu de fato vivi, além de trabalhar com e pensar sobre o assunto. Desse modo, minha intenção aqui foi a de ofecerer ao leitor uma reflexão mais apurada sobre como o presente político se liga ao passado político no vai e vem do regime democrático. Não que a democracia seja um primor, mas ainda é o melhor arranjo de que dispomos em busca de uma sociedade mais equilibrada e distante de poderes autoritários. De modo geral, o que devemos nos perguntar é o quanto a democracia pode ser aperfeiçoada, apesar dos defeitos intrínsecos do tipo brasileiro — e como aperfeiçoá-la nos despindo de hipocrisias, já que o "politicamente correto" é um projeto de poder assustador!

Ademais, gostaria de chamar a atenção para o fato de termos avançado democraticamente, apesar dos percalços. O leitor perceberá neste livro que todos os personagens políticos citados por Lula são homens. Na década de 1990, o poder foi preponderantemente masculino. Hoje a situação é outra e as mulheres têm cada vez mais participado da política institucional. A criação da regra para que partidos apresentem 30% de candidatas mulheres a cada eleição é uma conquista. Podemos pensar que 30% ainda é pouco, todavia, mostra os avanços que podem ser realizados. O mesmo vale para outros grupos subrepresentados, que cada vez mais conquistam espaço na política institucional. Essas novidades, talvez, tragam mudanças positivas, sobretudo se os(as) novos(as) líderes não se lambusarem no poder, conforme fizeram lideranças de décadas anteriores. O saldo disso tudo veremos no futuro.

Por fim, destaco a delicadeza com a qual Costa Pinto escreve partes de sua vida afetiva, como os casamentos, o nascimento e o cuidado das filhas e do filho. É preciso ter coragem para tratar de assuntos complexos com naturalidade. Você, leitor, percebará que os temas e demandas do coração jamais serão inacabados, assim como as demandas democráticas. Tudo faz parte de um grande processo. E tudo pode ser aperfeiçoado.

(*) Jornalista.
Abril de 2020.

Índice onomástico

A

Abbot, Maria Luiza 263, 264

Abrão 253, 256

Abrão, Pedrinho 250, 251, 252, 254, 255, 257

Abruccio, Milton 320, 323, 370

ACM 167, 185, 198, 199, 200, 260, 265, 267, 268, 295, 297, 337, 365

Adam 103

Affonso, Arnon 226

Affonso, Paulo 260, 261, 263

Afonso, José 187

Agripino, José 198

Alcântara, Eurípedes 284

Aleluia, José Carlos 296

Alencar, Kennedy 156

Altman, Fábio 292

Alvarenga, Tales 46, 77, 204

Álvares, Élcio 123

Alvarez, Regina 263, 264

Alves, João 86, 87, 88, 90, 92, 93, 198

Alzugaray, Domingo 291

Amado, Jorge 15

Amaral, Ricardo 292

Ana (Tavares) 328

Andrade, Paes de 67, 69, 70, 71, 72, 161, 173, 178, 183, 199, 259, 261, 264, 265, 266, 267, 306, 309

Andrade, Patrícia 10, 60, 61, 64, 178, 219, 370

Andrade, Sérgio 326, 336

André (Lara Resende) 346, 348, 353

Antônio, Marco 49

Aparecido, José 126, 127, 129

Aquino, Ruth de 240

Arida, Pérsio 98, 317, 322, 327, 337, 345, 346, 352, 355

Arraes 262, 263

Arraes, Miguel 50, 261

Arruda, José Roberto 365

Assumpção, José Affonso 192, 194

Attuch 157

Attuch, Leonardo 156, 370

Augusto 190, 191, 195, 217, 222, 223, 232, 234, 245, 304, 321, 323

Auler 241

Auler, Marcelo 239, 240, 241

B

Bacha, Edmar 98, 157

Bárbara 175, 183, 184, 262, 300, 320, 363, 364

Barbosa, Lázaro 74

Barros, Guilherme 292, 312, 315, 316, 318, 319, 321, 333,

357/358, 360, 365

Barros, José Roberto Mendonça de 347, 356

Barros, Luiz Carlos Mendonça de 316, 319, 326, 332, 334, 339, 344, 347, 355, 356

Barros, Mendonça de 317, 321, 322, 327, 330, 332, 334, 335, 336, 337, 338, 340, 341, 342, 345, 347, 350, 351, 352, 354, 355

Bassermann, Sergio 348

Bastos, Jorge 212

Bastos, Márcio Thomaz 310, 311, 314, 315

Batman 90, 92

Beirão, Nereide 154

Belém 105

Belém, Raul 53, 55, 56, 104

Belson 149

Bené (Roberto Benevides) 331

Benevides 293, 305, 315, 328, 331

Benevides, Carlos 87

Benevides, Mauro 87

Benevides, Roberto 286, 292, 304, 331

Berardi, Sérgio 351

Bergamo, Mônica 170, 174, 370

Bernardes, Ernesto 292

Beto 348, 349

Bezerra, Zila 269

Bilachi, Jair 344, 345, 351

Bisol 111, 112, 113, 114, 116, 117, 120, 156

Bisol, José Paulo 109, 115, 118, 119, 150

Bolsonaro 13, 382

Bolsonaro, Jair 11, 112, 126, 381, 381, 383

Bond, James 329

Bonfim, José Carlos 227

Boone, Daniel 181

Borges, Jorge Luis 15

Borges, José Pio 343, 356

Borges, Pio 334, 344, 351

Bornhausen, Jorge 339

Bouchardet, Mário 96

Braga, Saturnino 29, 30

Braga, Ugo 329

Bragança, Luís Augusto 363

Branco (lateral da seleção brasileira) 147, 148

Breda, Maurício 245

Brígido, Chicão 269

Brindeiro, Geraldo 278, 330

Brizola, Leonel 30, 50, 133

Brossard, Paulo 29

Buarque, Cristovam 289

Bueno, Galvão 140, 302

Bulhões, Geraldo 62, 226

C

Cacciola 361, 362

Cacciola, Salvatore 360

Caco (filho de Alzugaray) 291

Cafuringa 40

Calheiros, Renan 198

Calliari, Alcir 58

Cals 237

Cals, César 236

Camargo, Affonso 62

Camarotti, Gérson 170, 275, 276

Cameli, Orleir 269, 270

Campos 263

Campos, Eduardo 261, 262, 302

Campos, Roberto 198

Canhedo, Wagner 226

Cardoso, Alberto 321, 322, 334

Cardoso, Fernando Henrique 10, 17, 32, 36, 37, 40, 41, 73, 75, 98, 124, 125, 133, 134, 137, 145, 157, 159, 167, 169, 184, 185, 194, 195, 212, 216, 278, 289, 293, 305, 306, 322, 324, 333, 355, 357, 361, 366, 367, 371, 372

Cardoso, Paulo Henrique 186, 216
Cardoso, Ruth 291, 296
Carlos, Antônio 185, 198, 200, 295, 296, 297, 365
Carlos, Luiz (Mendonça de Barros) 345, 346
Carneiro, Dirceu 21, 42
Carneiro, Nelson 123
Carola 348
Carta, Mino 273
Carvalho (família) 240
Carvalho, Clóvis 98, 157, 321, 335
Carvalho, Olavo de 304
Casado 302, 323
Casado, José 292, 301
Castro, José de 40, 53, 55, 68, 69, 73, 127
Castruci 342
Cavalcanti, Luiz Otávio 22
Célia, Vanda 301
César, Júlio 187, 189, 190, 191, 192, 340
César, Paulo 220, 221, 222, 227, 232, 238
Chagas, Helena 224, 370
Cheidde, Felipe 95
Chelotti, Paulo 189, 193, 194, 195, 197
Chelotti, Vicente 193, 322, 330, 356
Chitãozinho e Xororó 12
Churchill, Winston 30

Civita 173
Civita, Roberto 195, 196, 197, 207, 284, 294, 303
Cleucy 62
Coimbra, Marcos 30
Colleoni, Fernando 230
Collor 21, 26, 30, 31, 33, 35, 39, 42, 48, 50, 51, 53, 60, 62, 63, 64, 65, 66, 82, 86, 95, 100, 133, 160, 170, 214, 215, 216, 217, 225, 226, 227, 229, 234, 235, 272, 325, 327, 372, 373, 374, 381
Collor, F. 63
Collor, Fernando 16, 30, 31, 37, 40, 42, 48, 51, 62, 63, 64, 86, 95, 96, 99, 119, 125, 126, 138, 160, 167, 190, 214, 225, 226, 228, 229, 234, 250, 272
Collor, Leda 30
Collor, Leopoldo 311, 356
Collor, Pedro 10, 64, 160, 171, 214, 217, 228, 229, 262
Collor, Rosane 62, 227
Comerato, Jorge 49
Conti, Mário Sérgio 41, 46, 85, 94, 101,

103, 157, 204, 218, 227, 370
Correa, Genebaldo 91, 99
Corrêa, Jack 309
Correa, Marco Sá 240
Correa, Maurício 22, 30, 32, 33, 34, 37, 40, 41, 42, 47, 68, 84, 126, 129, 130, 132
Costa e Silva (ex-presidente) 134
Costa, Alexandre 38
Costa, Hélio 30
Costa, Lúcio 131
Coutinho, Lafayette 356
Covas 113, 115, 139, 297, 310, 311, 313, 314, 319
Covas, Mário 35, 97, 111, 112, 116, 118, 136, 296, 306, 309, 312, 321, 324, 338
Cristina 65, 66, 69, 102, 133, 143, 144, 161, 170, 175, 177, 178, 179, 183, 185, 262, 363
Cristovam 290
Culpôncio 89, 285
Cunha, Eduardo 325, 326,
Cunha, Paulo 27, 33, 35, 68, 169

D

D'Araújo, Caio Fábio 310, 310/311
Dahl 370
Dal Bosco, Silvânia 54, 143, 174
Daniel (Dantas) 341, 345
Dantas, Daniel 317, 322, 327, 337
De Gaulle, Charles 105
Delfim 204
Dias, Cícero 214
Dilbert 283
Dilma 383
Diniz, Waldomiro 99, 100, 101/102, 104
Dirceu, José 97, 140, 141, 142, 309, 310
Dirceu, Zé 156
Djanira 214
Dupeyrat, Alexandre 47, 68
Durante, Mauro 32, 40, 42, 43, 53, 55, 56, 57, 68, 73, 126, 128, 146, 147, 149
Dutti, Sérgio 329

E

Eco, Umberto 379
Eduardo 87, 88, 107, 138, 139, 147, 148, 158, 159, 162, 205, 233, 242, 243, 262, 328
Eduardo, Luís 115, 167, 186, 200, 265, 276, 292, 298, 306
Eliane 61, 65
Elio 207, 315
Eliseu 74
Emílio, João 41, 47
Ermírio 36
Erundina, Luíza 74
Espinosa, José Carlos (Espina) 289
Evelin, Guilherme 364
Expedito 42, 87, 138, 139, 158, 326, 328

F

Falcão, João Emílio 40, 46/47
Farias (família) 217, 220, 221, 222, 228, 238
Farias (irmãos) 14, 15, 223, 232, 238, 245
Farias, Augusto 221, 226, 227, 228, 245
Farias, Cláudio 217
Farias, Elma (esposa de PC) 221, 229
Farias, Gilberto 15
Farias, Luiz Romero 217, 225, 226, 227
Farias, Paulo César 66, 213, 214, 218, 221, 224, 225, 226, 227, 228, 230, 234, 244, 245
Farias, PC 14, 15, 16, 96, 97, 215, 218, 219, 220, 223, 225, 226, 229, 230, 234/235, 238, 375
Feffer, Max 169
Fernandes, Maria Cristina 292
Fernandes, Rodolfo 241, 273
Fernando 10, 161, 167, 168, 204, 213, 216, 217, 228, 230, 272, 294, 313, 314
Ferrari, Mássimo 206
Ferreira, José de Castro 32, 34, 73
FH 74, 98, 124, 133, 134, 135, 138, 139, 145, 151, 157, 162, 170, 184, 185, 189, 195, 212, 244, 255, 259, 260, 264, 266, 267, 268, 278, 294, 265, 317, 319, 333, 334, 335, 336, 339, 353, 354, 357, 363
FHC 41, 372, 375, 377, 381
Figueiredo, João (ex--presidente) 44, 50
Filgueiras, Sônia 197, 199, 201, 203
Filho, Expedito 41, 46, 54, 77, 107, 137,

157, 189, 204, 324, 325

Filho, José Paulo Cavalcanti 22

Filho, Luís Viana 29

Filho, Luiz Antônio Fleury 35

Filho, Osiris Lopes 76, 145, 146, 150

Filho, Otávio Frias 286, 287

Filho, Reinaldo Correia de Lima 244

Fiúza 120

Fiúza, Ricardo 87, 106, 107, 108, 119

Fleury 27

Flores 33

Flores, Mário César 32, 112

Fonseca, Augusto 189, 190, 191, 195, 197

Fonseca, Deodoro da 63

Fonseca, Hermes da 126

Forte, Danilo 71

Fraga, Armínio 361

França, Eriberto 190, 191

Francisco, Joaquim 23, 26, 198, 226

Franco, Gustavo 154, 357, 358, 359, 360

Franco, Itamar 10, 21, 29, 31, 37, 38, 40, 42, 46, 49, 53, 56, 60, 67, 72, 73, 77, 105, 106, 110, 115, 117, 118, 124, 126, 128, 130, 132, 135, 145, 147, 157, 371, 372

Franco, Itamar Augusto Cautiero 27, 56

Franklin 220, 255, 258, 274, 276

Freire, Marcos 29

Freire, Roberto 38

Freitas 243

Freitas, Ailton de 220, 233, 242

Freitinhas 233, 242, 243

Freyre, Gilberto (casa) 64, 65

Frias (família) 282, 283, 285

Frias, Otávio 286

Friedlander 362

Friedlander, David 361

Fritsch, José 201, 202

Fritsch, Winston 98

G

Gabriel, Almir 338

Galvão, Queiroz (construtora) 86

Gama e Silva, Luís Antônio da 134

Gama, Benito 97, 100, 103, 257

Gandra, Mauro 194

Garcia, Alexandre 155

Garcia, Marco Aurélio 155, 288

Garófalo, Emílio 67

Garotinho, Anthony 310

Garrincha 90

Gaspari, Elio 88, 204, 206, 215, 220, 255, 293, 314, 370

Genius 182

Genoino, José 97, 111, 112, 115, 118, 170, 257

Gilberto, Carlos 221, 238

Góis, Ancelmo 171, 172

Goldman, Alberto 173, 183

Gomes, Ciro 135, 136, 137, 157, 305

Gomes, Severo 49, 51, 52

Gonçalves, Luiz Antônio 360, 362

Gordinho 139

Goulart, João 50, 115, 187, 282

Graziano 294, 330

Graziano, Francisco 340

Graziano, Xico 190, 195, 196, 197

Greenhalgh 276

Greenhalgh, Laura 292, 298, 299, 313

Greenhalgh, Luís Eduardo 274/275, 276, 277

Grossi 85

Grossi, José Gerardo 83, 84

Guazelli, Sinval 67, 70

Guilherme 313, 317, 323, 358, 359, 364, 366

Guimarães, Ulysses 48, 49, 51, 71

Gustavo 25, 90, 91, 93

Gutierrez, Andrade (construtora) 86, 194, 250, 251, 254, 326, 336, 350

H

Haddad 46, 47, 59, 67

Haddad, Jamil 39, 40

Haddad, Paulo 27, 34, 38, 45, 58, 60, 66, 67, 68

Hargreaves 37, 47, 148

Hargreaves, Henrique 32, 40, 42, 68, 73, 87, 106, 119, 147

Henrique, Fernando 34, 35, 41, 73, 74, 75, 76, 77, 98, 133, 135, 136, 137, 138, 145, 149, 150, 151, 153, 154, 155, 156, 157, 158, 159, 161, 162, 173, 176, 184, 185, 186, 187, 189, 190, 191, 195, 204, 207, 212, 216, 244, 249,

255, 263, 265, 267, 268, 272, 278, 291, 295, 296, 297, 298, 303, 309, 310, 311, 314, 317, 321, 322, 324, 327, 333, 334, 335, 337, 338, 340, 353, 356, 357, 359, 360, 362, 367, 375

Henriqueta, Maria 49

Hermès 225

Hitler, Adolf 30

Hoff, Jeffrey 229

I

Iberê 25, 45

Iberê, Carlo 26, 44,

Ibsen 101, 120, 373

Inácio, Luiz 289

Ingrid (filha de PC) 221, 227, 234

Inocêncio 90, 285

Irineu, Roberto 274

Itamar 22, 25, 26, 27, 28, 29, 30, 31, 32, 33, 34, 35, 36, 37, 38, 39, 42, 43, 45, 47, 48, 49, 53, 55, 56, 57, 58, 59, 60, 62, 63, 66, 67, 68, 69, 70, 71, 73, 74, 75, 76, 77, 78, 87, 104, 105, 106, 110, 115, 125, 126, 127, 128, 129, 130, 131, 132, 148, 149, 154,

171, 372, 376, 377, 381

J

Jaguaribe, Cláudia 347

Jane 97

Jatene, Adib 39, 40

Jefferson, Roberto 62

Jereissati 322, 338

Jereissati, Carlinhos 341

Jereissati, Carlos 317, 322, 326, 337, 338

Jereissati, Tasso 36, 69, 135, 136, 137, 306, 317, 335

JK 50

Joaquim 25

Jobim 160

Jobim, Nelson 84, 97, 111, 112, 115, 117, 118, 123, 124, 159, 189, 193, 195, 321, 356

Jorge, Eduardo 321, 328, 335

Josias 283, 286

Jr., Carlos Alberto 329

Jr., Policarpo 81, 82, 83, 85, 86, 94, 97, 189, 195, 240, 361

Juarez 89, 93

Júlia 182, 184, 204, 272, 320

Júnior 81, 82, 83, 85, 87, 93, 94, 95

Júnior, Jota 82
Júnior, Policarpo 54

K
Kamel, Ali 219
Kandir, Antônio 226
Kotscho, Ricardo 9, 156, 282, 288, 370
Kramer, Dora 349
Krause 23, 26, 40, 46, 47, 58, 250, 256
Krause, Gustavo 22, 44, 45, 58, 59, 66, 89, 249, 252, 255
Kubitschek, Juscelino 50, 83, 137, 146, 328

L
Lacerda, Carlos 50, 194
Lacerda, Paulo 234, 239, 241
Lago, Rudolfo 14, 223, 224
Laila 108
Lampreia, Luiz Felipe 76
Landim, Pinheiro 251, 253, 254, 257
Langoni 351
Leão, João 251, 252
Leitão, Míriam 343
Leite, Paulo Moreira 102, 103, 141, 204, 206, 207, 370
Leopoldo 160, 311
Letaif 293

Letaif, Nélson 292, 315
Letícia, Marisa 309
Lima, Agripino 284
Lima, Osmir 269
Lincoln 345
Lisle 53, 55, 56
Lofrano, Ana Elizabeth 82, 83, 85, 98
Lopes, Chico 98, 359, 360, 361, 363, 364, 365
Lopes, Francisco 359, 365, 366
Lopes, Tim 172, 240
Loyola, Gustavo 186
Lucena, Humberto 54
Lucena, Lisle 54
Lucena, Zenildo 115, 118
Luciana 31
Luciano 174
Luís 56, 256, 294
Luíza, Ana 160, 161
Lula (ex-presidente) 35, 37, 38, 39, 40, 47, 113, 118, 125, 136, 138, 139, 143, 150, 151, 156, 157, 190, 289, 304, 305, 309, 310, 312, 314, 319, 357, 375
Lula (Luís Costa Pinto) 9, 10, 11, 15, 24, 25, 52, 56, 88, 89, 91, 101, 102, 103, 108, 110, 112, 113, 115,

119, 138, 139, 140, 156, 158, 162, 167, 172, 177, 187, 196, 199, 200, 214, 219, 221, 222, 233, 241, 258, 266, 286, 288, 289, 290, 298, 301, 305, 311, 312, 313, 314, 319, 321, 369, 370, 378, 379, 383
Lulinha 102, 130, 156, 240, 241, 243, 256, 289, 294, 296, 301, 311, 365

M
Maciel, Marco 118, 278, 294, 295, 339
Maciel, Roberto Carlos 227
Magalhães, Antônio Carlos 97, 167, 170, 187, 197, 199, 200, 260, 265, 267, 272, 298, 335, 336, 339, 356, 364
Magalhães, Geraldo 97
Magalhães, Luís Eduardo 9, 97, 111, 117, 118, 170, 185, 198, 255, 256, 257, 260, 268, 274, 275, 294, 295, 296, 297, 305
Magalhães, Luís Eduardo 9, 97, 111, 117, 118, 170, 185, 198, 255,

256, 257, 260, 268, 274, 275, 294, 295, 296, 297, 305

Magalhães, Roberto 96, 110, 115, 117, 118

Maia, João 269, 270, 271, 278

Maia, Lovoisier 236, 237

Malan, Pedro 98, 157, 167, 321, 326, 360, 366/367

Maluf 135, 204, 258, 273, 311

Maluf 261

Maluf, Paulo 35, 244, 249, 252, 259, 260, 265, 306, 309, 319, 356, 375

Malvina 146, 149

Marcelo 15, 223, 224

Marcolino, Suzana 230, 231, 244

Maria, José 293

Mariani, Pedro 169

Marinho (família) 51, 205, 240, 263, 274, 283

Marinho, João Roberto 318, 319, 332

Marinho, Roberto 51, 68, 274

Marinho, Roberto Irineu 323

Mário 104, 158, 172, 189, 313

Márquez, Gabriel García 15

Martino, Jerry de 352

Martins, Belson 148

Martins, Franklin 170, 205, 211, 218, 219, 241, 254, 257, 263, 273

Martins, Oswaldo 312

Mauro 47, 129, 147

Meditsch 293

Meditsch, Jorge 292

Meirelles, Andrei 199

Meirelles, Henrique 303

Melanias, Rosinete 227

Mello, Arnon de 228, 160

Mello, Collor de (irmãos) 161

Mello, Fernando Affonso Collor de 63

Mello, Fernando Collor de 21, 30, 311, 372

Mello, Jorge Bandeira de 215

Mello, Maria Thereza Pereira de Lyra Collor de 160

Mello, Patrícia Campos 383

Mello, Zélia Cardoso de 82, 214, 226

Melo, Jorge Bandeira de 215, 227, 348, 349

Mendes, Amazonino 269

Mendes, Daniela 168, 170, 174, 183

Mendonça (de Barros) 328, 331, 356

Mercadante 110, 116

Mercadante, Aloizio 109, 111, 115, 118, 150, 155, 326, 338

Merval 211, 257, 273, 323

Messias 232

Milgram, Stanley 96

Milton 321, 324, 328

Mino 281

Miranda, Gilberto 192, 229, 326

Miro 115, 118, 199

Modiano, Eduardo 350

Monforte 152

Monforte, Carlos 36, 151, 155

Mora (esposa de Ulysses) 48, 52

Moraes, Antônio Ermírio de 35

Moraes, Vinicius de 27

Moreira 91, 252

Moreira, Alfredo 250, 251, 256

Moreira, Cid 66, 99

Moreira, Marcílio Marques 44, 82, 86

Moreno 53, 206, 212, 213

Moreno, Jorge Bastos 52, 199, 200, 211, 257, 360

Mori, Rogério 356

Motta 257, 295

Motta, Adylson 111, 118, 256

Motta, Sérgio 135, 136, 137, 195, 196, 197, 259, 268, 293, 296, 297, 305, 310, 317, 322, 324, 367

Munhoz, Dércio Garcia 59

N

Nassar 293, 299, 305, 315, 316, 318, 321, 323, 328, 332

Nassar, José Roberto 286, 292, 304, 319, 331

Naya, Sérgio 290, 376

Neto, Geneton Moraes 36

Neto, Luiz Calheiros 229

Neto, Waldemar da Costa 127

Netto, Delfim 39, 203

Neves, Cláudio 342

Neves, Tancredo 27, 29, 35, 50, 109

Niemeyer 182

Niemeyer, Oscar 131, 159, 181, 212

Novaes, José Roberto 67

Novaes, Luiz Antônio 218

Nunes, Augusto 303, 304, 305, 321, 323, 327, 328, 331

O

Obelix 181

Odebrecht, Emílio 169

Odebrecht, Marcelo 120

Odebrecht, Norberto 69

Oinegue 41, 84, 87, 89, 141, 159, 162, 206

Oinegue, Eduardo 24, 46, 53, 83, 99, 107, 137, 138, 146, 149, 171, 204, 205, 370

Oliveira, Edmundo Machado de 292

Oliveira, Eunício 71

Oliveira, Inocêncio 88, 93, 94, 95, 260, 271, 284, 339

Oliveira, Luiz Estevão de 62

Oliveira, Mário Eugênio de 81, 82

Oliveira, Otávio Frias 285

Oliveira, Ricardo Sérgio de 317, 322, 327, 334, 341, 356

Orefice, Guido 179

Osiris 147, 148, 149

Osmir 271

Oswaldinho 312, 313

Ota, Lu Aiko 54

Otávio 287, 288

Otávio, Luiz 25, 26

Otávios (pai e filho) 282, 284

P

Padilha, Eliseu 278

Pádua, Guilherme de 62

Paes 184

Palhares, Badan 233

Palhares, Fortunato Badan 231

Parente, Pedro 326

Parga, Bello 366

Parreira, Carlos Alberto 147

Passarinho 111, 118

Passarinho, Jarbas 29, 96, 110, 111, 113, 114, 115, 116, 117

Pastore, Affonso Celso 152

Patrícia 65, 66, 67, 69, 70, 71, 119, 132, 142, 143, 144, 161, 173, 174, 177, 183, 184, 185, 188, 199, 201, 202, 203, 204, 266, 272, 282, 289, 290, 291, 297, 300, 309, 320, 383

Patury 175, 185

Patury, Felipe 168, 169, 170, 201, 370

Patury, Luiz Romero 168

Paul, Gustavo 54, 88, 90, 91, 92, 93

Paulinelli, Alysson 198
Paulinho (filho de PC) 221, 234
Paulo (Moreira Leite) 205
Paz, Campos da 92
PC 14, 15, 16, 32, 43, 47, 60, 62, 65, 95, 99, 100, 115, 119, 213, 214, 215, 216, 217, 218, 219, 220, 221, 222, 223, 224, 225, 226, 227, 228, 229, 230, 231, 232, 233, 234, 235, 237, 238, 240, 244, 245
Pedrinho 256
Pedro 31, 160, 161, 217, 228, 272
Pedro II, Dom 63/64
Pedrosa, Mino 189, 190, 191, 195, 197
Pereira, Eduardo Jorge Caldas 335
Pereira, Francelino 34
Pereira, Merval 205, 241, 258, 274, 303
Perez, Daniela 61, 64, 66
Perez, Glória 62
Piauhylino, Luiz 262
Pinguim 90, 92, 93
Pinheiro 256
Pinheiro, Daniela 297, 329, 370

Pinheiro, Ibsen 99, 100, 102, 103, 104, 108, 119, 372
Pinto, Ana Lúcia Magalhães 216
Pinto, Bárbara Vieira de Melo da Costa 171
Pinto, Bilac 95
Pinto, Costa 21, 47, 48, 56, 93, 112, 113, 114, 161, 213, 214, 218, 238, 264, 371, 373, 375, 376, 377, 384
Pinto, Edmundo 229
Pinto, Luís Costa 212, 225, 333, 369, 372, 374, 375, 377, 379, 383
Pinto, Luís Genou da Costa 96
Pinto, Lula Costa 24, 89, 112, 171, 196, 314, 363
Pinto, Magalhães 186, 187
Pinto, Marcos Magalhães 216
Piquet, Nelson 141, 142
Pitta 261, 263
Pitta, Celso 260
Poe, Edgar Allan 194
Pojo, Antônio Carlos 177
Policarpo 55, 82, 84, 87, 88, 89, 362

Pontual, Jorge 292
Portela, Petrônio 29
Procópio, Margarida 86
Przeworski 370

Q

Quadros, Jânio 64
Quércia 22, 27, 34, 35, 37, 38, 39, 258, 265, 296
Quércia, Orestes 29, 36, 133, 259, 261
Quintela 235
Quintella, Rubens 223, 230, 234, 236

R

Rabinovic, Moisés 292
Raimunda (cozinheira de Itamar) 76
Rainha, Renato 276
Ramiro 242
Ramos, Flávio Maurício 227
Ramos, Llilian 127, 128, 129, 130, 131, 132
Ramos, Pedro Paulo Leoni 31
Rech, Marcelo 15, 16, 223
Reis, Ailton 109, 119
Renato, Paulo 296, 335
Requião, Roberto 261, 263, 264
Resende 74

Resende, André Lara 98, 317, 322, 326, 327, 328, 334, 337, 347, 356

Resende, Eliseu 69, 70, 72, 73, 75,

Resende, Lara 350, 352, 354, 355

Reutman, Carlos 141

Rezende, Íris 260, 278

Richa, José 136

Ricúpero 156, 157

Ricúpero, Bernardo 156

Ricúpero, Rubens 36, 133, 149, 151, 152, 155

Rigamonte, Marinéia 99

Roberto, João 212, 274, 318, 319, 323

Robespierre 118

Rocca, Carlos 33, 35, 68

Rocha, José Moura 62, 63

Rocha, Leonel 54

Rodolfo 133, 143, 144, 171, 175, 178, 179, 180, 181, 182, 223, 262, 300, 320, 363

Rodrigues, Débora 276, 277

Rodrigues, Fernando 145, 268, 269, 270, 271, 272, 278, 285, 370

Rogério 15, 222

Romano 252, 256

Romano, Paulo 250, 251

Romário 147

Romero, Luiz 15, 168, 218, 221, 223, 234, 238

Ronaldo (jogador) 302

Roriz, Joaquim 198

Rosa, Mário 54

Rosane 43, 374

Rosberg, Keke 141

Rousseff, Dilma 35, 373, 381

Rudolfo 13, 15, 16, 223, 224

S

Sá, Ângelo Calmon de 167, 185, 197

Sá, Calmon de 168, 169, 198

Sá, Xico 243, 370

Salles, Moreira 187, 216

Salles, Walter Moreira 187

Salomão, Luiz Alfredo 68

San Juan, Martha 292

Sanches, Sidney 63

Sanguinetti, George 231

Santiago, Ronivon 269, 270, 278

Santos, Adeildo Costa dos 244

Santos, Alves dos 83, 86, 99, 106

Santos, João 107

Santos, José Carlos Alves dos 82, 84, 85, 87, 88, 89, 91, 92, 94, 97, 98, 105, 373

Santos, José Maria dos 292

Santos, Josemar Faustino dos 244

Santos, Júlio César dos 191, 194, 372

Santos, Júlio César Gomes dos 334

Sarah (hospital) 92

Saraiva, Eduardo 231, 232

Sardenberg, Izalco 292

Sardenberg, Ronaldo 74

Sarney 33, 35, 37, 69, 168, 216

Sarney, José 29, 44, 109, 192, 198, 199, 272, 326, 356, 372

Sayad 69

Sayad, João 68

Scheuer, Luiz Adelar 226

Schumacher, Michael 141

Scola, Ettore 61, 72

Seixas, Sigmaringa 84, 97, 111, 178, 198, 257, 288

Senna 143

Senna, Ayrton 141, 142, 186

Sérgio, Mário 141, 168, 204, 171, 187, 188, 197, 205, 206, 218
Sérgio, Ricardo 342, 346, 347, 350
Serjão 137, 195, 197, 259, 260, 293, 294, 295, 296, 306, 311, 314, 319
Serra 27, 34, 35, 36, 37, 39, 168, 176, 177, 204, 302, 310, 311, 313, 314, 315, 319, 324
Serra, José 22, 33, 35, 38, 97, 136, 145, 159, 167, 176, 203, 296, 301, 310, 314, 324, 325, 359, 364
Shakespeare, William 11
Sigmaringa 112, 115, 116, 117, 118, 178, 289
Silva, Ayrton Senna da 140, 141
Silva, Cláudio Humberto Rosa e 227
Silva, José Geraldo 244
Silva, Luiz Inácio Lula da 36, 133, 244, 288, 311, 356
Silva, Lula da 381
Silva, Marleth 364
Silva, Suzana Marcolino da 221
Silvânia 55, 56, 102

Simon 32, 33, 41, 47, 116, 118
Simon, Pedro 31, 34, 40, 42, 46, 111, 112, 113, 114, 272
Sinatra, Frank 65, 144
Sirotsky 341
Sirotsky, Nelson 340
Soares, Odair 62
Sobrinho, Barbosa Lima 50
Sócrates 200
Soninha 203
Soros, George 361
Souto, Paulo 296
Souza, Helena 226
Souza, Josias de 281, 370
Stepanenko, Alexis 76
Stycer, Maurício 292
Suassuna, Luciano 65, 170, 173, 195
Sun, Adam 102, 104
Suplicy 290
Suplicy, Eduardo 93, 289, 332
Suplicy, Martha 311
Suruagy, Divaldo 235, 236, 237, 245, 261, 375
Suzana 222, 229, 230, 234, 238, 240

T

Taffarel 302
Tales 77, 205, 206
Tancredo 28, 35

Tasso 37, 39
Tavares, Ana 162, 168, 189, 265, 266, 321
Távola, Arthur da 136
Teixeira, Miro 84, 97, 111, 112, 117, 198, 200, 257, 275, 332
Teixeira, Ricardo 147, 148, 150
Temer 381
Temer, Michel 35, 260, 265, 267, 268
Thereza 160, 161, 217
Thomaz, Paula 62
Tinoco 33
Tinoco, Carlos 32
Toledo, Roberto Pompeu 89, 285
Toller, Paula 327
Travolta, John 132
Trento, Jácomo 229
Trevisan, Dalton 364
Trindade, Eliane 60, 64, 174, 370
Tuma, Romeu 366

U

Ulysses 50, 52, 53

V

Valdo 225
Vanzolini, Paulo 68
Vargas, Getúlio 50, 62, 187, 194
Vergeiro, Ênio 298, 299, 316

Viana, José (coveiro) 228, 229

Viana, José Eduardo 228

Viana, Mozart 140

Vieira, Anco Márcio Tenório 171

Vieira, Andrade 74

Vieira, Cláudio 227

Vieira, José Eduardo Andrade 73

Vilela, Teotônio 29, 228

Villeneuve, Gilles 141

Vitale, Paulo 292

W

Waack, William 292

Z

Zenildo 117

Zidane 302

Zila 271

Zilda 70

Zilda, Dona 64, 65

Zildinha (dona) 71, 184, 309

Leia também:

Trapaça: Saga política no universo paralelo brasileiro
Vol. 1 Collor

Pela primeira vez o jornalista Luís Costa Pinto – que há quase 30 anos deu início ao processo que resultou na queda do presidente Fernando Collor – revela os bastidores de uma investigação dramática, num tempo em que nem a Polícia Federal nem o Ministério Público estavam aparelhados para cumprir com o papel que exercem hoje. *Trapaça – Volume 1 – Collor* é o primeiro de quatro livros da saga que pretende contar, em ritmo de thriller policial e literário, os bastidores do poder no Brasil ao longo de três décadas, da ascensão e queda de Collor aos dias de hoje. Essa história começa em maio 1992, quando o Brasil viu sua jovem democracia ser consolidada pela eleição e em seguida pelo processo de impeachment de Fernando Collor. O primeiro presidente eleito no país depois de 21 anos de ditadura foi cassado com base num processo de investigação iniciado e conduzido pela imprensa. O irmão do presidente da República, Pedro Collor, revelou esquemas de corrupção do governo numa entrevista bombástica ao jornalista Luís Costa Pinto, então com apenas 23 anos e uma determinação intensa para a investigar os fatos. Depois, o motorista que servia à família presidencial conduziu parlamentares de uma CPI a documentos que embasaram a cassação do presidente. O país se uniu para superar o trauma e buscar soluções que não paralisassem nem a reconstrução democrática, nem a economia nacional. Esse é o pano de fundo do 1º volume de *Trapaça*, a saga política no universo paralelo brasileiro. Irregularidades, tráfico de influência, lobbies, negócios escusos, a busca insaciável do poder, paixões intensas por mulheres fatais, num ambiente em que se ressalta a crônica corrupção do estado brasileiro, antecipando o que vivemos hoje.

Impressão e Acabamento:
www.graficaviena.com.br
Santa Cruz do Rio Pardo - SP